歯車にならないためのレッスン

LESSONS ON HOW NOT TO BE A COG

森達也

MORI TATSUYA

青土社

まえがき

時おり思う。いつから自分は時事評論家のようなポジションになってしまったのか。

もちろん、時事評論家ではない。あくまでも「のようなポジション」だ。でもそうしたコメントを求められることは少なくない。

これまでのキャリアでオウム真理教や死刑制度や下山事件などを扱ってきたこともあって、時おり肩書としてジャーナリスト的な形容をされることがある。その場にいるならばあわてて否定できるけれど、印刷物やネットなどでは事後に知るだけだ。もう修正できない。

だから後ろめたい。

僕はジャーナリストではない。むしろ真逆な位置にいる。だって書くときも撮るときも、優先するのは常に自分の主観だ。ジャーナリストならば客観性や中立性や公正性に配慮しなければならない。もちろん、完璧な客観性や中立性や公正性を達成することなどありえないが、可能なかぎり留意しなければならないと思っている。さらにジャーナリズムにおいては大義も必要だ。不正を許さないこと。公益に奉仕すること。弱者の声を届けること。

これまで書いてきた書籍や撮ってきた映画やテレビ・ドキュメンタリーなどには、

前述したジャーナリズムの大義と、かなりの面で被る作品は少なくない。でもそれは、これまでのテーマの多くが社会的な問題と重なったからであって、大義が先にあったわけではない。

ずっと優先してきたのは、徹底して自分の興味や好奇心だ。撮ったり書いたりしているとき、客観性や中立性や公正性などについて考えることはほとんどない。いや、ほとんどじゃない。まったくない。これでジャーナリストなど名乗れるはずがない。社会派でもない。たまたま興味を持ったテーマが、社会的で政治的だっただけなのだ。

だから考える。いつからこういうことになったのか。僕にとっての原点はオウム真理教の映画『A』だ。映画祭や上映会などでは上映後に、「なぜオウムを撮ろうと思ったのか」「なぜオウムの施設に一人で入ることができたのか」などとよく質問されるけれど、そもそもオウムを撮った理由は、この時期に僕がテレビディレクターだったからだ。

地下鉄サリン事件が発生してからほぼ一年、メディアはオウムバブルの時期だった。テレビは早朝から夜中までオウムの特番だらけ。オウム関連以外の企画はほぼ通らない。だからドキュメンタリーの被写体にオウムの現役信者を選択した。オウム真理教に対しては、どちらかといえば強い興味などなかったはずだ。つまり消去法。あくまでも仕事の一環だ。強い意志や使命感など欠片もない。

一人で撮り続けた理由も、この作品は危険だと判断したテレビ局上層部から撮影中止を言い渡されて撮影クルーに発注できなくなったからだ。自分でこの手法を選択したわけではない。ならばなぜ、所属していた制作会社から解雇されたのに撮影を続けたのかと質問されるけれど、事態を甘く見ていたからと答えるしかない。まさかクビにはならないだろうと思っていたのだ。つまり組織の論理を軽視していた。

　メディアの誰もがオウム真理教の信者たちのドキュメンタリーを発想しなかった時期に撮った理由をひとつだけ無理やりに挙げれば、僕の鈍さに由来していると言うしかない。当時の日本社会全般が抱いていたオウムに対する嫌悪や憎悪を、僕は他人ごとのように眺めていた。共有していなかった。これに尽きる。

　僕は鈍い。だから組織の中で優秀な歯車になれない。テレビの仕事を始める前、いくつかの会社を転々とした時期があった。もしも当時の上司や同僚たちに訊けば、あきれるほどに使えない社員だったと誰もが口を揃えると思う。

　これは余談になるけれど、公開後に『A』が一部で評価されて香港やベルリンやバンクーバーなどいくつもの映画祭に招待されながら、この評価はフロックなんだと僕は自分に言い聞かせていた。才能や実力ではない。だから続編などありえない。あっというまに馬脚を現す。映画はこれ一本にしておくべきだ。ずっとそう思っていた。結果として『A2』を撮ってしまったけれど、あのときの不安と躊躇《ためら》いは今もはっきり覚えている。

　とにかくどこからどう考えても、僕の資質はジャーナリスティックな要素とはほど遠い。政権批判とかメディア批評とか、できることならやめたい。それに見合うだけの取材力もないし、知識や教養もない。要するに分不相応なのだ。

ただし分不相応ではあっても、今の社会や政治について物申すことはしていいはずだ。特に『Ａ２』発表以降から現在に至るまで、執筆を生活の糧にしてきた期間は長い。そして書くためには、さすがに最低限の勉強をしなくてはならない。読書だけではなく実際に多くの場に足を運び、多くの人に話を聞いた。それは僕にとって、書いたり撮ったりするうえで大きな糧になっていることは間違いない。

ポーランドにあるアウシュビッツ＝ビルケナウ強制収容所に行ったとき、最後の所長だったルドルフ・ヘスが居住していた家に案内された。子煩悩で家族思いのヘスは、ドイツから妻と五人の子どもたちを呼びよせて、鉄条網の外に小さな家を建てて家庭菜園を作り、一家仲良く暮らしていた。

もちろん家はもう解体されている。でも敷地は残っていた。ふと目を上げて、僕は衝撃を受けた。その家からユダヤ人の遺体を焼いていた焼却所までは、歩いて数分の距離だったのだ。仲睦まじく暮らす家族たちの目に、煙突から立ち昇る黒い煙はどのように映ったのだろう。処刑台に送られる直前に、ヘスは以下の言葉を残している。

私はそれとは知らず第三帝国（ナチス）の巨大な虐殺機械のひとつの歯車にされてしまった。その機械もすでに壊されてエンジンは停止した。だが私はそれと運命をともにせねばならない。世界がそれを望んでいるからだ。

ヘスと同じくナチス親衛隊員でユダヤ人移送の最高責任者だったアドルフ・アイヒマンも、家族思いで愛妻家だった。彼が裁かれる法廷を傍聴したハンナ・アーレントは「凡庸な悪」という言葉を想起して、その著書『エルサレムのアイヒマン』において、アイヒマンの罪は多くの人を殺したことではなくナチスという組織の歯車になったことだ、との論を展開している。

ヘスはユダヤ人虐殺現場の歯車のひとつで、アイヒマンはユダヤ人を虐殺現場へ輸送する歯車のひとつだった。一人だけではない。ナチス宣伝相のゲッベルスや副総統だったゲーリング、金髪の野獣と言われたゲシュタポ長官ラインハルト・ハイドリヒ、親衛隊のトップにいたハインリヒ・ヒムラー、ホロコーストに加担した彼らナチス高官たちも、組織の歯車として多くの人を殺害し続けた。ナチスだけではない。誰もがアメリカに敗《ま》けることを予想しながら無謀な戦争を始めた大日本帝国。総計で数千万人が犠牲になったといわれるスターリンの大粛清と中国の文化大革命。ルワンダやクメール・ルージュの大虐殺、同国人八万人を殺したといわれる韓国の4・3事件。まだまだいくらでもある。日本における朝鮮人虐殺、連合赤軍やオウム真理教の事件、あるいは安倍政権以降ずっと続いている官僚機構の文書捏造問題なども含めて、組織共同体が大きな過ちを犯すとき、歯車になった人たちが実直に駆動していることは共通している。

チャップリンはその監督作『モダン・タイムス』で、この時期にフォード自動車が採用していたベルトコンベア式工程への批判を込めて、あの有名な歯車に巻き込まれるシーンを呈示した。組織は個を幸せにしないとのメッセージだ。

でも機械は歯車がなければ動かない。もしもその組織を構成する人たちの多くが、『A』を撮り始めたときの僕のように、場を見ることが苦手で空気に対して鈍い歯車だったとしたら、その組織は早晩に不具合を起こして大混乱しながら機能停止するはずだ。

だから歯車は重要だ。でもこのとき、何か変だなとかちょっと違うかもと思ったとき、それを言葉にしたり動きで示したりすることを忘れない個でありたい。違和感を表明できる歯車であってほしい。それだけで集団の暴走や過ちは、大きく回避できると思うのだ。

ここに掲載されているのは、基本的には二〇一七年から二〇二二年までの期間に、いくつかの雑誌や新聞に寄稿した原稿のアンソロジーだ。一貫したテーマはない。でも時代性は確実に息づいている。そしてそれは、少なくとも同時代にこの国に暮らしている人たちならば、共有できるテーマのはずだ。

ただし多くの人と共有できるテーマではあっても、「鈍い」からこそ、時おり多くの人と僕は視点がずれる。つまりコントロールに難がある速球型のピッチャーだ。たまたまストライクゾーンに入れば威力を発揮できるけれど、逸れるときはすさまじい。

そう思いながら読んでほしい。どれがストライクなのかボールなのか、それは（あらためて書くまでもないけれど）読む人一人ひとり（つまりあなた）の判断だ。

歯車にならないためのレッスン　目次

2017　煽られる危機

2017年の主な出来事

1月
ドナルド・トランプ氏が第45代アメリカ大統領に就任。

2月
大阪府豊中市内の国有地が格安で学校法人「森友学園」に売却された「森友問題」が発覚。7月に前理事長と妻を逮捕。

3月
犯罪を計画段階から処罰する「共謀罪」の趣旨を盛り込んだ、改正組織犯罪処罰法案が閣議決定。6月に成立。7月に施行。

4月
沖縄県の米軍普天間飛行場の移設計画で、政府が辺野古の埋め立てを開始。

5月
文在寅氏が第19代韓国大統領に就任。
学校法人「加計学園」の獣医学部新設をめぐり、文部科学省が「総理のご意向」などと文書に記していたことが発覚。

7月
東京都議選、自民党が半減以下の23議席で史上最低に。第1党は「都民ファーストの会」。
核兵器の使用や保有を禁止する核兵器禁止条約が採択される。122カ国が賛成したが日本は参加せず。
九州北部豪雨が発生。死者38人、行方不明3人。

8月
2017年版の防衛白書で北朝鮮の核・ミサイル開発を「新段階の脅威」と明記。
アメリカ・ヴァージニア州で白人至上主義グループと反対派が衝突し、1人死亡。
北朝鮮が弾道ミサイルの発射実験を実施。日本上空を通過し太平洋に落下。政府はJアラートを発出。

10月
国際NGO・核兵器廃絶国際キャンペーン（ICAN）にノーベル平和賞。
第48回衆院選で自民党が大勝。公明党と合わせ3分の2に達した。
憲法9条やデモを詠んだ俳句を公民館だよりに掲載しなかったさいたま市に賠償命令。19年に最高裁で確定後、一転掲載。

12月
トランプ大統領がエルサレムをイスラエルの首都と承認。国連安保理では英仏中ロがアメリカを批判。
小野寺五典防衛相、長射程巡航ミサイルの導入方針を正式表明。
沖縄県宜野湾市の米軍普天間飛行場に隣接する小学校の校庭に、米軍ヘリの窓が落下。

共謀罪という詭弁

政府が閣議決定した「組織犯罪処罰法改正案」における「組織犯罪」の別名は「テロ等準備罪」。またも言い換えだ。その本質は、二七七もの罪を準備段階で処罰できる「共謀罪」だ。「テロ」関連に特化した刑罰ではないのに、この二文字を頭に足すことで抵抗が薄くなるとの思惑が露骨だ。「等」は後ろめたさの現れなのか。いずれにしても姑息すぎる。だから考えてほしい。準備段階や共謀しただけで処罰できるとは、具体的にどういうことなのか。

あなたは生活が逼迫《ひっぱく》している。悪い友人から銀行を襲撃して現金を強奪しようと犯罪を持ちかけられる。現場の下見に行く。でも良心が疼《うず》く。やはりやめよう。友人を説得する。これからはまっとうに生きよう。でもそれはできない。警察は計画段階で情報を入手していた。犯罪を共謀していたとして、あなたと友人は逮捕される。

たった一つのパンを盗んだ罪で一九年も服役したジャン・バルジャンは、出所後も世間から前科持ちとして冷遇されるが、最後にたどり着いた教会で温かく迎えられる。しかし人間不信と憎悪の塊になっていたバルジャンは、夜中に銀の食器を盗む。翌朝すぐに逮捕されるが、教会の司教は「食器は私が与えたもの」と証言する。その場に泣き崩れるバルジャン。

――ヴィクトル・ユーゴーが書いた『レ・ミゼラブル』は、人間の聖性と良心をテーマとする。人は弱い。誘惑に負ける。憎悪に捉われる。嫉妬で身を焦がす。でも改心しない人間などいない。

もちろん現実は小説とは違う。でも準備した段階で罰するというシステムが社会の枠組みの一つとなることで、人の意識は絶対に変わる。今も急激に変わりつつあるけれど、それがさらに加速する。だって社会の安全安心を理由に、悪事を計画した人を処罰するという先制攻撃が正当化されるのだ。ならば専守防衛を最大の理念としてきたこの国の安全保障政策も、周辺国の脅威を理由に、これから変わるかもしれない。いやもう変わりつつある。

衆議院予算委員会で安倍首相は、一般人と犯罪集団との見分けについて「例えばオウム真理教が、当初は宗教法人として認められた団体でありましたが、犯罪集団に一変した段階で、その人たちは一般人なんですか。一般人であるわけないじゃないですか」と答弁した。

その後もオウムはテロ等準備罪を成立させる根拠の実例として、何度も引き合いに出されている。

あまりに論理が粗雑だ。当時のオウム信者は一万人以上いたが別件や微罪も入れて裁判の被告人になったのは六三人。残りは犯罪にはまったくかかわっていない。この論法を使うのなら「国連の勧告を無視してテロ行為に加担する北朝鮮やイランの国民はすべて犯罪者である」とのレトリックも可能になる。つまりメキシコを犯罪国家と罵倒し、イラクやイランなどからの入国を制限するトランプの論理だ。

テロとは何か。暴力によって喚起される不安や恐怖によって、政治や社会に影響を与えて特定の方向に変えること。だからこそメディアの存在は不可欠だ。メディアが煽れば煽るほど、テロの効果は高まる。不安と恐怖に煽られた国民の意識を先取りした政治家は、テロの脅威を理由に、法やシステムを自分たちの都合のいいように変える。つまり管理監視国家へと近づく。

ならば「テロに屈するな」と叫びながらこの国は、(その方向はともかくとして)まさしく「テロに屈し続けている」ことになる。

潜在的なジャン・バルジャンはテロリスト予備軍だからすべて逮捕せよ。社会秩序を破壊するような妄想も許すな。これはジョージ・オーウェルが『一九八四年』で提唱した思想警察そのものだ。決して絵空事ではない。ナチスドイツならゲシュタポ。旧ソ連ならソ連国家保安委員会(KGB)。そして日本なら特別高等警察。

かつてそんな歴史があった。少しずつ回帰している。せめて覚悟をもって変わるのなら、それも一つの選択だ(僕は絶対に支持しないけれど)。でも知らないうちに変わるべきではない。今の位置くらいは自覚しておきたい。

(『新潟日報』二〇一七年四月一日付朝刊)

北欧で感じた日本の未成熟

刑務所収容施設に隣接する広いグラウンドでは、男や女たちがサッカーに興じていた。ノルウェーの短い夏。男たちのほとんどは上半身裸で、その半数以上が二の腕や背中にタトゥーを彫っている。女たちは制服姿。つまり刑務官だ。

二〇〇九年、テレビの仕事でノルウェーの首都オスロに行った。目的はノルウェーにおける刑事司法の現状を取材すること。到着した翌日に撮影クルーとともに、市内にあるオスロ刑務所を訪ねた。北欧では最大規模を誇る刑務所だ。

ちょうどランチタイムだったので、受刑者たちの昼食風景を撮影した。ロビーに置かれた長いテーブルに集まった受刑者たちは、パンやクラッカーにジャムやペーストを塗って食べている。刑務官も数人座っている。一人だけ制服を着た男性は刑務所長だ。みなで雑談しながらランチを楽しんでいる。

ヨーロッパの他の国と同様に死刑がないノルウェーは、無期懲役刑も廃止している。最高刑は禁固二一年だ。受刑者は基本的には年に一回、数日間の休暇を与えられる。家族が待つ自宅に帰ってもいいのだ。一人ひとりに個室が与えられて出入りは自由。部屋にはテレビやラジオが置かれている。テレビゲームに興じている受刑者もいた。キッチンと冷蔵庫は共有。気が向けば料理もできる。バンド演奏ができる音楽ルームやジム、図書館も併設されている。

刑務所なのに快適でよいのか。ならば入所を希望して罪を犯す人が後を絶たないのではないか。そう思う日本人は少なくないはずだ。刑務所内を案内されながら、僕もそんなことを考えていた。ところがノルウェーの再犯率はとても低い。刑務所でしっかりと職業訓練を受けると同時に、懲役を終えて出所する際には、国が住居と仕事を保障するからだ。罪を犯した人の社会復帰を最優先する寛容化政策によって、ノルウェーの治安はとても向上した。

法務省で刑務所の制度設計を担当している上級官僚であるパイクにインタビューした。ほとんどの犯罪は三つの欠落によって起きると彼は僕に言った。

一、幼年期の愛情の不足。
二、生育期の教育の不足。
三、現在の金銭の不足。つまり貧困。

ならば犯罪を罪を犯した人に対して社会は何をするべきか。この三つを補填すればいいのです、とパイクは僕に言った。それが刑罰だと。

さすがにこのとき、僕は絶句していたと思う。それまでは僕も、罪とは人に苦しみや損害を与えることなのだから、罰とはできるだけ等量の苦しみを受けること、とどこかで思っていた。その発想はノルウェーにまったくない。彼らはこれまで苦しい人生を送ってきたはずです、とパイクは僕を見つめながら言った。これ以上苦しみを与えても意味はない。大切なことは、彼らを社会の一員としてリカバリーさせることなのです。

この番組はNHK-BSで放送された。反響は大きかったようだ。地上波で放送することも考えていますとプロデューサーから連絡がきたが、その翌週にやはり無理でした、とプロデューサーは言った。これをこのまま地上波で放送したら、絶対に抗議が来ると上層部は判断したようです。なぜ抗議が来るのか。だってこれは創作ではなく現実だ。でもこの国では、そんな情報を知ることすら苦痛だと感じる人が多いらしい。

ノルウェーを訪れた翌々年、オスロで大規模なテロが起きた。犠牲者数は七七人。うち五五人はサマーキャンプ中の一〇代少年少女たちだった。テロの動機はノルウェーの寛容な移民受け入れ政策に異議を唱えるため。

現場にいながら生き残った一人の少女がメディアからの取材に対して、「一人の男がこれほどの憎悪を見せるのなら、私たちはそれを上回るほどの愛情を示しましょう」と語り、首相は国民向けスピーチでこれを引用した。

七七人を殺害したアンネシュ・ブレイビクに対して裁判所は、原則どおり禁固二一年の判決を下した。獄中のブレイビクは大学で政治学を学びたいと希望して、法務省とオスロ大学はこれを了承し、試験に合格したブレイビクはオスロ大学の学生となった。

……これだけの記述では、あまりにも日本の現状とかけ離れていてイメージしづらいと思う。でももしも実際に北欧を訪れたことがあるならば、きっとあなたも実感できるはずだ。人はみな優しい。暴力に対して暴力で報復しても連鎖するばかりだとの意識を、社会全体が共有している。

国境なき記者団が発表する世界各国の「報道の自由度ランキング」で、ノルウェーを筆頭に北欧各国は毎年上位を独占する。日本は今年（二〇一七年）七二位。特に安倍政権になってから（民主党政権時は一一位を記録したこともあった）、順位は下降し続けている。

メディアは社会の合わせ鏡だ。そして政治家は有権者が選択する。つまりメディアと社会と政治は、常に同じレベルで推移する。

……この六月もフィンランドやスウェーデンなど北欧の国々に滞在した。成熟した社会と政治を実感した。街で警官を見かけることはめったにない。そもそも警官は武装していない。テロ警戒中の張り紙もない。

帰国して早々に、日本では「対テロ」を錦の御旗にして「共謀罪」法が成立した。不安や恐怖を煽りながら暴走する政治。これを追認するメディア（今ごろ騒いでも遅い）。徹底して無関心な社会。

だからこそ思う。日本はまだまだ途上国なのだと。それも上昇ではなく下降する途上国。ならば堕《お》ちるところまで堕ちればよい。中途半端に抑制しても意味がない。

人間は生き、人間は堕ちる。そのこと以外の中に人間を救う便利な近道はない。（中略）人は正しく堕ちる道を堕ちきることが必要なのだ。そして人の如くに日本も亦堕ちることが必要であろう。堕ちる道を堕ちきることによって、自分自身を発見し、救わなければならない。

ここに引用したのは、終戦から一年後に坂口安吾が発表した「堕落論」の終盤の有名なフレーズだ。戦後から七〇年以上が過ぎたのに、これを実感するとは思わなかった。

（『生活と自治』二〇一七年八月号）

戦争の燃料は「自衛意識」

北京から平壌へと向かう機内の乗客の半分以上は、意外にもアメリカやヨーロッパからの観光客だった。フライトはおよそ二時間弱。機内食は紙に包まれたハンバーガーひとつ。薄いパティをバンズで挟んだだけ。トマトもレタスもチーズもない。

でも実はけっこう美味しかった。なぜかな。なんとなく懐かしい味。まあもしも日本のマクドナルドでこれを食べたなら、金を返せと言いたくなると思うけれど。

平壌国際空港では少し緊張した。税関や入国審査の職員たちの制服が軍服に見えるからだ。実際に街には軍人が多い。しかも一般男性の多くは人民服を着ているから、遠目にはやっぱり軍人と見分けがつかない。まるで戦時下のような印象だ（というか、朝鮮戦争は休戦状態であって停戦はしていないのだから、実際に戦時下なのだ）。

滞在中に小児病院に見学に行った。色褪せた玩具が置かれた子どもたちの待合室の壁には、草

切り絵のモチーフは銃や戦車、軍艦だった。

や葉や竹などを素材にした切り絵が貼られている。でもそのモチーフはすべて、武器や兵器だった。銃と戦車、そして軍艦。こうした光景は至るところで目にした。

　滞在中、国外の情報がほとんどわからなくなって困惑した。ネットは国外とは繋がらない。もちろん日本とのメールのやりともできない。だから世界で今、何が起きているのかわからない。

　北朝鮮国内で利用できるメディアはほぼすべて、国営か北朝鮮を支配する労働党の機関紙だ。つまり新聞とテレビは、金正恩政権が伝えたいことしか伝えない。都合の悪い記事やニュースを国民が知ることはほぼない。特に政権とメディアは、他国（特にアメリカ）の脅威を煽り続ける。

　平壌市内の祖国解放戦争勝利記念館（要するに戦争博物館）の展示コンセプトは、北朝鮮にとっての仮想敵国であるアメリカの脅威を強調することだ。侵略に対しては断固戦う。自衛のため。国を守るため。家族を守るため。敵は狂暴だ。大義はこちらにある。だからこそ戦う。

……そんなメッセージに溢れた多くの展示を眺めながら考える。現状分析が正しいかどうかはともかくとして、自衛のために戦わざるを得ないとの論理は、日本やアメリカの現政権の主張とほぼ変わらない。

　帰国前日にサーカスを観に行った。実はサーカスは北朝鮮のお家芸。会場に着いてびっくり。広い駐車場には軍のトラックが数十台停まっている。観客席の八割近くは軍服だ。フィナーレは人馬一体となったパフォーマンス。多くの馬と人が目まぐるしく代わりながら様々な曲乗りを披露するけれど、上に乗る人はみな軍服姿だ。最後には北朝鮮国旗を掲げて馬の上に仁王立ち。結局のところは国威発揚。悪い敵をやっつけろ。油断すれば侵略される。これは聖戦だ。正義は我々のもとにある。

あらためて実感したけれど、結局のところは自衛意識が燃料となって人は戦争を起こす。互いに相手が悪いと言い合いながら。互いに侵略されたと主張し合いながら。視聴率や部数を上げようとするメディアのそんな報道に国民は眦《まなじり》を吊り上げ、支持率を上げようとする為政者は強気であることを誇示しようとする。

再び北京経由で帰国すれば、まさしく中国と北朝鮮による軍事的な危機を煽りながら、集団的自衛権の必要性を、安倍首相がテレビで力説していた。

（『生活と自治』二〇一七年九月号）

分断と統合を煽る国

八月一二日、アメリカ南部ヴァージニア州シャーロッツビルで白人至上主義者たちの集会が行われ、これに抗議するために集まった人たちに二一歳の男が運転する自動車が突入して、一人が死亡し一九人が負傷した。事故ではない。いったんバックした車は明らかに、人々めがけて猛スピードで突進している。

スマホで撮られたこの瞬間の映像をテレビニュースで観ながら、アメリカの分断と統合をあらためて実感した。同時に思う。危機や脅威を燃料にした分断と統合は、アメリカ同時多発テロ以降、まさしく世界に拡散した。

分断と統合は相反しない。むしろ並行する。統合したいとの欲求が強くなるから分断が起きる。つまり（僕の語彙では）集団化だ。

もちろん日本も同様だ。安倍政権を支持する人たちはネトウヨ的な心性を隠さない。アメリカの場合は紐帯としてキリスト教原理主義が働いているが、日本の場合は（神の子孫である天皇が治める国であるとする）神道原理主義だ。在日外国人の排斥や殺害までも公然と宣言する在特会（在日特権を許さない市民の会）は、日本のＫＫＫ（クー・クラックス・クラン）と呼称していいだろう。

シャーロッツビルの事件直後、ヴァージニア州のテリー・マコーリフ知事（民主党）は報道陣を前に、「今日シャーロッツビルに入ってきた白人至上主義者やナチスに伝えたい。我々のメッセージは単純で簡単だ。『帰れ』。この偉大な州はお前たちを歓迎しない。恥を知れ。お前たちは愛国者のふりをするが、お前たちは愛国者とは程遠い」と激しく罵倒した。知事だけではない。ＮＢＣ「ザ・トゥナイト・ショー」のメイン司会者であるジミー・ファロン、ＣＢＳ「ザ・レイトショー」のスティーブン・コルベア、ＡＢＣ「ジミー・キンメル・ライブ！」のジミー・キンメルなど著名なトーク番組の司会者たちが、揃って激しく白人至上主義者たちを罵倒した。

……罵倒という言葉を使ったけれど、決して大げさではない。YouTube でこの映像を確認することができる。「おぞましい」「最低だ」「吐き気を感じた」など、とてもストレートに彼ら人気司会者たちは、白人至上主義者とこれを批判しないトランプ大統領を批判している。

民主党と共和党がほぼ交互に政権をグリップする二大政党制が示すように、これはアメリカの強みだ。作用と反作用が常に拮抗している。決して一色にはならないのだ。ただし多民族多言語多宗教の国だから、両端の振幅は暴力的なほどに大きい。

同時にふと気になったこと。知事も司会者たちも彼らはすべて、白人至上主義者たちをナチスを引き合いにしながら批判した。つまりナチスは絶対悪だ。その是非はともかくとして、もしこれがドイツ第三帝国ではなく大日本帝国を引き合いにしたならば、「国益が侵害された」「日本民族が侮辱された」などと日本国内は大騒ぎになるはずだ（アメリカ相手に抗議はしないかな）。でも冷静に考えてほしい。ナチスは絶対的な悪であっても、今のドイツ人を冷血で残虐な人たちだなどと思う人はまずいない。具体的にどんな国益が侵害されているのだろう。もしもイメージを損なうのだとしたら、歴史を真摯に見つめずに自画自賛する姿勢に理由があるのではないだろうか。

統合と分断は日本でも進んでいる。内閣改造後、北朝鮮のミサイル騒動などが追い風になって、安倍政権の支持率は一〇ポイント前後持ち直した。これからもっと上がるだろう。つまり一時は危険水域まで落ち込んだけれど、ぎりぎりで持ちこたえて元に戻る。

これはアメリカの二大政党制を下支えする作用と反作用とは微妙に違う。基盤は常に自民党なのだ。時おり支持率を下げたり与党ポジションから退いたりはするが、すぐにリカバリーする。

もちろん、これは現段階では予想だ。支持率が落ち始めた七月の時点で、僕の周囲の人たちの多くは、これで安倍政権は終わると真顔で言っていた。そのたびに僕は、もう少ししたら支持率は戻るはずと反論するので、おまえは安倍政権支持者かと周囲からあきれられた。

支持などしない。戦後最もあってはならない政権だ。でも現実は厳しい。冷酷だ。きっとまた元に戻る。

七月の都議選で自民党が歴史的な大惨敗を喫したきっかけのひとつは、選挙戦最終日に安倍首相が自らを批判する人たちに対して口走った「こんな人たちに、みなさん、私たちは負けるわけにはいかない」だ。自分を支持する人たちを「みなさん」と呼びかけて、支持しない人を「こんな人たち」と罵倒する。自分を支持する白人至上主義者たちを擁護して、差別に反対する人たち（＝自分を支持しない人たち）を批判するトランプ大統領と発想は何も変わらない。テレビニュースを見ながら、さすがにこのときはあきれた。怒りや驚きのレベルではない。本当に悲しくなった。この人がこの国のトップなのだ。

もちろんこれまでも、安全保障法制や「共謀罪」法の強行採決、森友・加計学園をめぐる露骨でアンフェアな対応、メディアへの剥きだしの敵視、さらには「読売新聞を熟読していただいて」「私や妻が関係していたということになれば、これはもうまさに総理大臣も国会議員も辞める」「議会については、私は立法府の長であります」「（憲法前文は）いじましいんですね。みっともない憲法ですよ、はっきり言って。それは、日本人が作ったんじゃないですからね」など、具体例としてどれを挙げるかに悩むほど頻繁に、安倍首相と安倍自民党は何度も一線を越えている。

でも首相が国民を選別する発言を、当の国民に向かって公式に発したことの意味は大きい。完全にお殿様だ。これからは自分を「朕《ちん》」とか「わらわ」とでも呼べばいい。

これまでの発言をあらためて読み返せば、安倍首相は突出して本音を語る政治家なのだと気づく。そもそも思考が雑駁《ざっぱく》で浅慮であることに加え、万能感に酔いしれていることがよくわかる。普通ならとっくに表舞台から消えている。でも消えない。なぜなら支持率が下がらないからだ。

つまり追い風がずっと吹いていた。

それが変わった。メディアの言葉を借りれば、「逆風が吹いた」ということになる。風とは何か。少なくとも自分の意思ではない。要するに集団の勢いだ。

追い風だろうが逆風だろうが、結局のところ風は風だ。論理でも理念でもない。目標でもなければ決意でもない。風はあっというまに向きを変える。強くもなるし弱くもなる。

「こんな人たち」発言以外にも、投票直前の応援集会での稲田朋美防衛相の「防衛省・自衛隊、防衛大臣、自民党としてもお願いしたい」発言、『週刊新潮』がスクープした豊田真由子衆院議員の秘書への暴言などが、逆風の起動力になったとメディアは分析した。

風はすぐに向きを変える。あるいは時間が経てば弱くなる。もしも豊田議員の暴言が「このハゲ!」というインパクト大の言葉ではなく「このバカ!」で始まっていたならば、テレビや雑誌などはこれほど面白おかしく取り上げなかっただろうし、風はこれほどに強くならなかった可能性がある。

それにしてもハゲという言葉は、マスメディアでこれほど無邪気に使ってもいい言葉だったのだろうか。明らかに差別や蔑称のニュアンスがあると思うのだけど。実際に言ったからセーフなのか?　ならば誰か政治家がキチガイとかカタワなどと誰かを罵倒したら、ニュースはそのまま流すのか?　どうも基準がわからない。

とにかく時代や社会が大きく軋むとき、この国はいつも強い風に吹かれていた。多くの人が同じ動きをしていた。一極集中に付和雷同。多くの人が雪崩を打つように同じ方向に走り出す。

でもやっぱり風は風だ。障害物があれば動きを止める。ひとつの風に飽きれば、誰かが別の風を見つける。

イワシやムクドリの群れは、ひとつの生きもののように動く。つまり同調圧力だ。これに従わない個体は淘汰される。人も群れる生きものだ。なぜなら不安や恐怖がとても強い。だからこそ危機意識を煽られたとき、周囲と同じ動きをしたほうが安心できる。

特に日本ではその傾向が強い。みんなが自民党を支持するなら自分も自民党を支持する。みんなが民主党政権時代を「暗黒の三年間」と形容するのなら自分も同調する。そしてみんなが自民党を批判するのなら自分も批判する。

人は群れる本能を持っている。そしてこの本能は、不安や恐怖を抱いたときに、より強く発現する。経済が停滞したとき、災害を目にしたとき、テロへの不安に苛まれたとき、弾道ミサイルが落ちてくるかもしれないと思ったとき、人は一人が怖くなる。みんなで連帯したくなる。そして行軍を始める。風に背中を押されながら。なぜその方向に進むのかは考えない。だって風には論理はない。理念や決意もない。周りの動きに従うだけ。もしも風と違う動きをしたならば、集団の中の異物として自分が攻撃される。

だから考えない。悩まない。イワシやムクドリは鋭敏な本能で周りの動きを察知するが、進化とともに鋭敏な感覚が退化した人類は、代わりに言葉を得た。つまり指示だ。全体止まれ。右に曲がれ。全速力で走れ。

こうして群れが暴走を始めたとき、人は強い言葉を発する強いリーダーを求め始める。

まさしくこの構図に、統合や管理統制を主張する安倍政権はぴったりとフィットした。仮想敵国に対しては強気に振る舞い、強いアメリカには徹底して従順なリーダー。ならば暮らしも安心だ。美しい日本を取り戻せ。号令に従え。違う動きはするな。安倍辞めろと叫ぶ「こんな人たち」は、自己責任の名のもとに排除しろ。

この空気は都議選後も変わっていない。気温も湿度も同じだ。風が向きを変えただけだ。ならばまた何かの拍子に風は向きを変える。さらに付け加えれば、自主憲法制定や核武装を主張する日本会議の要職に就いていていた小池百合子都知事は、決して自民党への対抗勢力ではない。本質はほぼ同じ。五五年体制以降の日本の政治が、自民党という巨大な基盤の上にあることは変わらない。

支持率が上がりかけた理由は、北朝鮮の実験ミサイル発射だけではなく、支持率低下の大きな要因だった森友・加計学園問題に、社会が関心を失いかけているからだ。

つまり飽きてきた。

だからメディアの追及は緩くなる。都議選の結果がガス抜きになったことも確かだろう。多くの識者やメディアは「(自民党に)お灸をすえた」と表現していたけれど、ならばより健康になって復帰することは約束されていたわけだ。

六月一九日、終わったばかりの通常国会を振り返った安倍首相は、記者会見の冒頭三分ほどを使って、「(加計学園の問題などが焦点となって)政策とは関係のない議論に終始した」などと反省を口にした。でもこのときの言葉を正確に記せば、「印象操作のような議論に対してつい強い口調で反論してしまう私の姿勢が、結果として政策論争以外の話を盛り上げてしまった。深く反省しております」などと、印象操作のような質問をした野党のほうに責任があると読み取れる内容だ。本当にそう思うのなら、しおらしく謝罪などすべきではない。

だから僕は安倍首相に言いたい。もしもあなたが彼と知り合いだったら、ぜひ伝えてほしい。いま反省して八秒間も頭を下げるのなら、特定秘密保護法と武器輸出三原則と安全保障法制と教育改革と沖縄基地政策と「共謀罪」法を、すべて元に戻してほしい。身代金目当ての誘拐事件で拉致された湯川遥菜さんと後藤健二さんを処刑に追い込んだのは誰か。命は戻らないけれど、せめて遺族にわびてほしい。

断言するが、次の国政選挙までに、支持率はまた持ち直す。安倍政権は来年以降も継続する。戦後に維持してきた国の形を、これからも大きく変えながら。

今この国は、戦後最低の内閣と最悪の首相を抱えている。でもこれを選択したのは社会だ。集団や組織と相性が良いからこそ、この国は同じ失敗をくりかえす。

ドイツ憲法（基本法）は制定以来何十回も改正されているが、国民投票は行われていない。東西ドイツ統一までの暫定的な法規と位置づけられていたなどの理由はあるが、ドイツの友人は僕の質問に対して、「僕たちは自分に絶望したからだ」と説明した。当時の世界で最も民主的と称えられたワイマール憲法下における普通選挙で、ナチスドイツは政権を獲得した。つまり多くのドイツ国民は、自由で民主的な体制よりも独裁体制を選択したのだ。また失敗はしたくない。だから熱狂したときの自分たちをもう信じない。

過去の失敗についてなら、ドイツと同盟国だった日本だって同じはずだ。でも僕たちは絶望しない。それどころか最近は、自分たちの失敗や加害行為を認めない人が増えてきた。だから同じことをくりかえす。あらためて思う。僕たちは絶望が足りない。堕ちるところまで堕ちるべきだ。

（『創』二〇一七年一〇月号）

危機意識の相似形

八月二九日午前六時前後、地域一帯に響く大音量のアナウンスで僕は目を覚ました。電柱などに据え付けられた市のスピーカーから、「北朝鮮」とか「ミサイル」「発射」などの言葉がきれぎれに聞こえる。あわててベッドから起きてテレビのスイッチを入れれば、NHKはもちろん民放各局も緊急特番体制で（地上波だけではなくBSもすべてだった）、日本のどこかにミサイルが着弾したのかと本気で思いかけた。

結果は誰もが知るとおり。実験ミサイルは日本上空を通過しただけだった。でもこの頃から日本はおかしくなった。前から相当におかしかったけれど、それが一気に加速した。

九月一一日に北朝鮮から帰国したアントニオ猪木参院議員が、「なぜこの時期に北朝鮮に行ったのか」と各方面から批判されている。ネットのレベルではない。多くの国会議員も苦言を呈しているし、猪木議員が出発する直前の記者会見で菅義偉官房長官は、「すべての国民に北朝鮮への渡航の自粛を要請している。この政府の方針を踏まえ、適切に対応すべきだ」と述べて、訪朝見送りを求めたと報道されている。

訪朝した猪木議員は朝鮮労働党副委員長と会談している。別に観光に行ったわけではない。政治家としてやるべきことをしっかりとやっている。それなのになぜこの行動が、これほどに批判されなければならないのか、僕にはさっぱりわからない。

思い出すのは、オウム真理教のドキュメンタリー映画『A』を公開したとき、オウムのPR映画を作った男とかオウムに利用された映画監督などと、一部の人からネットで批判されたことだ。

ただし、こうした批判をした人たちのほとんどは、実際に『A』を観ていない。当時のオウムは悪の権化だ。近づいたり接触したりするだけで批判される。あのときの状況に近いような気がする。

『週刊現代』九月一六日号もすごい。タイトルは「平壌に行って「金正恩委員長万歳!」と叫んだ2人の元大物国会議員」。この八月に日森文尋元社民党国対委員長と平岡秀夫元法相（民主党）が、北朝鮮で一週間にわたって行われた「白頭山偉人称賛国際祭典」に参加したとの内容だ。以下に一部を引用する。

「一行は7泊8日にわたって、金正恩委員長の偉大さについて称え合ったのだった」「北朝鮮国内の移動や宿泊、食事など一切の費用は、北朝鮮当局が負担した。宿泊先となった平壌最高級ホテルの一つ「羊角島《ヤンガクト》ホテル」では、朝から地元の「大同江《テドンガン》ビール」が飲み放題だった」「日森氏を含む7人だけは、羊角島ホテルよりもさらに格上の国賓用招待所が用意された。それは、「共和国親善勲章」を授与されたからである」

これらの要素が批判の根拠であるようだが、やっぱり僕には批判される理由がわからない。そもそもタイトル「「金正恩委員長万歳!」と叫んだ」に合致する記述は、本文中のどこにもない。記載されている旅程には、宋日昊朝日国交正常化交渉担当大使主催の会食に参加して、国家宇宙開発局（NADA）の科学者・技術者らと面談し、洪善玉朝鮮対外文化連絡協会副委員長から勲章をもらったなどの記述もある。これの何がいけないのだろう。

「感極まった表情で、洪副委員長とがっちり握手を交わした」「すっかりご満悦で「地上の楽園」から帰国した」「金正恩委員長の最大の趣味であるバスケットボール観戦でも、大はしゃぎである」「喜々として彼らの説明を聞き、「交流」しているのだった」

「感極まった」とか「ご満悦」とか「大はしゃぎ」とか「喜々として」など主観的な修辞を除けば、二人の行動には何の問題もない。敵対している関係だからこそ、外交の努力は何よりも重要なはずだ。記事は最後にこう結ばれている。

「日本では北朝鮮と違って、表現の自由も信条の自由も保障されている。だがそれでも、よりによってこんな時期に、訪朝して金正恩委員長を礼讃するのは、常識外れとしか言いようがない」

強調されているのはまた「こんな時期に」。でも二人の元議員は、わざわざ金正恩を礼讃するために渡朝したわけではない。こんな時期だからこそ、外交は何よりも重要なはずだ。もしも招かれたなら、それなりの儀礼で対応することは当たり前だ。それとも式典のその場で、「ふざけるな金正恩」などと叫ぶべきだとの意味なのだろうか。あるいはやはり、今の北朝鮮になど行くべきではないとの前提があるのだろうか。

だからもう一回思い出す。『A』を発表した頃、「なぜあなただけがオウム信者を撮れたのか」とよく質問された。答えは「僕だけが撮りたいと彼らに意思表示をしたから」だ。それ以上でも以下でもない。言い換えれば地下鉄サリン事件後のあの時期、ドキュメンタリーを撮りたいとオファーすれば、誰もが撮れたはずなのだ。でも（理由はいまだによくわからないけれど）僕以外の誰もオファーしなかった。だから僕と『A』という作品だけが突出した。

推測だけど、地下鉄サリン事件直後のあの時期、オウムと話し合いや交渉などすべきではないとの世相が社会を覆っていたからこそ、メディアも萎縮していたのだろう。だってオウムは究極の悪だ。社会の敵だ。交渉などすべきではない。そんな意識がメディアにも感染していたのだろう。

こんな時期だからこそ北朝鮮に行くべきだ。行って話す。聞く耳をもたなくても話す。あるいは言い分を聞く。危険だとの理由で一般国民に往来自粛を求めるなら、政治家たちこそ競って北朝鮮に行くべきだ。接触するべきだ。

八月二九日の弾道ミサイルは、日本上空を通過して太平洋に落下した。各メディアは政府発表を受けて「ミサイルは三つに分離し、いずれも襟裳岬の東約一一八〇キロの太平洋上に落下した」と一斉にアナウンスしたけれど、僕も含めて多くの人は、そんな近くに落下したのかと思ったはずだ。

でも落ち着いてよく考えれば、一一八〇キロはけっこう遠い。東京大阪間は直線距離で四〇〇キロ。その三倍だ。地図を見ればわかりやすいけれど、これは「襟裳岬の東」ではなくて「北海道（あるいは日本の）東の太平洋上に落下した」と言うべきではないだろうか。

そもそも「ミサイルは日本上空を」と言うけれど、政府が発表した高度は五〇〇キロ以上。ならば高度四〇〇キロの軌道を周回している国際宇宙ステーションよりも高い（九月一五日に発射されたミサイルはもっと遠くて高い）。つまり宇宙空間だ。でも上空と言われてしまうと、頭の上すれすれを飛んだような気分になってしまう。

多くの列車や電車は運行を停止した。停まってどうなるのだろう。もしも停まった電車にミサイルが直撃したら、誰が責任をとるのだろう。

菅官房長官はすぐに記者会見で緊急事態であることを強調し、安倍首相は囲み取材で「我が国に北朝鮮がミサイルを発射し（た）」とコメントした。これだけを聞けば、目標は日本列島だと誰も思う。この日のテレビは盛んに、破片の落下は今のところ確認できていないとアナウンスしていた。日本各地の原発に今のところ異常はないと発表したのは原子力規制庁で、海上保安庁は付近を航行する船舶や航空機に今のところ被害はないと発表した。すべて「今のところ」が常套句のように使われている。含みがある。安心なんかさせないぞと言外に言われているようだ。

何よりも、ほとんどの人の意識からは抜け落ちているようだけど、これは弾道ミサイル発射実験だ。目標は仮想敵国の施設などではない。海上に落下することが目標だ。ならば（確認はできないけれど）、弾頭に火薬は搭載されていないと考えるべきだ。つまり正確にはミサイルではない。ミサイルの先端に装着されているのは、爆薬や核弾頭と同じ質量・容積の模擬弾頭だ。

だからこそ破片の落下を気にするのかもしれないけれど、その確率を危惧するならば、家を出てから車にぶつかったり、看板が頭に落ちてきたりすることを気にするほうがよほど現実的だ。迎撃措置はとらなかったと政府は発表したが、もしもそんなことをしたら、それこそ模擬弾頭ミサイルの無数の破片が日本列島に降り注いでいたかもしれない。新たな兵器だ。そもそも日本上空は宇宙空間だ。つまり引力圏外。二重三重にばかばかしい。

さらに、仮に弾頭に火薬を搭載していたとしても、被害規模は（多くの人が想像するほど）大きくはない。発射直後のテレビニュースでも、「もしも落ちていたら街が火の海になる」とか「函館は壊滅するのでは」などと口にする人たちの声が紹介されていたけれど、弾道ミサイルが搭載できる火薬の量は一〇〇〇キロ前後が限界だ。想定される被害規模は、小さなビルが半壊するかしないかだろう。

補足するが、もしも北朝鮮がミサイルに搭載できる軽量の核兵器を開発することに成功したのなら、事態はまったく変わる。でも少なくとも今のところはまだ、その事態に陥っていない。ならば今のうちに、圧力を強化するとか制裁せよなどとは別の選択肢を考えるべきだ。

つまり対話。外交。一にも二にも対話だ。強圧的な制裁がむしろ裏目に出る可能性があることは、かつて世界から孤立しながら国際連盟を脱退してＡＢＣＤ包囲網を理由に無謀な戦争を始めた僕たちのこの国こそが、身をもって知っていなければならない歴史であるはずだ。

アメリカと韓国は戦争当事国だし、ロシアと中国はしがらみとイズムで動きづらい。ならば半島分断の原因を作った日本が、今こそ（イスラエルとパレスチナのあいだで調停に動いて）オスロ合意締結に尽力したノルウェーのような役回りを担うべきだ。それこそが積極的平和主義だ。ところが安倍首相は制裁一辺倒。世論とメディアに背中を押されながら。ならば事態は悪化するばかりだ。

念のために書くけれど（そしてこんな当たり前のことを念のために書く自分が情けないけれど）、北朝鮮の数々の行動を是認や追認する気はまったくない。権力の世襲にメディア支配の現状だけでも、本当にどうしようもない国だと断言できる。危機意識で凝り固まっている。だからこそ攻撃的になる。

四年前に平壌に行ったとき、多くの市民に会った。自分たちの国が世界においてどのような位置にあるかなどの現状認識については、やはり相当に偏っている。何度か議論した。どうしても折り合えない。でも一人ひとりは、日本人と何も変わらない。


ねえ共産主義者は何をするか知っているかい。彼らは恋をして子どもをつくる。歌って踊って泣く。本当だよ。神に誓ってもいい。

この二行は、一〇代後半の頃に読んだジェームズ・クネンの『いちご白書』で、最も強く印象に残ったパラグラフだ。記憶のままに書いたから正確ではない。「歌って踊って泣く」はたぶん僕の創作だ。文庫本は持っているはずだから探せば見つかると思うけれど、大意はまったくこのままなので、あえてこの形で引用する。

平壌に滞在していたとき、まさしく同じ感覚を僕は共有した。国籍や言語や政治的信条は違っても、中身は何も変わらない。笑う。悩む。怒る。考える。親を敬い、家族を愛する。こんなこと、わざわざここに書くまでもない。

今の北朝鮮には、とりあえず新聞とテレビ、ラジオなどのメディアはあるけれど、政治権力を監視するという最も重要な使命はまったく果たされていない。しかもネットは海外とは繋がらない。つまり情報の鎖国状態だ。だから国民は政権に言われるまま。自国と他の国を比較する術がない。アメリカは残虐な帝国主義の国だと本気で思っている。気を許せば襲いかかってくると本気で信じている。危機意識が高揚している。だからこそ理を説いても通じない。

そしてその隣のこの国では、やはりメディアと政府が、北朝鮮が打ちあげるミサイルの危機を必死に煽っている。だから国民の多くは、気を抜けば襲いかかってくる、わけのわからない国だと信じている。

こうして敵基地攻撃が正当化される。愛する人や国を守る。この大義には誰も抗えない。そしてすべてが終わった後に、なぜこんなことになったのかと泣きじゃくる。もうそんな歴史は終わりにしたい。

（『創』二〇一七年一一月号）

議論よりも沈黙を選ぶ国

安全保障法制の国会審議が白熱していた二〇一四年七月、市民デモをよく見かけた。特に国会議事堂がある永田町に行けばほぼ間違いなく、アピールする多くの市民たちに遭遇した。集団的自衛権の行使容認に反対する市民デモだ。

デモで政治を変えることは難しい。一九六〇年代から七〇年代にかけて、この国ではもっと激しくて世代の若い人たちが集うデモが国会周辺で行われていたけれど、結局は何も変えられなかった。

ただし世界は違う。二〇一四年のマイダン革命に結びついたウクライナの市民デモ、アラブの春を牽引した二〇一〇年のチュニジアのジャスミン革命、一九五〇年代から一九六〇年代にかけてアメリカで市民たちが行軍した公民権運動など、具体的な成果に結びついた市民デモは少なくない。もちろんマイダン革命やジャスミン革命が完璧に成就したとは言い難い。アメリカの黒人差別は続いている。でも大切なことはプロセス。たまたまこの国では成功例は少ないけれど、それは「たまたま」だと思いたい。だから記憶は大切だ。

「梅雨空に「九条守れ」の女性デモ」

さいたま市在住の女性が詠んだこの俳句は、彼女が所属する俳句教室の推薦を受けて、「公民館だより」の俳句コーナーに掲載する句のひとつに選ばれた。ところが「公民館だより」を発行するさいたま市立三橋公民館は、掲載されるはずだった俳句コーナーから、この俳句だけを削除した。

この判断を下した市の教育委員会は理由を問われて、「世論を二分する内容が含まれており、市の見解と誤解される可能性がある」などと説明し、清水勇人さいたま市長や稲葉康久教育長（当時）はそれぞれ、この判断を「適正である」「句会の名前と作者の氏名も書かれているので市の意見だと誤解される恐れはないと考えているが、世論を二分しているものはやはり掲載すべきではない」などと追認した。

世論を二分するテーマなどいくらでもある。原発は是か非か。パン食のときの目玉焼きには塩コショーかケチャップか（マヨネーズやソースもあるけれど）。地球温暖化は喫緊の課題なのかそうでないのか。漫才は関西と関東のどちらが面白いのか。

このときに自分の意見や思いを公の場では表明すべきではないのか。九条を守りたい。あるいは九条は不要だ。その意見や思いは言葉にしたらだめなのか。

目玉焼きや漫才はともかくとして、原発や気候変動は僕たちの日常や生命に直結する課題だ。多様な意見が自由に表明され、議論されなければならない。それが民主主義だと思うのだけど、さいたま市の考えは違うらしい。世論を二分する重要なテーマだからこそ、個々の意見は表明されるべきではない。どう考えてもそういうことになる。不思議な国だ。でもこの不思議な国は、僕が生まれて育った国なのだ。

俳句教室と市民有志は掲載拒否の撤回を市に申し入れたが、現在に至るまで句は掲載されていない。泣き寝入りはできない。こんな不当は許されない。二〇一五年、句を作った女性は、憲法で保障された表現の自由（憲法二一条）、学問の自由（憲法二三条）、教育を受ける権利（憲法二六条）を掲載拒否の判断は侵害しているとして、さいたま地方裁判所に提訴した。

九月六日、僕は市民たちに呼ばれて、地元のコミュニティセンターでスピーチした。訴訟を支援する市民代表や大学教授、弁護団、さらには句を作った女性も登壇して、表現の自由を観客席に訴えた。その後は近くの中華料理店でささやかな打ち上げ。今のこの国の流れだけは阻止しなくては。その思いは一致している。

（『生活と自治』二〇一七年一一月号）

＊補足　一審さいたま地裁は、秀句を掲載しなかったことは思想や信条を理由にした不公正な取り扱いで「句が掲載されると期待した女性の権利を侵害した」として五万円の慰謝料を認め、世論が分かれていても不掲載の正当な理由とはならないとした二審東京高裁は、「女性の人格的利益の侵害にあたる」と判断しながらも慰謝料の額を五〇〇〇円に減額し、最高裁第一小法廷は二審判決を支持して、不掲載を違法とした判断は確定した。

だからあらためて書く。理は通る。時にデモは政治や体制を変える。そう信じて声をあげる。

2018　「馴れ」の果て

2018年の主な出来事

1月
1995年7月に始まったオウム事件の裁判がすべて終結。

3月
森友問題で、財務省の決裁文書の書き換えが発覚。前理財局長の佐川宣寿国税庁長官が辞任。

中国が国家主席の任期（2期10年）を撤廃。習近平政権の長期化が可能に。

4月
防衛省が、「存在しない」としていた陸上自衛隊のイラク派遣部隊の日報が見つかったと発表。

アメリカ・ピューリッツァー賞に、ハリウッドの性暴力に関する報道が選出。「#MeToo」運動につながる。

金正恩朝鮮労働党委員長が北朝鮮の指導者として初訪韓。軍事境界線を越え、板門店の韓国側で文在寅大統領と会談。

5月
トランプ大統領がイラン核合意からの離脱を表明。経済制裁を2段階に分けて再発動。

6月
東海道新幹線で男性が刃物で襲われ死亡、2人重傷。翌年の一審で被告は「一生刑務所に入りたかった」などと陳述。

史上初の米朝首脳会談が実現。「朝鮮半島の完全な非核化」を目指すとする共同声明が発表される。

7月
6日、オウム真理教元代表の松本智津夫（麻原彰晃）死刑囚と元幹部6人の死刑執行。26日にも、元幹部6人の死刑が執行される。

8月
性的少数者への行政支援を疑問視する杉田水脈衆院議員の雑誌寄稿に対し、自民党が指導。9月には『新潮45』が休刊。

9月
北海道で最大震度7の地震が発生。死者44人。

10月
中央省庁が長年にわたり障害者雇用を水増ししていたことが発覚。地方自治体でも同様の問題が明らかに。

韓国最高裁が元徴用工への賠償を新日鉄住金に命じる判決を下す。三菱重工業相手の訴訟でも同様の判決。

11月
安倍首相とプーチン大統領が会談し、平和条約締結交渉の加速で合意。日本は「2島先行返還」に方針転換。

アメリカ中間選挙、上院で与党共和党が過半数を獲得するも、下院は民主党が過半数で「ねじれ議会」に。

12月
改正出入国管理法が成立。外国人労働者の受け入れが、高度な専門分野以外にも拡大。

政府、沖縄県名護市辺野古沿岸部の埋め立て区域への土砂投入を開始。

朝鮮学校が映す分断

昨年（二〇一七年）一〇月二九日、埼玉県さいたま市にある朝鮮初中級学校で行われた公開授業に参加した。

当日は土砂降りの雨。そもそもは知り合いのまた知り合いからの紹介、みたいな形での訪問だったけれど、雨にぐっしょり濡れながら学校に着いて、とてもおおぜいの人たちが参加していることに驚いた。

午前中は授業見学。各クラスを覗く。ぞろぞろと教室を出入りするおおぜいの大人たちの視線に少しだけ緊張しながらも、子どもたちはとても熱心に学習している。

校内を案内してくれた中級学校ＯＢの大学生に「ネットなどで呼びかければもっと多くの人が来ると思いますよ」と言えば、「ネットで呼びかけるといろいろ……」と答えかけて彼は口ごもった。明らかに困っている。

その様子を見ながら、もしもネットで公開授業の告知などをすれば、「国に帰れ」とか「犯罪国家のスパイ学校」などの罵《ば》詈《り》雑言《ぞうごん》の書き込みで炎上するのだろうと気がついた。あるいは授業当日、「在日特権を許すな」などとヘイトスピーチを行う輩が集団で押しかけてくるかもしれない。

安倍政権は教育の無償化をしきりに強調するが、ほとんど掛け声だけだ。公表されたばかりの教育予算の世界ランキング（ＧＤＰに対する公財政教育支出の割合）で日本は、経済協力開発機構

（OECD）三四カ国中ワースト1だった。しかも第一次安倍政権（二〇〇七年）が開始した全国学力テストは、教育現場に競争主義を押しつけている。

さらに朝鮮学校は、掛け声だけの教育無償化からも蚊帳の外に置かれている。朝鮮学校がある二八都道府県のうち、二〇一七年度は一六都府県が補助金交付を取りやめている。

自治体が補助金停止を決めたきっかけである文部科学省の通知には、「北朝鮮と密接な関係を有する団体である朝鮮総連が朝鮮学校の教育内容や人事、財政に影響を及ぼしていると認識している」と説明されている。もちろんこれは指示ではない。文科省にその権限はない。

でも忖度はこの国のお家芸。あっというまに多くの自治体が補助金停止に踏みきった。特に埼玉県は、拉致問題が解決されていないことを理由に、七年前から支給を打ち切っている。ただし補助金の予算計上を継続している自治体もある。例えば兵庫県は、「外国人生徒らの教育機会を確保することは重要」として、一七年度以降も継続する方針を明言した。井戸敏三知事は県議会などで、「北朝鮮の政策やそれに伴う行動とは別の次元で判断すべきものだ」との姿勢を示している。

とてもまっとうな感覚だ。ところがこの国ではそれが異端となる。税金は日本人と同じように払っているのに、彼らは補助金どころか選挙権すら与えられない。つくづく思う。何が在日特権だ。

（『生活と自治』二〇一八年一月号）

メディアから中国を変える

一月半ばに久しぶりに香港に行った。滞在は四泊五日。空港から灣仔《ワンツァイ》のホテルにタクシーで向かいながら、香港に来るのはいつ以来だろうと考える。

『A』と『A2』はそれぞれ公開の年に、香港インターナショナル映画祭に招待された。でもその後も、映画館「ポレポレ東中野」のオーナーで写真家でもある本橋成一監督と、ヴィクトリア湾をフェリーに乗って遊覧した記憶がある。なぜ香港にいたのだろう。本橋監督と一緒にいたのだから映画祭がらみだと思うのだけど、この前後の記憶がない。思い出せない。

とにかく久しぶりの香港だ。驚いたのは物価の高騰。コンビニやレストランで見かける商品の値段は東京とほぼ変わらない。いやもしかしたら香港のほうが高いかも。何となくバブルの頃の日本に近い雰囲気がある。

今回香港に来た理由は、香港インディペンデント映画祭に『A』と『A2』、そして『FAKE』が招待されたからだ。文字どおりインディペンデントな映画を特集で上映するこの小さな映画祭の主催者は、映画監督でもあるヴィンセント・チュイだ。香港では反体制の映画監督として有名な彼とは、昨年日本で行われた「日本・香港インディペンデント映画祭2017」で初めて会った。

このときに上映された彼の映画『狭き門から入れ』は、返還から一〇年を経た香港と中国本土の深圳《シエンチエン》を舞台にしたクライム・サスペンスだ。元警察官と新聞社のカメラマンと牧師の三人が、香港で起きた弁護士殺人事件を通じて繋がり、やがて中国官僚と香港の財閥企業が癒着して利権を得ていることを突きとめる。でも本土も香港も警察は捜査に協力しない。新聞社上層部も企業や共産党の意向を忖度して記事をつぶそうとする。返還時に中国政府が約束した「一国二制度」はまったく守られていない。捜査権力とメディア、そして信仰、まったく立場が違う三人は共闘する。自分は何のために今のこの仕事を選んだのかと自問自答しながら。

……もちろん中国本土ではこの作品を上映できない。上海と北京でそれぞれ一度だけ、夜中にこっそり閉館後の映画館で上映したことがあるとヴィンセントは教えてくれたが、そのときは地元の警察に尾行されたりして、かなり危うい思いをしたらしい。

二〇一七年に国境なき記者団が発表した「報道の自由度ランキング」において、中国は一七六位だった。毎年ほぼ定位置だ。ちなみに最下位である一八〇位は北朝鮮。

ランキング七二位の日本のメディアの片隅に棲息しながらどの口が言うのかと自分でも思うけれど、確かに中国のメディア状況には惨憺たるものがある。教えている大学の大学院には中国からの留学生がかなりいるが、検閲や弾圧のすさまじさはよく聞かされる。

数年前に中国で話題になった歴史ドラマの話になったとき、「主人公の女性が画面に映るときは常にアップになるんです」と一人の留学生が言った。意味がよくわからない。首をかしげる僕に、「試写の際に彼女が着ている服があまりにセクシーすぎると当局から指摘されて、顔から下を映すことを禁じられたそうです」と彼女は説明してくれた。他の留学生たちもうなずいている。中国では有名な話らしい。

メディア規制の傾向は、習近平体制になってから特に加速している。これも留学生たちに聞かされた話だが、最近では中国全土のインターネットからクマのプーさんを締め出すという騒動があったという。なぜなら習近平のあだ名がクマのプーさんなのだ。特に各国首脳との対談などが行われたとき、インターネットにはこれを揶揄した画像が氾濫した。

これが日本や他国なら、クマのプーさんは親しみやすくて庶民的であるとして、決して悪いイメージではないと思うのだけど、中国共産党では許せないらしい。あるいは習近平があのネットに氾濫する画像は不愉快だとか周囲に漏らしたのかもしれないし、そもそも何も言っていないのに幹部たちが忖度したという可能性だってある。

まあ、歴史ドラマの衣装がエロティックすぎるとかクマのプーさんは不愉快だなどのレベルなら半分は笑い話で済ませられるけれど、もちろんそのレベルでは収まらない。一部だけを抑圧してあとは自由に任せるなどという事態はありえない。状況は深刻だ。授業で一〇人ほどの中国の留学生たちにドキュメンタリー映画『アイ・ウェイウェイは謝らない』を視聴させたとき、一人もアイ・ウェイウェイ（艾未未）を知らないことに驚いた。

現代美術家で建築家、さらに社会評論家やアクティビストの顔をも併せ持つアイ・ウェイウェイは、文革時代には両親とともに強制収容所に入れられていた過去があり、統制や独裁に対しては徹底して抗う。つまり共産党と自国を激しく批判する。

欧米や日本で何度も個展を開催してきた国際的なアーティストであるアイ・ウェイウェイは、二〇〇八年に開催された北京オリンピックの主会場である北京国家体育場（通称は鳥の巣）の建設にも芸術顧問として参加した。しかしのちに中国当局のオリンピックへの姿勢に失望したとして辞任している。批判精神は旺盛だ。ＳＮＳを駆使しながら、共産党批判や警察批判をくりかえし、何度も逮捕されたりパスポートを取り上げられたりしている。

いわば世界的に著名な反骨の闘士。でも中国の留学生たちは彼を知らない。映画の中でアイ・

ウェイウェイを称える中国のアーティストやミュージシャンたちは、留学生たちもよく知っている有名人らしい。でもその有名人たちが口を揃えて賞賛するアイ・ウェイウェイを彼らは知らない。国家にとって都合が悪い人だからだ。アイ・ウェイウェイを称える有名人たちも、中国ではなく外国で上映される映画ということで（監督はアメリカ国籍を持つアリソン・クレイマン）、カメラの前で気が緩んだのだろう。

二〇一〇年にノーベル平和賞を受賞した劉暁波については、さすがに名前は知っていたが、中国にいた頃は知らなかったと留学生たちは教えてくれた。おそらく今も中国に暮らしている人の大半は、アイ・ウェイウェイはもちろん劉暁波も知らないだろう。名前を聞いたこともないはずだ。

その国の民主度や自由度を計測するメジャーとして、メディアがどの程度機能しているかの指標は重要だ。メディアが健全ならば、その国の政治と社会も健全だと思っていい。メディアは窒息しかけているのに民主的で自由な国家などありえない。社会は劣悪だけど政治家は優秀であるという国家も存在しない。メディアと社会と政治は、相互に作用し合いながら、常に三位一体だ。だから報道の自由度ランキングがほぼ最下位である北朝鮮や中国について（その評価がどれほどに正確で公平かとの論議はともかくとして）、擁護すべき要素はほとんどない。変わるべきだと思う。できることなら変えたいと思う。ついでにずっと六〇～七〇位台（ＯＥＣＤでは最下位だ）を迷走している日本も。

香港に着いた翌日、二〇一七年のノーベル平和賞を受賞したＩＣＡＮのベアトリス・フィン事務局長が来日して安倍首相との面談を希望していたが、結局は多忙を理由に断られたとのニュースをネットで知った。つい数日前に安倍首相が芸能人たちと会食していたとの記事もあったから、お気に入りの芸能人と飯を食う時間があってもＩＣＡＮの事務局長と話し合う時間はないのかと、ツイッターのタイムラインで多くの人が怒っていた。

確かにどうかと思う。今の政権は露骨すぎる。でも中国や北朝鮮よりはましだ。あなたはきっとそう思うだろう。僕もそう思う。でも北朝鮮はともかく中国の人たちは、自分たちの国のメディアが健全に機能していないことは知っている。つまり無知の知。少なくともある程度の学歴と好奇心があれば、本音ではアイ・ウェイウェイを称賛する中国の有名人や知識人のように、その意識を持っている人は少なくないはずだ。結果としてメディア・リテラシーを保持していると の見方もできる。

それに比べて日本はどうか。メディア環境はとても自由だ。表現や言論の自由も、現状ではほぼ無制限に許容されている。

だからこそ自由が怖くなる。規制されたくなる。なぜなら枠の中にいれば安心だ。でも枠はない。だから自分たちで枠を作る。そして自分たちが作ったことを忘れてしまう。

こうして自主規制や忖度の領域が大きくなる。エーリッヒ・フロム説くところの「自由からの逃走」だ。あるいはエティエンヌ・ド・ラ・ボエシが唱える「自発的隷従」。ドキュメンタリー「放送禁止歌」を撮ったテレビ・ディレクター時代に痛感した。人は自由が怖いのだ。だから規制や束縛を求める。無自覚に。いつのまにか。そして自由が足りないとため息をついている。

香港滞在三日目に『A』が上映された。正確には、海外上映用の『A インターナショナル・バージョン』だ。国内版とは微妙に編集を変えていて（国内版にはまったくないシーンもある）、僕も観るのは久しぶりだった。香港の観客の反応はとても強い。多くの質問に答え、多くの感想を聞いた。中国返還後の自分たちの今の状況を、事件後のオウムに重ねる人もいた。

ヴィンセントや映画祭スタッフたちとの夕食を終えてホテルに戻る途中、今日オウム裁判がすべて終結したと旧知の記者からメールが来ていたことに気がついた。つまりこれから一三人の確定死刑囚たちの処刑が取りざたされる。メールはコメントの依頼だったけれど、明日の朝刊に載せるためには時間的にもうぎりぎりだし、短いセンテンスで思いを伝えることに気も進まず、結果的に依頼はスルーした。

翌日の新聞各紙のオウム関連記事を、ホテルの部屋でネットでチェックしたけれど、相変わらず「闇」などの常套句を使いながら、「教祖は何も語らない」とか「語ることを拒絶した」と麻原の卑劣さを強調する記述ばかりが目についた。依頼をスルーしたことを少しだけ後悔しながら、麻原の死刑が一審判決だけで確定した日のことを思いだした。あのときも、「遺族の気持ちを考えれば死刑確定は当然」「むしろ遅すぎた」「裁判は適正だった」などのコメントで新聞記事は埋めつくされていた。

何度言えばいいのかと思う。でもオウムのドキュメンタリー映画を撮って、麻原裁判中に彼をテーマにしたノンフィクションを書くために多くの人に取材した自分は、何度でも言わねばならないのだとも思う。

麻原は語らないのではないし、語ることを拒絶したわけでもない。語ろうにも語れないのだ。精神は完全に崩壊している。本来なら処刑できるはずはないし、そもそも裁判も終了されるべきではなかったのだ。

初めて傍聴席で被告席に座る麻原を目撃して「A3」を書き始めた頃、僕は「麻原の精神は九九パーセント崩壊している」とか「心神喪失の可能性は高い」などのフレーズを多用していた。

つまり断言を回避していた。一パーセントの逃げ道を用意していた。

でも今は断言する。彼の人格は完全に崩壊し、心神は喪失している。これを知るメディアの人は決して少なくないはずだ。でも言えない。書けない。なぜなら処刑を妨害するのかとか麻原を擁護するのかなどとすさまじい抗議が来るからだ。だからやっぱり思う。その程度の社会でありメディアなのだと。

香港最後の夜は、インディペンデントの作り手たちと九龍《ガォロン》の大衆レストランで打ち上げ。二〇一四年の雨傘革命（香港反政府デモ）のときに運動に参加した大学生がたくさんいた。

彼らは今、テレビのディレクターやインディペンデントのフィルム・メーカーだ。いずれ香港は中国に飲み込まれる。だからその前に中国を変えたい。それは無理かもしれないけれど、僕たちはずっと闘い続けます。青島ビールを飲みながら、彼らは口々に僕に言った。メディアにはそれだけの可能性があります。言い換えれば、メディアしかその可能性を持たないのです。

（『創』二〇一八年三月号）

失った寛容さで「安心」は得られるのか

駅のホームで撮ったこの写真（次のページ）について、気がついたことを論述しなさい。

もしもそんな問題を出されたら、あなたは何と書くだろう。もしもあなたが若い世代ならば、まずは困惑すると思う。どう見ても特徴のない写真だ。駅のホームにベンチがあることは当たり前。気がついたことなど何もない。何を答えればいいかわからない。でも一九九五年以前の日本に暮らしている誰かが、現在の二〇一八年にタイムスリップしてこの写真を見たとしたら、この仕切りは何ですかと首をひねるはずだ。

あなたは答える。これは仕切りです（答えになっていない）。タイムスリップしてきた誰かは重ねて質問する。なぜベンチに仕切りが必要なのですか。きっとあなたは答えられない。

地下鉄サリン事件が起きた一九九五年、僕はテレビのディレクターだった。番組は早朝から夜中まで「オウム真理教」の特番だらけ。だってタイトルにオウムの三文字が入るだけで、高視聴率が約束されるのだ。雑誌は毎週オウム特集。増刊号も頻繁だ。新聞一面は毎日オウム。号外も何度も出た。

そんな報道に日々接しながら、不安と恐怖は強く刺激され、セキュリティ意識が急激に上昇した。監視カメラは街に増殖し、セキュリティ関連企業は大幅に業績を伸ばし、自警団や防犯ボランティアも増えた。一人で行動することが怖くなり、多くの人と連帯することを人々は求め始めた。

つまり集団化だ。

集団は連帯を求め、集団内に異物を探してこれを排除したくなる。なぜなら少数派である異物を見つけたとき、自分たちは多数派として連帯できるからだ。次に集団は全体で同じ動きをするために、リーダーの指示を求め始める。つまり「右向け右」「全体とまれ」などの号令だ。さらに集団は共通の敵が欲しくなる。もっと連帯するために。

九五年以降の日本に現れたこの状況は、同時多発テロ以降のアメリカを考えればわかりやすい。イスラム過激派による突然の攻撃を受けたアメリカは脅え、統合と連帯を求め、国内ではイスラム教徒や反愛国主義者を排除しようとの意識が高まり、敵を可視化するブッシュ政権への支持率は急上昇し、自衛を大義にアフガニスタンやイラクを攻撃した。その根底にあるのは、自分たちと異なる人への不安と恐怖だ。

仕切りは駅のホームだけではない。サリン事件以降、公園や往来など日本中のベンチに、仕切りが入れられるようになった。つまりベンチに寝る（要するにホームレス的な）人の排除が目的だ。

これで安心を得ることができるのだろうか。僕にはそうは思えない。失った寛容さと引き換えに高揚したセキュリティ意識は、安心したいがゆえに次の標的を見つけようとする。もしも見つからなければ、無理やりに可視化する。こうして国は大きな過ちを犯す。歴史はそんな過ちのくりかえしだ。

（『生活と自治』二〇一八年四月号）

「放送禁止歌」が現代に問いかけるもの

二月半ば、毎年恒例の「座・高円寺ドキュメンタリー・フェスティバル」が行われた。今年（二〇一八年）で九年目。初回からずっとゲストセレクターとして呼ばれている僕は、今年初めて自作を上映することを決めた。「放送禁止歌」だ。

とはいえテレビ作品の上映は、基本的に権利関係がややこしい。特に、俳優やエキストラではなく多くの市井の人が映り込んでいるドキュメンタリーは、この難易度がさらに上がる。

例えば今のテレビで、過去に放送された公開収録歌謡番組のワンシーンを放送するとき、客席には一面にモザイクがかけられる（数年前に実際に見た）。なぜなら客席にいた人たちすべてに放送することの許諾を得られないから。最初の放送時には放送が前提だから承諾したとみなされるが、それから時間が過ぎた現在は、その許諾を前提にできない。おそらくはそんな論理でモザイクをかけるのだろう。一概に否定はしない。テレビの影響力は大きい。慎重になることは決して間違いではない。

でもこの論理をもっと拡大解釈すれば、そもそもドキュメンタリーは撮れなくなる。例えば雑踏を歩く被写体を撮るとき、フレームの中に映り込む人すべてに承諾をもらうことは物理的に不可能だ。放送や上映のたびに了解をもらうこともありえない。

つまりドキュメンタリーは、映り込む人に対しての暴力性を最初から内在させている表現形式だ。肖像権やプライバシー保護の概念を侵犯する可能性は常にある。このリスクを回避することはできない。だからこそ今のテレビとドキュメンタリーは相性が悪い。多くの放送枠が消えている理由の一つは視聴率の低迷だけど、この暴力性もその要因のひとつだ。

映画『A』発表の翌年にフジテレビで放送された「放送禁止歌」は、僕にとって最初の書籍となったモチーフでもあり、また最近は流行語のようになった「忖度」や「自主規制」というメカニズムをテーマにしているという意味でも、個人的にとてもメモリアルな作品だ。

だからこそ今年はこれを観てほしいと考えた。でも告知まであまり時間がない。それでなくてもテレビ作品の上映は相当に面倒だ。現実的には無理かもしれない。

そう思っていたらフェスティバルの実行委員長である清水哲也（ドキュメンタリージャパン代表）から、「ＯＫもらえたよ」とメールが来た。僕が提案した翌日だ。なぜこんなに早く？と驚いて返信したら、「コツがあるんだよ」とまた返信が来た。

「放送禁止歌」の著作権は、僕が当時所属していた制作会社が保持している。そこのＯＫをもらえなければ上映はできない。そしてこの制作会社が、いつも消極的だ。要するに肖像権や被写体からの抗議を気にしているのだ。実はこれまで、「放送禁止歌」や「職業欄はエスパー」など僕の過去のテレビ作品をＤＶＤ化したいとのオファーは何度もいろんな会社から提案されていた。でも制作会社がなかなか了解しない。いつも話は途中で終わっていた。

もう一度書くが、制作会社の懸念を全否定はしない。肖像権やプライバシーの保護は重要だ。でもそれを最優先するのなら、ドキュメンタリー制作になど関わるべきではない。バラエティやドラマなど違うジャンルをやればよい。

念を押すが、決してバラエティやドラマを軽視などしていない。表現ジャンルとして属性が違うと言いたいのだ。

コツとは何?と訊いた僕への清水の返信を以下に（本人の承諾なしに）貼りつける。

「万一トラブルが起きたら、ＤＪ（ドキュメンタリージャパン）が責任を持つ、と一筆書きますと約束して、了解してもらいました」。

そのうえで清水は、実際に一筆を書いたという。要するに組織はリスク回避をしたいのだ。万一の場合の責任をとりたくない。でもその万一はめったに起きない。

……「めったに起きない」との記述が、リスクコントロールの観点からはとても乱暴な論理であることは承知しているが、そもそもドキュメンタリーはそういうジャンルなのだ。万全なリスク管理のもとでは作れない。

上映が間近に迫ったとき、たまたまYouTubeに「放送禁止歌」がアップされていることを知った。アカウント名はAntione Fay。日本人なのか外国人なのかわからない。

もちろん今に始まったことではない。これまでもこの作品は何度もYouTubeにアップされている。数年前まではフジテレビが削除申請をしていたようだが、さすがに放送後二〇年が過ぎる今は、チェック項目から外れているのだろう。

ちなみに僕は、YouTubeにアップされることについて、一概に否定はしない。『A』や『A2』は今も上映されることは頻繁にあるし、ＤＶＤも販売されている。つまり観るチャンスはいくらでもある。でもテレビ作品はもう観ることができない。著作権を持つテレビ局や制作会社が著作権侵害として削除を要求することは当然だが、著作権を持たない僕には削除を要求する権利はないし、そもそも多くの人に観てほしいのだ。その手立てが他にないのなら、YouTubeで観てもらってもまったくかまわない。

でも、たまたま見つけたこの動画は看過できない。なぜなら最後に歌われる岡林信康の「手紙」から、まるごと音だけ削除されているのだ。

　つまり加工されている。それもありえない方向に。最後の「手紙」を聴くことができないなら、作品全体の意味がまったくない。Antione Fay という人が、なぜ「手紙」の歌をカットしたのかはわからない。いろいろ微妙な歌だから自主規制したのかもしれない。ならばこの作品の意味をまったくわかっていない。僕にとっては著作権侵害よりもはるかに重要で深刻な問題だ。

　たまりかねて個人で削除申請を試みたが、削除申請するには、「著作権侵害された当人の名前や住所などの情報を入力して YouTube に送信しろ」との通知が来た。これを Antione Fay に送る場合があるという。

　困惑した。僕は個人だ。なぜ名前や住所を Antione Fay に告知する必要があるのか。僕は彼（あるいは彼女？）の本名や住所を知らない。あまりに一方的だ。そしてそもそも、僕は著作権侵害された当人ではない。

　だから制作会社に「削除申請してくれ」と依頼した。でも会社の対応は鈍い。そもそも作品に対しての愛着がないのだろう。忙しいからさ、とプロデューサーに言われた。

　だから意を決した。数年ぶりに古巣の会社を訪ねて、著作権を譲渡してほしいと提案した。著作権を持っているからこそ、上映やＤＶＤ化の障害になる。そしてこの会社にとって、著作権を持つことのメリットは何もない。ならば僕に渡してほしい。

　基本的にこの申し出に会社は応じた。それぞれが権利を共有することにしようと会社は提案してきた。まあそれはもっともだ。応じてもらえるだけでも感謝しなければ。ただし口約束だけでは心もとないので、後から書面を交わすことを約束して、とりあえず一件は落着した。

　この日の夜、座・高円寺で「放送禁止歌」は上映された。久しぶりに大きなスクリーンで観た。

重要な被写体となった高田渡と山平和彦はもうこの世にいない。二人とも放送後にいろいろ付き合いがあった。高田とは吉祥寺の居酒屋「いせや」で何度か飲んだ。番組放送後に山平は再デビューすることを決意して、その記念すべきライブに呼んでくれて、あの番組があったから再デビューする気になったと僕に言った。

二人の在りし日のことを思いながら、暗い客席の片隅でスクリーンを観続けた。二〇年は長い。でもこの作品が提示した問題は何も解決していない。

放送禁止歌とは要するに、「ここから先は危険です」とのメッセージを伝える標識だ。ここから先は危険であるとの認識は、ここから内は安全であるとの理解に繋がる。だから安心できる。日本のメディアは世界でも有数といえるほどに自由な環境を保証されているが、だからこそ束縛や規制が欲しくなる。つまり「自由からの逃走」だ。こうして放送禁止歌という存在しないジャンルが実体化する。いやリアルな実体ではない。仮想の実体だ。

誰かが「あの歌に対して〇〇団体から抗議が来たらしいよ」と誰かに囁く。その誰かが別の誰かに「あの歌は放送しないほうがいいぞ」と囁く。その誰かはまた別の誰かに。「あの歌は放送できないらしいぞ」と囁く。

この「〇〇団体から抗議」に、「総理の意向」や「官房長官の苦情」、「政治部の要望」とか「会長（社長）の希望」などをはめ込むことは可能だ。つまり歌だけに限定される問題ではない。いつでも拡大解釈できる。誰も禁じていない。でもいつのまにか放送禁止が前提になる。

そしてこの忖度や自主規制の問題は、実のところオウムがサリンを散布したメカニズムやかつて大日本帝国がアメリカに戦争を仕掛けた理由にも通底する。あるいは日本だけではなく、ナチスのホロコーストやクメール・ルージュの虐殺、文化大革命やスターリンの大粛清など、人類が犯してきた大きな過ちにも通じる。

共通することは、個を呑み込む組織共同体の論理だ。そして個は一人称単数の主語を失いながら、組織の意向に従属しようとする。つまり自発的な隷属だ。結果として組織は暴走する。もしも一人なら、なぜ自分は走っているのだろうと首をひねりながら止まるはずだ。でも組織は止まらない。おおぜいが一緒に走るからだ。一人ひとりが思考や煩悶を停止するからだ。

「放送禁止歌」をＤＶＤにしたい。一人でも多くの人に観てほしい。著作権の問題はクリアできた。でもまだ障害はある。音楽の著作権だ。テレビで放送されるときはＪＡＳＲＡＣで一括クリアできるけれど、二次使用の場合はそうはいかない。一曲ずつクリアしなければならない。いかにドキュメンタリーが暴力的で乱暴なジャンルであっても、これを無視することはさすがにできない。でもこのとき、それぞれの曲の著作権を持つレコード会社などがもしも大きな金額を要求してきたら、大ヒットなど望めない作品はＤＶＤ化ができなくなる。

だからレコード各社各位にお願い。杓子定規に対応せず、宣伝になるなどと考えてください。場合によっては僕が一つひとつお訪ねしてもいい。心からお願いします。


（『創』二〇一八年四月号）

＊補足　この原稿を書いてから三年かかったけれど、「放送禁止歌」だけではなく「職業欄はエスパー」「１９９９年のよだかの星」「ミゼットプロレス伝説」の四作品を収めたＤＶＤ『Tatsuya Mori TV Works～森達也テレビドキュメンタリー集～』は、二〇二一年にリリースすることができた。

公文書改竄《かいざん》の根本にあるもの

三月一六日夜、僕は国会前にいた。昨日までは初夏を思わせるほどに暖かだったのに、この日は朝から冷たい雨が降っていて、陽が落ちる頃には気温が急激に下がり、おまけに風まで強くなった。

でも国会周辺の人の波は絶えない。地下鉄の階段を絶え間なく多くの人が昇ってくる。特に官邸前の道路を挟んだエリアでは、若い男女を中心に多くの人が集ってリズムをとりながら、安倍政権への批判をラップ調に訴えている。

カメラマンと一緒にしばらく周囲を歩く。少し前に比べれば、若い世代が増えているような気がする。ただし警察官の数も増えた。多くの人が手にする幟《のぼり》やプラカードの印象では、組合や政治団体など組織的な動員が本当に減った。代わりに増えたのは個人だ。幼子の手を引く若い母親、いかにも会社帰りらしい背広姿のサラリーマン、そんな人たちが「安倍はやめろ」「森友隠すな」などシュプレヒコールの声をあげている。

それにしても歩道が狭い。なかなか前に進めない。方向転換などできない。その理由は人が多いからだけではなく、警察が通行制限のためのコーンやバーを繋いで、歩道の面積をほぼ半分にしているからだ。空いている半分には誰もいない。空けた理由がわからない。なぜ通行の邪魔をするんだと訴える人は何人も見かけたが、警察官たちは黙殺している。

道が狭いだけではない。交差点の往来も意味なく（としか思えない）制限している。一〇分前に渡れた信号が渡れなくなる。理由を訊いても教えてくれない。

僕も官邸前の歩道を横切ろうとしたとき、いきなり警察官に制止された。前に立ちふさがった若い警察官から「ここは通れません」と言われたが、僕の前を歩いていたカメラマンはすたすたと前に進んでいる。「連れが先に行ってしまったので通してください」と頼んでも、若い警察官は応じない。もしも強引に通過したら逮捕するぞと言わんばかりの表情だ。

でも僕と警察官が押し問答をしている最中も、すぐ横を多くの人が普通に行き来している。他の警察官たちは見て見ないふりだ。「他の人はいいのですか。なぜ僕だけがダメなのですか」と言っても警察官は応じない。僕を通すことを阻止することが、今日の自分の使命であるというような表情だ。「これはおかしいですよ。なぜ僕だけが通ってはダメなのですか」

「ここを通ってどこに行くつもりですか」

「ぶらぶら歩いているだけです」

「それはおかしいです。目的がなく歩く人はいません」

本当にこう言われた。「目的なく歩いたらダメなのですか」と念を押せば答えない。無言でにらみつけてくる。その間も多くの人が横を通過する。もう一回、「友人とはぐれてしまうので通してください」と言いながら警官の横を通り抜けようとしたら、かなり強い力で押し返された。どうあっても通さないつもりのようだ。

職務質問なども同様だが、いったん標的を決めたらどんなに抵抗されても途中でやめないように、などの訓示を受けているのかもしれない。ここで無理やり通ろうとしたら、公務執行妨害で逮捕されるだろう。だけどあなたたちの公務を妨害するつもりなどない。仕事を妨害されているのは僕のほうだ。

カメラマンの姿はもう見つからない。僕は通行をあきらめた。でも僕をにらみながら仁王立ちする警察官の横を、多くの人が何の妨害もなく通行している。やっぱりこのまま引き返すのはあまりに理不尽だ。だから警察官に「あなたを撮っていいですか」と質問した。公務中の警察官の肖像権は大幅に制限される。本来ならいちいち許諾をとる義務はない。半分は嫌がらせのつもりだった。でも警察官はたじろぐ気配もなく、「いいですよ」と自信たっぷりに言った。

ただし（誤解してほしくないが）彼の人格を非難するつもりはまったくない。理不尽ではあるが言動は乱暴ではなかった。少なくとも粗野なタイプではない。彼は彼で組織のために役目を果たそうと必死なのだろう。

言葉にすれば組織と個人の相克。そしてこれは、今回の森友公文書偽造問題の本質であり、加計問題にも通底し、さらに言えばアドルフ・アイヒマンが示したようにホロコーストや文化大革命やスターリンの大粛清、そしてオウムの犯罪などにもつながるメカニズムだ。

一人ひとりは邪悪でもないし狂暴でもない。実直な歯車のひとつとして、組織の意思に従属しているだけだ。ところが時として組織の意思は暴走する。主語が一人称ではないからだ。そして一人ひとりの従属の度合いが強ければ強いほど、組織は過ちを犯しやすい。

それは多くの歴史が証明している。でも人は一人では生きられない。群れる生きものだ。会社や学校やＮＰＯ、県人会やコミュニティや宗教、ゴミ当番を決める町内会に派閥、そして民族や国家。いくつもの組織や団体や集団に人は帰属する。それが社会だ。

進化の過程で群れる生きものになったからこそ、人はこれほどに繁栄した。でも群れには副作用がある。個が埋没するのだ。だから暴走が止まらなくなる。

こうして戦争や虐殺が起きる。そんな史実はいくらでもある。いや過去形ではなく今の世界も、国家や民族や宗教の暴走で多くの悲劇や惨劇が起きている。

だからこそ過ちや失敗を記憶することは大切だ。正確な歴史認識が重要だ。そしてこの歴史認識を形成するうえで、公文書は基盤となる。

その公文書を財務省が改竄した森友事件について朝日と毎日が連日のようにスクープをとばす状況に、ペンタゴン・ペーパーズやウォーターゲート事件を想起した人は、決して少なくないと思う。

一九七一年、ベトナム戦争が始まる経緯を記した国防総省（ペンタゴン）の極秘文書を、内部リークによって入手したニューヨークタイムズが一面に掲載した。そして翌年、共和党のニクソン政権による民主党本部（ウォーターゲート・ビル）への不法侵入と盗聴を、ワシントンポストがスクープした。

ワシントンポストとニューヨークタイムズはニクソン政権の不正と国民への背信行為を激しく糾弾し、多くのメディアが連帯し、一時は記事差し止め訴訟などで抵抗しようとした政権は国民からの支持を失い、ニクソン大統領は辞任した。アメリカの大統領で今のところ一人だけ、任期中に辞任した大統領だ。

まったく同じ時期、日本では沖縄密約問題が起きていた。沖縄返還にからめて時の佐藤栄作政権がアメリカと密約を交わしていたことを毎日新聞はスクープしたが、その情報入手におけるスキャンダラスな側面ばかりに国民の関心が集中し、他のメディアからの支持も得られず、最終的に毎日新聞は謝罪に追い込まれ、首相の国民への背信行為のスクープは曖昧な形で消滅した。任期を全うした佐藤栄作首相は、沖縄返還の立役者として後にノーベル平和賞を受賞している。

テレビ・ディレクターである土江真樹子は、この密約をテーマにしたドキュメンタリー「メディアの敗北」（琉球朝日放送）を二〇〇三年に発表した。この作品には、ウォーターゲート事件が起きたときはワシントンポストの編集主幹で取材の総指揮という立場にいたベン・ブラッドリーが、「このスクープを西山太吉記者は不倫関係にあった外務省の女性事務官から入手した」と土江から説明されて、「ブラボー！　やったじゃないか」と叫ぶシーンがある。

どんな手段をとっても権力の不正を暴く。それは新聞記者としては当然だ。そんなことも言っていた。

ちなみにこの春に公開予定の映画『ペンタゴン・ペーパーズ／最高機密文書』では、トム・ハンクスがブラッドリーを演じている。僕はまだ観ていないけれど、やはりウォーターゲート事件をテーマにした『ザ・シークレットマン』も公開されたばかりだ。

「メディアの敗北」におけるブラッドリーの発言はともかくとして、ほぼ同じ時期に起きた政治権力による国民への背信行為に対して、日米のメディアにおける対応と姿勢の差は圧倒的だ。ウォーターゲート事件を取材したボブ・ウッドワードとカール・バーンスタイン、ペンタゴン・ペーパーズをスクープしたニール・シーハンなどは今も国民的な英雄なのに、西山太吉記者は国家機密漏洩教唆の容疑で逮捕され、毎日新聞社を退社している。

だからこそ朝日報道をきっかけに始まった今のメディア状況を、僕はまず強く賞賛する。首相からフェイクとか情けないなどと罵倒されながら、他のメディアから反日とか偽造新聞などと揶揄されながら、一部の国民から非国民とか天誅を受けるに値するなどの罵声を浴びながら、直接的な反論はせず、スクープでその回答を示した。日本のメディア史に残る快挙だと思う。

今回の公文書改竄事件を論評する際に、公文書管理法一条に記載された「健全な民主主義の根幹を支える国民共有の知的資源として、主権者である国民が主体的に利用し得るものである」を引用しながら、民主主義の根幹は公文書であるとの記述をよく見かける。だからこそこれを恣意的に改竄することは絶対に許されないとする論旨だ。

それはまったく同意する。でも同時に思う。たとえ公文書が適正に管理されていたとしても、メディアが健全に機能していないのであれば、そもそも欠陥だらけの民主主義はたちどころに機能不全を起こす。

なぜならば民主主義の最大の欠陥は、多数派の暴走が正当化されることだ。歴史を振り返れば、人類の過ちのほとんどは、この集団の暴走によって引き起こされている。

だからこそマスメディアの役割は重要だ。

ネットが発達したことで、テレビや新聞は斜陽産業などと揶揄されているし、二〇年後に会社があるかどうかなどと自虐する記者やディレクターやプロデューサーも少なくない。確かにパイは縮小するだろう。メディア業界の構造も変わるだろう。でもメディアとジャーナリズムの本質は変わらない。

結局のところは「個」だ。確かに組織は人の営みに不可欠だ。でも個を失ってはいけない。組織のために個があるのではない。個のために組織があるのだ。特にジャーナリズムの領域において、これからは個の感性が何よりも重要な意味を持つ。

（『創』二〇一八年五・六月号）

「分断の線」を踏み越える

連休直前の四月二七日朝、僕はテレビの前にいた。テレビの前から動けなかった。軍事境界線の南側で微笑みながら片手を上げる文在寅大統領。そしてやはり笑みを浮かべながら、北側から歩み寄る金正恩朝鮮労働党委員長。固い握手。「私はいつ（北側に）行けるのでしょう？」と言う文大統領を、「では、今、越えてみましょうか」と金委員長は誘い、二人は境界線をまたいで北側に立った。そして手を握り合ったまま、また南側に進む。

「ここに来るまで、わずか二〇〇メートルなのに、なぜこう遠く感じるのでしょう」

金委員長のこの発言はほとんどのメディアが紹介したが、その後に続けた「平壌で大統領にお会いするだろうと思っていたのですが、むしろここ（韓国側）で良かったと思います。（中略）この機会を大切にし、両国の傷が癒える機会にしたいです。分断の線は高さがあるわけではない。多くの人がこれを踏み越えればなくなってしまいます」という発言は、あまり報道されていないようだ。

境界線の上に立つ二人の首脳の映像を見つめながら、金委員長に対しての評価を少しだけ軌道修正した人は、僕も含めて決して少なくないはずだ。傲慢で自己中心的で冷酷な指導者なのだろうと何となく思っていたが、その言葉の一つひとつはとても聡明で奥行きがある。そして国内外（特に日本）から弱腰などと罵倒されながら、じっと対話の機会を待ち続けた文大統領も政治リーダーとして素晴らしい。

ただしもちろん、そう解釈しない人もいる。いやもしかしたら、そちらのほうが多数派なのだろうか。このとき日本のテレビ各局の識者やコメンテーターの多くは、「非核化をどこまで実現できるのか」「また騙されないようにしないと」「南が北にいいようにあしらわれている」などとしきりに水を差す見方を示した。メディアだけではなく日本の首相も外相も官房長官も、深刻な表情で同様の危惧をしきりに強調した。

わかっているよそんなこと。人生は一寸先が闇。明日交通事故にあうかもしれないし、南北関係だって一カ月後にはまた暗転しているかもしれない。でもそんなことを気にしていたら何もできなくなる。喜ぶべきときは喜ぶ。称賛するときは称賛する。なぜそんな当たり前のことができないのか。政府やメディアのネガティブな発言は北朝鮮にも伝わる。ならば彼らは日本に対してどう思うか。どのような印象を抱くか。そこまでを考えるのが外交なのに。

そもそも（僕も使ってしまっているが）「北朝鮮」という国名は存在しない。正しくは「朝鮮民主主義人民共和国（the Democratic People's Republic of Korea）」だ。だから拉致問題が起きる前まで日本の新聞などは、「北朝鮮（朝鮮民主主義人民共和国）」などと記述していた。ただしこれは長い。特にテレビでこの呼称は無理だ。だから略称で呼ぶ。それはわかる。欧米でも「North Korea」と呼ぶことが一般的だった。だって韓国の略称は「South Korea」だ。でも北朝鮮はこの呼称を嫌い、「朝鮮」もしくは「DPRK」と呼ぶようにと国連の場で公式に主張した。だから最近では、アメリカの大統領も含めて「DPRK」と呼称する政治家やメディアが増えてきた。

同様に日本に対しても北朝鮮政府や朝鮮総連は「朝鮮」か「DPRK」と呼ぶことを要望しているが、政治家もメディアも「北朝鮮」の呼称をやめない。「韓国」の略称は定着しているから「朝鮮」でいいと思うのだけど、なぜか「北」にこだわり続ける。でも「朝鮮民主主義人民共和国」のどこにも「北」の文字はない。つまり略になっていない。あだ名なのだ。本人がそれを嫌うならば、そのあだ名はやめるべきだ。でもやめない。まるでクラスのいじめだ。

金正恩を北朝鮮国民は何と呼ぶか。最近では「首領さま」が一般的なようだ。先代の金正日は「将軍さま」か「元帥さま」。日本のテレビニュースで北朝鮮の式典などの様子をレポートすると き、参加していた国民にカメラを向けると、「偉大なる首領さま」「尊敬する将軍さま」などの翻訳テロップがついて、自分の国の政治リーダーに「さま」をつけるなんてどうかしていると多くの人は思ったはずだ。やはり国民は洗脳されている。常軌を逸している。こんな国と対話などできるはずがない。

確かに彼らは「スリョンニム」「チャングンニム」と発音する。「ニム」の意味は「さま」。そのまま訳せば「首領さま」と「将軍さま」だ。

でも朝鮮・韓国語では、社長は「サジャンニム」と呼ぶ。先生は「ソンセンニム」。儒教文化の影響が強いから、目上の人の呼称に「さま」をつけることは普通なのだ。だから韓国ドラマを日本語に翻訳するとき、「サジャンニム」は「社長」で「ソンセンニム」は「先生」になる。いちいち「さま」はつけない。

ところが日本のメディアは、北朝鮮の「スリョンニム」や「チャングンニム」に対してだけは、なぜか「さま」を残したまま字幕をつける。その結果として、北朝鮮の異様さが強調される。確かに嘘ではない。でも誠実でもない。こうした事例はいくらでもある。

補足しなければならないが（そして言わずもがなを補足する自分に嘆息したくなるけれど）、今の北朝鮮と指導体制を認める気などさらさらない。ひどい国だ。拉致やミサイルも含めてあまりにも子どもじみている。そもそも僕は管理や統制が大嫌いだ。搾取されている国民が悲惨すぎる。

軍のクーデターが起きないかと内心は願っている。

でもそれとこれは別。世相や政権の意向に沿って、不安や恐怖を煽りながら仮想敵の存在を強調するばかりのメディアならば、それはまさしく今の北朝鮮や中国のメディアと変わらない。

北朝鮮を国難などと形容しながら圧力ばかりを主張する政権を支持してきた日本は、いつのまにか東アジアの新たな秩序の形成から取り残されている。ふと気がつけば、日本だけが蚊帳の外になりかけている。

政治指導者とメディア上層部をトレードしたい。かなり本気でそう思う。応じる国があるとは思えないけれど。

(『生活と自治』二〇一八年六月号)

ニュースが映さない現実

新潟女児殺害事件が最初に報道されたとき(つまり女児が列車に轢《ひ》かれたのではなく殺害されて線路上に遺棄されたことが明らかになったとき)、テレビのニュースを眺めながら、これから大きな報道になるだろうな、と予感した。

七歳の少女を殺害しただけではなく、鉄道事故に見せかけるために線路上に遺棄した。これは許せない。卑劣すぎる。絶対に逮捕しろ。世相が炎上することは目に見えていた。

そしてその後、事態はやはりそのように進行した。テレビは連日のようにトップニュースだ。この時期ならば、加計学園の獣医学部新設をめぐって安倍首相が学園理事長と面会したと記録された文書を愛媛県が公表し、トランプ大統領がイラン核合意から離脱することと在イスラエル米大使館をエルサレムに移転することを発表したなどのニュースもあったけれど、印象としては新潟のこの事件のほうがずっと大きな扱いだった。

現場近隣に住む二三歳の容疑者が逮捕される五月一四日まで、ネットも含めてメディアでは様々な報道が飛び交った。

犯行数日前に被害女児を追いかけたという「黒い服を着たサングラスの男」はどこに行ったのか。

現場付近で目撃されたという「白いワゴン車」は何だったのか。

他にもたくさんの情報が錯綜した。その結果として多くの人が報道被害にあったはずだ。無慈悲な中傷にあったり傷に塩を擦り込まれたりしたはずだ。でも大丈夫。ちょっとだけ我慢してください。だって新潟女児殺害事件の容疑者が逮捕される少し前には、監督やコーチが相手選手への反則プレーを指示していたことが明らかになって大きな話題になった日大アメフト騒動が起きている。ワイドショーでは連日トップの扱い。でも新潟の事件ですぐに消えた。だから今回の報道もすぐに終わる。傷もすぐに癒えるでしょう。

メディアのそんな声が聞こえるようだ。残されたのは報道によって踏み荒らされた土地と日常を破壊された多くの人たちの悲しみだ。

『週刊ポスト』や『FLASH』の検証記事によれば、現場周辺では多くの人たちが、メディアやネットで女児殺害の犯人扱いをされていたらしい。容疑者逮捕後も、その自宅は被害者女児が暮らしていた家と近距離にあったとご丁寧に地図らしきものを使って説明したワイドショーもあったらしく、被害者遺族への二次被害を助長するとの批判を受けている。

事件がニュースになることは当然だ。でも事件発生から容疑者逮捕まで、なぜこの事件は、これほどに大きなニュースバリューを持ったのだろうか。

その理由は単純だ。少女を殺害して、さらに事故を装うために遺体を線路に放置したというやりかたが、これ以上ないほどに卑劣で許せないと多くの人の怒りの琴線を刺激したからだ。僕も当初は、怒りの琴線を刺激された一人だ。あまりに痛ましい。本当に非道な行いだと思う。でもだからこそ考える。僕のこの内側に湧き上がる怒りの源泉は、被害者や遺族の苦しみや悲しみや辛さへの共感ではなく、僕とは縁もゆかりもない犯人への憎悪であり応報感情なのだと。

メディアは社会の合わせ鏡だ。そこには社会の感情がほぼ正確に反映される。怒りは強い。容易に燃え上がる。この怒りを晴らすためには、被害者遺族や近隣住民への二次被害についての配慮など二の次になる。最終的な目的は卑劣な犯人を捕まえて顔を晒してひどい目にあわせること。それが最優先だ。

だからこそ何の根拠もない噂が増幅する。「黒い服を着たサングラスの男」だの「白いワゴン車」などの情報がまことしやかに囁かれる。

つい先日、警察庁は二〇一六年度の殺人事件認知件数を発表した。総数で八九五件だ。ただしこれは、警察が殺人事件として受理した事件の件数だ。未遂や無理心中なども含まれている。実際に殺害された人の数は三三八人。そしてこの数値は（認知件数も含めて）戦後最少だ。

これを言い換えれば、二〇一六年は戦後最も殺人事件が少ない年だったということになる。この年が特別なのではない。一九五四年度の三〇八一件をピークにして、この国の殺人事件はほぼ毎年減少を続け、毎年のように戦後最少を更新し続けている。

もちろん、これはデータであり統計だ。三三八人の人が被害にあっているのだ。その無念な思いや遺族の悲しみを僕たちは知るべきだ。事件が報道されることは当たり前だ。でも数値には別の角度からの見方もある。

警察庁が発表した警察白書には、同年度の水難事故のデータも掲載されている。発生件数は一五〇五件で、死者と行方不明者は合わせて八一六人だ。つまりこの国では、事件で殺される人の数よりも海や川の事故で死ぬ人の数のほうが、二倍以上も多いのだ。

水難事故だけではない。同じ年の交通事故死者数は三九〇四人。交通戦争などと形容された一九七〇年代に比べればずいぶんと減少したが、それでも事件で殺される人の一〇倍以上が、自動車事故で命を落としているということになる。

殺人事件の場合は大きなニュースになるが、水難事故や交通事故で人が死んでも大きなニュースにはならない。まったくニュースにならない場合もある。

この理由もシンプルだ。ある意味で当たり前。事件ではなく事故だから。

ならば、事件と事故とは何が違うのか。愛する家族や友人を失った遺族の悲しみや苦痛は同じはずだ。いやむしろ事故の場合は、残された家族は「あのとき止めるべきだった」とか「自分の注意が足りなかった」などと自分を責める場合が多いから、その無念の思いや苦しみはもっと大きいかもしれない。

ならばなぜ事故は大きなニュースにならないのか。その答えもやはり簡単だ。

憎むべき犯人がいないから。

つまりニュースになるかならないかの判断は、憎むべき対象がいるかいないかによって、大きく左右されている。だから交通事故などでも、加害者があまりに無軌道な運転をしていたり他者の命をないがしろにするかのような言動をしたりするならば、その瞬間に憎むべき犯人となって、ニュースバリューは一気に増大する。

長くテレビの世界で働いてきた。今も時おり関連の仕事はする。友人も多い。だから報道のメカニズムや都合や裏の事情も、「ある程度は」わかっているつもりだ。

だからメディアにおけるこうした状況を、「ある程度は」理解する。

多くの人が関心を示せば大きなニュースになる。多くの人が関心を示さないのならニュースは消える。これを言い換えれば、ニュースの価値は市場が決める。

ある意味で仕方がない。テレビ局も出版社も新聞社も（ＮＨＫなど一部を除いて）営利企業だ。そしてメディア企業の営利は、視聴率や部数などに変換される。ならばこれを追うことは必然だ。営利がなければ持続が難しくなる。日々の取材ができなくなる。ＮＨＫも最近は、子会社や関連企業を増やしたので、やはり市場原理からは無縁でいられなくなっている。

でも営利を最優先する帰結として、社会の下世話な好奇心や野次馬的な視点が報道の前面に現れる。報道すべきことは何か。国内だけではない。世界では今も毎日いろいろな事態が起きている。事件が起きている。パレスチナでは多くの市民がイスラエルの軍隊に虐殺されている。世界全体で八億一五〇〇万人（世界人口の九人に一人）が飢餓に苦しんでいる。日本各地の出入国在留管理庁の収容施設に監禁された多くの外国人は人権を無視した非道な扱いを受けている。

でも日本の一般市民のほとんどはその実態を知らない。国内のタレントの不倫や離婚、大相撲の不祥事や大リーグ情報などのニュースが優先されるからだ。

昨年（二〇一七年）、オランダのロッテルダム映画祭で『FAKE』を上映した。市街のホテルにチェックインしたその日の夜と翌朝、部屋のテレビで番組を適当にザッピングして観ながら驚いた。とても真面目なのだ。ゴールデンタイムなのに日本のようなバラエティ番組はほとんどない。目につくのは報道番組かディベート番組。あとはドラマ。チャンネルは多いからクイズ番組などはあるけれど、せいぜいがその程度だ。日本の朝のテレビはワイドショーの時間だが、そんな雰囲気の番組はやはりない。報道か時事解説のような番組が多い（念を押すが民放だ）。

翌日、『FAKE』の上映後のティーチインで、日本のテレビの現状を目撃した観客から質問された。日本ではなぜ、公共機関で影響力の強いテレビが、この映画のように一方的に個人を追い詰めるのか。揶揄したり笑いものにしたりできるのか。

視聴率が取れるからです。

そう答えれば多くのオランダ人は、肩をすくめたり吐息をついたり、日本人はそういう残酷なショーが好きなのですね、とつぶやく中年女性もいた。僕は無言。反論も弁解もできない。確かにそのとおりだ。この国のレベルはメディアに現れている。

新潟女児殺害事件についての報道は急速にしぼんでいる。仮に容疑者が真犯人だとしたならば、動機や手口などをしっかりと解明しなくてはならない。でもその報道は圧倒的に小さいだろう。新潟の事件だけに当てはまる現象ではない。あれほど大きく報道された相模原障害者施設殺傷事件も、今ではほぼ報道の前面から消えた。殺害された人の数は一九人。加害者の動機などの解明はこれからなのに、関心を持つ人は圧倒的に少なくなった。

何度でも書くが、それは「ある程度は」仕方がない。オランダにも市場原理はある。どこにだってある。でもこの国はそうした傾向が突出して強い。だから記憶できない。同じ過ちをくりかえす。これまでも。そしてきっとこれからも。

（『創』二〇一八年七月号）

麻原の死刑執行が残した禍根

携帯が鳴った。バズフィードの神庭亮介からだ。こんな朝早く何ごとだろうと思いながら携帯を耳に当てると同時に、「もう知っていますか」と神庭は言った。何のことかわからない。「テレビ見てください」。焦《じ》れたように神庭が言った。

見ています。

どこですか。

BSの国際ニュース。

地上波にしてください。

こうして僕は麻原処刑が行われたことを知った。以下に神庭が書いたバズフィードの記事（二〇一八年七月六日公開）の一部を貼りつける。

ニュースで麻原死刑囚の執行を知った森さんは、「言葉がない」と絶句。数十秒間の沈黙の後、こう続けた。
「テロというのは政治的な目的があって暴力行為に及ぶことだが、オウム事件の目的はよくわかっていない。麻原が動機を語っていない状況での執行は歴史に残る過ちです」（中略）
刑事訴訟法は《死刑の言渡を受けた者が心神喪失の状態に在るときは、法務大臣の命令によつて執行を停止する》と定めている。
麻原死刑囚には執行時点で「受刑能力」があったのか。森さんはこの点について疑問を投げかけた。

ともかくやっとの思いで神庭との電話を終え、茫然自失の状態で家を出た。昼までに京都に着いていなければならないのだ。でも大雨で新幹線は大幅に遅れ、名古屋駅手前で完全に停まってしまったときも、茫然自失の状態は続いていた。なぜなら何度も表示された車内電光掲示板のニュースで、麻原に続いて六人が処刑されたことを知ったからだ。

その六人のうち、僕は三人に会っている。最も狂暴な側近などと報道された新実智光は、面会のたびに深々と礼をしてくれる。決して人を悪く言わない。急な発熱で面会の約束を反故にしてしまったときには、毎朝起床後すぐにうがいをするなどの健康法を手紙で教えてくれた。

オウム死刑囚の中で最年長の早川紀代秀は大の甘党で、面会のたびにお菓子を差し入れしていたら、手紙で「すっかり太ってしまいました」などと書いてきた。平日三〇分だけ許される運動の時間は何をしているのかと質問したら、透明なアクリル板越しにしばらく考えてから、「何もしていません。爪切りです」と真顔で答えた。

麻原の主治医として最も側にいたとされる中川智正は、繊細であると同時に、優しさと善意が服を着ているような男だった。いつもニコニコと微笑んでいる彼に、もしも今、麻原から救済計画を再始動するぞとの指示が来たらどう答えるかと訊ねたら、目もとを潤ませながら、「(今度こそ)勘弁してくださいって言います」とつぶやいた。

面会した信者は他に三人。メディアからは殺人マシンと呼称された林泰男とは歳がほぼ同じであることもあって、ため口で会話するような仲になっていた。彼の母親と二人で並んで面会したことがある。話しながらすぐ涙ぐむ母親を、林は必死に慰めていた。

岡崎一明はとても庶民的なキャラクターだ。拘置所で描いた墨絵を何枚も送ってきてくれた。当時は大学生だった長女が一枚の絵をとても気に入って部屋の壁に貼っていることを話したら、顔をくしゃくしゃにして喜んでいた。

拘置所で子どもたちのために数学の参考書づくりをしていた広瀬健一は、とにかく生真面目で冗談もめったに言わない男だった。サリン事件のときには、この行為が世界を救済するのだと必死に自分に言い聞かせていたという。

六人の死刑囚たちは、とても穏やかで優しい男たちだった。でも彼らが多くの人の殺害に加担したことも確かなのだ。だから面会室で時おり混乱する。人はみんな死ぬ。でも彼らは事故や病気で死ぬわけではない。合法的に殺されるのだ。透明なアクリル板越しに顔を見つめながら、いま僕に向かって微笑みながら話しているこの人は、数年後には合法的に殺されるのだとふと思う。その意味がわからなくなる。

彼らの死刑が確定するまで、僕は拘置所に通い続け、手紙のやりとりを続けた。彼らが僕に与えてくれた視点(加害側の声)は、その後に書いた『A3』(集英社文庫)において、とても重要な補助線と示唆になった。

一審判決公判を傍聴して、僕は麻原の精神が崩壊しているのではと直感した。挙動は明らかに尋常ではない。詐病の可能性もあるとそのときは思ったが、それから多くの人に会って話を聞き、取材を重ね、本当に心神が喪失していたと今は確信している。でも治療されないまま麻原は被告席に座らされ続け、裁判は継続された。

信者たちが犯罪行為に加担した理由はほぼ明らかにされている。麻原から指示を受けたからだ。そこに死と生を転換する宗教のラディカルな原理が重複した。救済のためなのだと自分に言い聞かせながら、彼らは多くの人を殺害した。ならば麻原はどのような理由で指示を下したのか。しかし精神が崩壊した麻原は語らない。不特定多数の人を殺傷しようと考えた理由がわからない。

テロの定義は語源であるテラー（恐怖）が示すように、特定の政治的な目的を達成するために暴力行為によって社会や標的に不安や恐怖を与えることだ。でも麻原の動機が不明のままでは、地下鉄サリン事件をテロと断定できる根拠（政治目的）が存在しない。一審判決では「救済の名の下に日本国を支配して自らその王になることを空想」などと動機を説明しているが、ならばテロではなく内乱罪だ。

六月四日、「オウム事件真相究明の会」が立ち上げ記者会見を行ったとき、僕も壇上にいた。麻原を処刑する前に精神の治療を施して裁判をやり直すべきだとの会のアピールは、決して麻原の死刑回避を訴えたものではない。会に賛同した人たちには死刑存置を主張する人もいる。麻原に治療を施して適正な裁判を行った後に死刑にすべきとの意見を持つ人もいる。

でも（予想はしていたが）ネットなどでは、麻原を擁護するのかとか遺族の心情を踏みにじるのかなどの書き込みで炎上した。

そして六月一三日、江川紹子氏が会に対しての批判文をウェブで発表して大きな話題になった（「「真相究明」「再発防止」を掲げる「オウム事件真相究明の会」への大いなる違和感」、『Business Journal』二〇一八年六月一三日）。その批判に対しての反論を僕も発表した（本書八〇ページ以下を参照）。江川氏の文章をここに掲載することはできないが、ネットで検索すれば読むことができる。できれば先にそちらを読んでから、僕の反論を読んでほしい。

同一事件の死刑囚は同じタイミングで処刑する。その原則があるからこそ大量処刑をしたはずだ。でもオウム死刑囚六人の執行は、七人処刑から一週間が過ぎたがまだ行われない。

七人の死刑が執行された前日である七月五日夜、赤坂の議員宿舎で自民党議員五〇人ほどが集結して、持ち寄った酒や料理で宴会に興じていたことが後に発覚した。

座の中心にいたのは安倍晋三首相に岸田文雄党政調会長、小野寺五典防衛相に西村康稔官房副長官など。乾杯のあいさつは竹下亘総務会長が務め、死刑執行命令書にサインをしたばかりの上川陽子法相の発声で「万歳」をしたという。

上機嫌でグラスを掲げる議員たちの写真を西村副長官がツイッターに投稿して、あっというまに炎上した。なぜならこの日から近畿、四国、北陸地方などで記録的な豪雨が始まっていた。まさしくその渦中に、被災者救出や災害復旧の前面に立たなければいけない防衛相に最高責任者の首相など与党幹部がこぞって酒盛りをしていたからだ。そして翌日に大量処刑があることを知りながら（というか自分が執行命令書にサインしながら）、グラス片手に「自民党万歳！」と法相が発声したことも、一部では強く批判された。

だからこそ六人の執行は、少しあいだを置いたほうがいいと判断されたのだろう。ならばあなたに考えてほしい。七人が処刑されたことを、残された六人は知っているはずだ。彼らは今何を思うのか。想像するのも怖い。これは拷問だ。だから政権に言いたい。

罪人とはいえ人の命だ。自分たちの都合で踏み外せる程度の原則ならば、今からでも六人処刑を中止してほしい。願って叶うなら何度でも願う。土下座する。まだ生きている。殺さないでほしい。助けてほしい。

（『創』二〇一八年九月号）

＊補足　結局残りの六人の処刑は、七人が処刑された二〇日後の七月二六日に執行された。

それでも麻原を治療して、語らせるべきだった

人は同じ景色を見ても違うことを考える。ニーチェは「事実はない。あるのは解釈だけだ」という言葉を残したが、それは情報の本質だ。コップは上や下から見れば円だけど、横から見れば長方形だ。さらに現実に起きる事件や事象は、コップのように単純な形ではない。多面的で多重的で多層的だ。だからこそその形は、視点によってくるくる変わる。

……情報に接しながら、僕はいつもそう考えている。メディアが提供するすべての情報は、記者やディレクターやカメラマンなど誰かの視点（バイアス）を介在している。人は見たいものを見て聞きたいものを聞く。それは僕も同様だ。撮影しながらフレームで状況を恣意的に切り取る、そして編集で取捨選択する。それがドキュメンタリーだ。客観的な事実などと口が裂けても言わ

ない。言えるはずがない。作品として提示できるのは主観的な真実だ。事実など撮れない。人によって解釈は違うのだ。でも多くの人は、誰かが見たり聞いたりしてフィルタリングした情報を、たったひとつの真実とか客観的な事実だなどと思い込む。

ジャーナリストの定義をひとつあげれば、自分が提供する情報に対しての負い目を常に持つことだと僕は思っている。だってそれは客観的な事実では決してない。主観的な真実なのだ。その負い目を抱えながら主張する。後ろめたさを引きずりながら記事を書く。歯を食いしばりながら撮影する。ジレンマだ。引き裂かれる。でも目をそむけないこと。楽な道を選ばないこと。周囲に迎合して自分の主観を抑え込んだり裏切ったりしないこと。

僕は映像や文章に依拠する表現行為従事者だ。ジャーナリストではないが、負い目や後ろめたさはいつも抱えている。だからこれまで、自分と違う意見に対して、「嘘だ」とか「デマだ」などと全否定したことは（よほどでないかぎり）ないはずだ。真実と虚偽は簡単に区分けできない。グラデーションがある。木々の葉は緑一色ではない。幹も茶色一色ではない。いろんな色が混在している。混じり合っている。そのグレーゾーンが世界だ。

でもオウム真理教関連、特に麻原彰晃が関わる領域では、この多面的な認識が消えてイチかゼロ、正義か悪、黒か白的なダイコトミー（二分法）がとても強く発動する。オウムは絶対的な悪。ならばそれに対峙する自分は絶対的な正義。これが座標軸になるからだろうか。だからこそ自分と違う意見を一〇〇パーセント否定したくなる。デマだとか嘘だなどと罵倒したくなる。そんな人がとても多い。

そもそも議論は苦手だ。事実は視点によって変わるという意識を持っているからこそ、自分と異なる視点を全否定することにためらいがある。なるほどこの人にはそのように見えるのか、と思ってしまう。でもコップについて、四つのタイヤがあって道路を走っていたとか掃除のときに使う道具であるなどともしも断定されたなら、さすがにそれは違うと声をあげねばならない。だってまさしくオウムは、戦後日本で起きた最大の事件であり、同時代に生きる僕たちはこの事件の内実を後世に語り継ぐ主体なのだから。

六月一三日、「「真相究明」「再発防止」を掲げる「オウム事件真相究明の会」への大いなる違和感」とのタイトルで江川紹子氏が記事をアップした。

この論考の冒頭部分で江川氏は、

著名な文化人らがうちそろって、彼女（麻原三女・引用者註）の主張を代弁するような活動を始めたと聞けば、やはり座視できない。ましてや、複数のジャーナリストが、その呼びかけ人や賛同人となり、事実をないがしろにした発信をしているとなると、さすがに黙っているわけにはいかない。

と記述している。さらに「真相究明の会」の主張について江川氏は、

（1）麻原が内心を語っていないので「真相」は明らかになっていない
（3）麻原が真相を語らなかった理由は、精神に変調をきたしたから
（3）控訴審で事実の審理を行わずに控訴棄却とした裁判所が悪い
（4）「治療」して麻原に「真相」を語らせよう

というものだ。麻原の三女が言ってきたこととまったく同じで、呼びかけ人は主張が一致す

ることも認めている。

と書いているが、この(1)から(4)は、僕が(書籍『A3』(集英社文庫)を含めて)ずっと麻原法廷について主張してきたこととほぼ重複する(「裁判所が悪い」などナイーブすぎる表現はしていないが)。僕自身の麻原法廷への関心の始まりは二〇〇四年二月二七日だ。麻原一審判決公判を傍聴して被告の状態に衝撃を受け、その後に『月刊プレイボーイ』で麻原法廷への違和感を同時進行的に取材しながら連載し、連載が終わってから数年間の推敲と新たな取材要素の追加を経て、二〇一〇年に単行本『A3』として刊行した。

連載時には三女と何度か接触したが、その後はずっと距離があった。彼女が『止まった時計 麻原彰晃の三女・アーチャリーの手記』(講談社)を発表したときも、まったく連絡はとっていない。それが今、「彼女の主張を代弁するような活動」「麻原の三女が言ってきたこととまったく同じ」と言われても困惑するばかりだ。僕だけではなく真相究明の会に賛同した誰一人、三女を代弁する必要も義理もない。一致したことが不自然であり三女に同調したのだろうとのニュアンスで江川氏は書いているが、あえて書くならば、僕が言ってきたことと麻原三女、そして会に賛同した多くの人たちが、処刑間近になったこの時期に、できることなら麻原を治療して裁判をやり直すべきだとの視点で一致した(もちろん大前提としてオウムに対するスタンスや思想は様々だ)ということだ。

この論旨に続いて江川氏は、

「真相究明の会」呼びかけ人の森達也氏は、「地下鉄サリン事件当時は〝オウム絶頂期〟であり、サリンをまく動機がわからない」と述べているが、とんでもない。少しは判決文を読んだり、当時のメディアを調べるなどして、当時の教団の差し迫った状況を知ってから語っていただきたいものだ。

　麻原を裁く裁判も、事実を解明するために相当の時間と経費を費やしている。一審では、初公判から判決まで7年10カ月をかけ、２５７回の公判を開き、事実の解明が行われた。呼んだ証人は述べ《（ママ）》５２２人。１２５８時間の尋問時間のうち、１０５２時間を弁護側が占めていた。検察側証人に対しては詳細な反対尋問が行われていたことが、この数字からもわかるだろう。麻原には、特別に12人もの国選弁護人がつけられ、その弁護費用は４億５２００万円だった。

と書いている。名指しされた当人としては、「語っていただきたいものだ」の趣旨がよくわからないと答えるしかない。これだけの時間と経費がかけられた裁判なのだから、異論を言うべきではないとの意見なのだろうか。「少しは判決文を読んだり」と読んでいないことを前提として江川氏は書いているが、判決文は何度も読んでいる。当たり前だ。判決文も読まずして裁判を批判する本を発表するような度胸は僕にはない。ところが江川氏だけではなく僕を批判する人たちの多くは、「森は判決文すら読んでいない」と頻繁に断定する。彼らにはコップが長方形に見えた。でも視点が違う僕には、丸や三角も見えた。ところが彼らは、自分たちに丸や三角は見えないからこれはデマだ→森はコップを見たと嘘をついた、と論理を短絡する。このパターンはとても多い。

　二〇一一年、ＴＢＳラジオの企画で麻原死刑判決確定は妥当か否かをテーマに、僕は江川氏と対談した。そしてこの番組の中で江川氏は、麻原は訴訟能力を保持していると高裁が判断する根拠にした西山鑑定書を、自分は読んでいないと発言した。

読むべき裁判資料を読んでからものを言え、と主張するのなら（それは一面的には正しい）、僕は同じ言葉を江川氏に返す。麻原の訴訟能力に問題はない（つまり詐病なのだ）と断言するのなら、せめて精神鑑定書くらいは目を通すべきではないのか（しかもこの時点で確定から何年も経っている）。それなりのボリュームではあるけれど、裁判関連資料に比べれば大した量ではない。正式な鑑定の条件を満たさないままに行われた西山詮医師の鑑定（つまり宮台真司の言葉を借りればモドキ鑑定）がいかに主観的で結論ありきであったかについて、ここで少しだけ触れておきたい。例えば麻原の失禁について西山医師は、

なお、「失禁」という言葉には既に病的評価が付着している。起こったことを虚心に見れば、それは大小便の垂れ流しである。この行為は必ずしも脳疾患の症状ではなく、又、必ずしも重い心因反応の症状でなければならないものでもない。それはいざとなれば健康な人の誰もができることである。

（鑑定書六一ページ）

と記述している。「虚心に見れば、それは大小便の垂れ流しである」とはどういうことだろう。「いざとなれば健康な人の誰もができること」だから異常ではないと言いたいのだろうか。「いざとなれば（中略）できること」ではあっても、その「いざとなれば」のハードルが際立って低いときに、人は正常な意識状態ではないと見なされるのだ。いざとなれば誰もができることの論理を援用すれば、精神の病など存在しなくなる。

要するに詐病であることを西山医師は前提にしている。でもそれでは鑑定ではない。詐病であるかどうかを含めて鑑定すべきなのだ。意志の発動については、以下のような記述もある。

> 被告人が車椅子に戻って座り、右手を軽く丸める形にして右膝の上に置いていたので、その拇指《ぼし》と人差し指の間に鑑定人が鉛筆を黙って置いたところ、3本の指が微妙に動いて鉛筆を把持《はじ》し、更には鉛筆の中ほどを3本の指で持って、くるくるとプロペラ様に振ってみせた。（中略）鉛筆を取り戻そうとすると、被告人は右手で強く握って離さない。鑑定人が引っ張ると、被告人はいよいよ硬く握り締める。（中略）以上の検査から判明したことは、意志発動が可能で、鉛筆を握って離さないことも、これを離すこともできるということである。逆に言えば、握る能力はあるのに握らないことがあるということである。（六六ページ）

鉛筆を握ったり握らなかったりしたから、意志発動は可能である（訴訟の当事者となるだけの能力を保持している）ことが証明された。要約すればそういうことになる。ならば乳幼児やアライグマにも訴訟能力はある。ラッコだって被告席に座れるはずだ。

こうした空疎なレトリックの積み重ねで、麻原は訴訟能力を失っていないと鑑定は結論付けた。これを根拠に麻原法廷は一審だけで打ち切られた。その理由を江川氏は、以下のように記述する。

> 控訴審で公判が開かれずに一審での死刑判決が確定したのは、弁護人が提出すべき控訴趣意書を提出しなかったためである。

確かに提出すべき控訴趣意書を提出しなかったことはきっかけだ。でも二〇〇六年三月二一日、一週間後の三月二八日に控訴趣意書を提出することで裁判所と合意したことを、弁護団は公表した。このままでは控訴棄却されるからやむをえないとの判断だ。被告人と意思の疎通が図れないので控訴趣意書を書けない（だから治療したうえで裁判を進めてほしい）と主張してきた弁護団としては、これは敗北宣言に等しい。

ところが東京高裁（須田賢裁判長）は、約束した期限の前日である三月二七日に、いきなり控訴棄却を決定した。この時期に僕は『月刊プレイボーイ』で、『Ａ３』の元になる記事を連載していた。そのときの記述を以下に引用する。文中の澤は、僕が一審判決公判を傍聴したときの担当である共同通信社会部記者の澤康臣だ。

その澤から、弁護団が控訴趣意書を出すと予告した日の前日に電話がかかってきた。何があったのだろう？　麻原彰晃の裁判がらみの用件だろうと推測はできるけれど、それ以上はわからない。携帯を耳に当てながら胸の底が微かにざわつく。「森さん、まだご存じないですよね」と前置きしてから、澤は冷静な口調で言った。

「今日、高裁が控訴棄却を決定しました」

衝撃が強すぎて何も反応できなくなった状態を形容して、「頭の中が白くなる」との慣用句がある。あまり好きな表現じゃない。たぶんこれまで、僕はこの慣用句を使ったことはないと思う。でもこのときは、まさしく頭の中が白くなった。返事ができなかった。

「それで、前にもお願いしましたが、明日の朝刊用にコメントを頂けますか？」

「……はい。でもちょっと待って。なぜ裁判所は棄却を決めたのですか？」

「弁護団が控訴趣意書を提出しなかったから、との見解のようです」

「でも明日、控訴趣意書を裁判所に提出すると弁護団は公表していましたよね」

「はい」

「それなのに、なぜよりによってその前日に、裁判所は棄却を決定するのですか?」

「わかりません」

「おかしいでしょ?」

「……おかしいです」


三月二八日まで待つことを裁判所は弁護団に約束していた。これはちゃんと記録が残っている。ところが三月二七日に、裁判所はいきなり棄却を決定した。よりによって前日だ。この経緯について、僕は「騙し討ち」以外の言葉を思いつけない。

とにかく江川氏の「それでも期日までに提出がなされず、控訴棄却となったのだ」は、実際の経緯とは決定的に違う。高裁がもし弁護団との約束を守って三月二八日まで待てば、控訴趣意書は提出され、二審は行われたはずだ（ただし被告人と弁護団が意思の疎通ができないままの異例な法廷になったとは思うが）。

さらに江川氏は、以下のように会の趣旨を批判する。

彼らが、「治療」によって麻原が自発的に真実をしゃべると本気で考えているとしたら、オウム真理教やこの男の人間性について、あまりにも無知と言わざるをえない。

他者の内面や人間性について、これほど強硬に断定できる自信は僕にはない。人は複雑な存在だ。多面的で多重的で多層的だ。単細胞生物でもなければ物理現象とも違う。自分自身ですらよくわからないのだ。

ただ確かに、治療によって回復する可能性は相当に低いだろうと僕も思う。二審弁護団の依頼で麻原に接見した七人の精神科医の多くは、拘禁障害であれば適切な治療や環境を変えることで劇的に回復する場合があると診断したが、それから一〇年以上も放置されているのだ。決して楽観的には考えていない。

でも刑事裁判の基本はデュープロセス（適正手続き）だ。「たぶん治らない」「麻原は自発的に真実をしゃべるような男ではない」これはどちらも予測だ。可能性の濃淡を理由に手続きを省略すべきではない。それは近代司法の大原則だ。

仮に断片的であったとしても言葉が発せられるなら、それは事件を理解するうえで大きな補助線になる可能性はある。ナチス最後の戦犯と呼ばれたアドルフ・アイヒマンは、自らの法廷でホロコーストに加担した理由を「命令に従っただけ」としか答えなかった。それは世界が期待した証言ではない。アイヒマンは法廷で、「自発的に真実を」語ったわけでもない。しかしこのとき傍聴席にいたハンナ・アーレントは、この証言をキーワードに「凡庸な悪」という概念を想起した。そしてアーレントのアイヒマンに対する考察と示唆は、特定の集団を世界から抹殺するというあまりに理不尽で凶悪なナチスの負の情熱を解明するうえで、ひとつの（そして極めて重要な）補助線として歴史に残されている。

自らの法廷でも、忠誠を誓っていたはずの井上嘉浩元幹部までが目前で「教祖の指示」を語る事態になった。相当に焦ったに違いない。第13回公判、井上証人への弁護人反対尋問中に、麻原は裁判長に対し尋問の中止を要求。「これは被告人の権利です」とも言った。

しかし弁護人は結局、尋問を続行した。「教祖の指示」を語る井上証言は揺らがなかった。

麻原にしてみれば、耳に入れたくない弟子たちの証言をやめさせようとしたのに、裁判所は受け入れず、弁護人も自分に従わず、不愉快な状況が続くことになったのである。これを契機に、麻原は弁護人に対して拒絶的になり、法廷でも不規則発言をくり返して審理を妨害しようとするようになる。

江川氏のこの記述を読んだ人の多くは、麻原とは何と卑劣な男だと思うのだろう。しかし彼女が例に挙げた第一三回公判については、事実関係はまったく逆だ。井上証人への弁護人反対尋問とは、その前に井上が証言したリムジン謀議に対しての、麻原弁護団による反対尋問だった。つまり麻原にとって、尋問の中止を要求することの利はまったくない。むしろ自分の立場がより不利になるのだ。ところが尋問中止を麻原は要求した。「不愉快な状況」を自ら選択した。これについては、ジャーナリストである魚住昭のブログ（http://uonome.jp/read/1362）も参照してほしい。以下に一部を引用する。

オウム事件の裁判記録を読むと、そんな疑問が次々と湧いてくる。事件の首謀者とされた麻原彰晃の人物像もそうだ。報道では麻原は自らの罪を免れるため、元弟子たちに責任をなすりつけようとした男である。

だが、実際に責任逃れをしようとしたのは元弟子たちのほうだろう。麻原は彼らの悪口を一度も言っていない。彼らから糾弾されても気にせず、彼らをかばう姿勢を崩さなかった。

麻原弁護団は元弟子たちの暴走で事件が起きたことを立証しようとした。そのため元弟子たちの証言の矛盾を追及した。すると彼らは言い逃れができなくなって窮地に陥る。そんな場面になると、たいてい麻原が「子供をいじめるな」と言いだし弁護側の反対尋問を妨害した。

「ここにいるI証人（地下鉄サリンの実行犯）はたぐいまれな成就者です。この成就者に非礼な態度だけではなく、本質的に彼の精神に悪い影響をいっさい控えていただきたい」

読者には信じがたい話だろうが、それが麻原の一貫した主張だった。彼は自分の生死には無頓着で、元弟子たちの魂が汚されることをひたすら恐れていた。裁判記録には、そうした麻原の宗教家としての姿勢がはっきりと描かれている。

補足するが、僕と魚住も視点は微妙に違う。宗教家としてそれほどに高潔だったとは僕は思っていない。むしろ、宗教的高揚と精神の混濁が融合したゆえの判断だと思っている。真相究明の会について、江川氏は以下の記述もしている。


ところが、この「真相究明の会」は、麻原の死刑回避ばかりを求め、元弟子たちの処遇には関心を寄せない。そんな人たちが言う「再発防止」とは何なのだろう。

麻原の死刑回避は会の最終的な目的ではない。処刑の前にやるべきことをやろうとの趣旨だ。その一点で多くの人が賛同したのだ（その後に処刑すべきと考えている人も会には複数いる）。

ただし僕は、死刑を廃止すべきと考えている。六日に処刑された麻原以外の六人の信者のうち、三人とは面会と手紙のやりとりを死刑確定まで続けてきた。それぞれ個性は違うが、優しくて善良で純粋であることは共通していた。処刑してほしくない。生きてもっと語ってほしい。ずっとそう思い続けていた。でも「麻原に語らせるべき」を基本理念とするこの会の趣旨とは違うから、記者会見の場では発言しなかった。関心を寄せないわけではない。僕は卵焼きが好きだ。でもおまえは卵焼きに関心がないのか、といきなり言われる。なぜですか、と訊けば、今日の弁当に卵焼きが入っていないからだと断定される。……無理やりな比喩としてはそんな気分だ。

三人以外にこれから執行を迎えるはずの三人、つまり死刑判決を受けた六人の元信者に僕は面会した。手紙のやりとりを続けた。事件について質問し、彼らは悩み、一緒に考えた。時には視点が食い違った。議論した。でもひとつだけ言えること。邪悪で冷酷だから人を殺したわけではない。洗脳されて自分の感情や理性を失っていたからサリンを散布したわけでもない。組織に帰属すること。組織に従属して個を捨てること。それによって凡庸な悪は発動する（オウムの場合は、死と生を倒置する信仰のリスクもここに重なった）。

その意味でオウムの事件はホロコーストと同様に、あるいは多くの虐殺や戦争と同様に、集団に帰属して生きることを選択したホモサピエンスが内在する大きなリスクをくっきりと提示した事件であり、宗教が持つ本質的な危うさを明確に露呈した事件でもあった。でも結果として、この社会は事件の解釈を間違えた。いや解釈を拒絶した。そして司法とメディアは社会に従属した。僕はそう思っている。

ヒトラーはベルリン陥落とともに自害した。実のところ、彼がホロコーストを指示した証拠はない。ニュルンベルク裁判に当たって連合国側は必死にヒトラーの実務的な関与を示す文書を探したが、結局は発見できなかった。だからといってヒトラーがホロコーストと無関係とは誰も思わない。残された彼の言葉や文章には、明らかにユダヤ人に対する蔑視や敵視の思想が表れている。

法廷におけるアイヒマンの証言は、六〇〇万人のユダヤ人を殺害したホロコーストを解明するうえで、今も重要な補助線になっている。人は邪悪で狂暴だから悪事をなすのではない。集団の一部になって個の思考や煩悶を停めたとき、壮大な悪事をなす場合があるのだ。これに気づいたとき、惨劇や事件は歴史的教訓の骨格を獲得し、発生時に喧伝された特異性だけではなく、後世に残る普遍性を示すことができる。それは誰のためか。オウムや麻原のためではない。僕たちのためだ。

ただし補助線は補助線だ。本線ではない。もしもヒトラーが自害していなければ、法廷でその証言を聞けたはずだ。しかし現実にはニュルンベルク裁判は、ヒトラー不在のままで進められた。最後のとどめを刺しきれなかった。だからこそ今もネオナチやヒトラー崇拝的な思想は世界に燻り続け、ホロコーストやナチズムに対して歴史修正主義的な史観が亡霊のように立ち現れる。

でも麻原は生きていた。ならば治療して語らせるべきだった。大量殺戮の指示をあなたは本当に下したのか。もし指示を下したのならその動機は何か。日本を征服するなどと本気で考えていたのか。あるいは言葉の食い違いがあったのか。あなたの直接的な指示を聞いたのは刺殺された村井幹部だけだ。彼にあなたはどのように伝えたのか。被害者や遺族に対しての言葉はないのか。一緒に処刑される弟子たちに対して今は何を思うのか。こんな事件さえ起こしていなければ、あなたは今も教祖でいられたはずだ。オウムが壊滅することをなぜ想定しなかったのか。あるいは(処刑された中川死刑囚が僕に教えてくれたように)むしろオウムを壊滅させようとしたのか。だとしたらその理由は何か。動機は何か。オウム以降にセキュリティ意識を過剰に発動して集団化を加速させた日本社会について、今はどのように思っているのか。

……訊きたいことはいくらでもある。徹底して追い詰めるべきだった。語らせるべきだった。晒すべきだった。宗教的にきわめてストイックだったことは認める。でも最終解脱などありえない。言い逃れるなら論破すればいい。答えに窮して立ち尽くす姿を晒すだけでも意味がある。

今になって麻原を崇拝していることを理由に後継団体についての危惧を口にするのなら、遺骨はどうすべきとか聖地化されるなどと不安視するのなら、意識を取り戻した麻原を徹底的に追い詰めて、公開の場でとどめを刺すべきだったのだ。

何よりも、心神喪失の状態にある人は処刑できない。それは近代司法国家としては最低限のルールのはずだ。

僕はオウムについて、施設内に入って長く映画を撮ったことで、多くの人とは違う視点をたまたま得た。だからこそ見えたことがある。気づいたことがある。だから必死に訴えた。でも届かなかった。叶わなかった。最後にもう一度書く。語らせるべきだった。でもすべて終わった。今はただ茫然としている。本当に悔しい。本当につらい。

でも同時に思う。二つの眼球を失って闇の中で心神が崩壊したまま誰とも話さずに一〇年以上も大小便垂れ流しのまま放置され続けた麻原にとって、この処刑は最後の救いだったのかもしれないと。


（『Business Journal』二〇一八年七月一八日）

麻原は世界から消えた

父親の仕事は海上保安官だった。つまり転勤族。だから子ども時代、転校は恒例行事だった。小学校はほぼ二年おき。中学でも一年から二年に進級するとき、富山から新潟の学校に転校した。子どもにとって転校は人生の一大事だ。友人関係も含めて、帰属する世界が強制的にリセットされる。それも一回や二回じゃない。リセットのくりかえし。構築した関係はすぐに断ち切られる。馴染みすぎると後がつらくなる。だから無自覚に周囲と距離を置く。

子ども時代の自分がどこまで自覚的であったかは怪しいけれど、その意識はあったと思う。しかも子ども時代の僕は、かなり重症の吃音だった。人と会話できない。転校してしばらくの期間は、常にいじめの標的になった。いじめとは何か。多数派が一人（少数派）を迫害したり疎外したりすること。逆はまずない。

二年おきに新たないじめの標的になることをくりかえしてきたから、多数派に対しての警戒心も強くなった。一人ならば気の良い奴でも、多数派の一部になったとき、なぜか冷酷で残虐な振る舞いをすることがある。そんな瞬間は何度も見た。自分が標的になった。

大学では就活をしなかった。就職をしようとの意識がなかったのだ。サークル活動で始めた芝居活動と自主製作映画をやめることができず、卒業後は舞台に立ったり八ミリ映画を撮ったりしながら、いわゆるフリーター（この時代にこの言葉はなかったけれど）生活を続けていた。

三〇歳直前になったときに結婚して就職したけれど、一つの会社で長く勤めることができず、いくつかを転々としてから、テレビ番組制作会社に入社した。仕事は面白かったが、この会社も二年ちょっとで退社した。その後は基本的にはフリーランスのポジションだ。地下鉄サリン事件が起きた一九九五年以降、バブル崩壊の影響もあってフリーランスというポジションがつらくなり、僕は業界大手の共同テレビジョンに入社する。でもオウムのドキュメンタリーを撮る過程で、また組織から弾きだされた。

……これまでの自分の人生を振り返ると、組織に帰属しては関係をリセットされることのくりかえしだ。特にオウムのドキュメンタリー映画『A』を撮る過程は、オウムと社会の狭間に一人で身を置いたことで、自分はどちらの側にも帰属できないという感覚をずっと持ち続けていた。オウムについては帰属できなくて当然だが、社会に対しても同じような感覚があった。馴染めないのだ。孤高とか一匹狼などの形容は少し違う。だって自ら意図したことではない。転校で始まって共同テレビジョンから解雇されるまで、できることなら組織や多数派に帰属して安心したいと思いながら、気づいたらいつも一人になっていた。

だから今も、組織や集団に対しては、何となく警戒心がある。集団に帰属することが人類の本能であることはよく理解しているつもりだが、だからこそ帰属することに無自覚な抵抗が働く。例えば僕の肩書は「作家・映画監督・大学教授」だが、大学は普通の組織とはまったく違うし、日本ペンクラブと映画監督協会には所属していない。どちらも誘いはあったが断った（でもこれも決然と断ったわけではなく、優柔不断な姿勢でもごもご言っているうちに時間切れになってしまったというほうが正確だ）。

だから今年（二〇一八年）四月中旬に雨宮処凜から、麻原彰晃の処刑を私たちはこのまま見過ごしてよいのだろうか、何かできることはないだろうかと考えている、との電話をもらったとき、会を結成することについては、決して積極的ではなかったはずだ。でも同時に、もしも会を立ち上げるなら、自分はその前面に立たなければいけないとの覚悟もあった。一人の声は小さいけれど、もしも多くの人が賛同してくれるのなら、状況を変えることが可能かもしれないとも考えた。

二〇〇四年二月二七日、僕は麻原彰晃の一審判決公判を初めて傍聴した。そして被告席で同じ動作を反復し続けている麻原を目撃した。健全な意識状態にあるとはとても思えなかった。昼休みには知り合いの記者たちから、「ずっとオムツしていますよ」と教えられた。「もう駄目でしょうね」と言った記者もいる。でも彼らのそんな視点が報道されることは決してない。

麻原は意識をほぼ喪失している。傍聴後、その視点をいくつかの新聞に寄稿した。朝日新聞もそのひとつだ。原稿を送った直後、ずっと法廷を傍聴していた朝日の編集委員から、「あなたは何を根拠にあんなことを書くのか」と問う電話が来た。目撃すれば誰だってそう思うはずですと答えたら、「あれは意識がどこかに行っているだけだ」と彼は言った。

意識がどこかに行っているとはどういうことか。それを言い換えれば普通の意識状態ではないということではないのか。意識がどこかに行っていることを認めながら、正常な意識状態にあることは疑わない。そしてその矛盾に気づかない。常軌を逸しているのはどちらなのか。

もちろん僕も傍聴した直後は、麻原は精神の異常を装っている可能性もあると考えた。つまり詐病だ。ちょうどこの時期に「A3」(『月刊プレイボーイ』)の連載が決まり、一審判決公判以降の麻原の裁判の進行と同時並行の形で、僕は麻原を軸にしながら多くの人に会い、取材を重ね、詐病の可能性はほぼないと確信した。そして「A3」の連載が終わる前に、麻原の死刑は一審だけで確定した。

連載を終えてからおよそ三年近く推敲を重ね、『A3』は二〇一〇年に刊行され、第三三回講談社ノンフィクション賞を受賞した。受賞の知らせを伝える電話を受け取る直前、父親が病院で逝去した。病室の外に出て携帯電話を耳に当てて「おめでとうございます」と祝意を伝える講談社の担当者にありがとうと礼を言えば、今はどこにいるのかと訊かれ、仕方なく父親が逝去したばかりであることを告げて、彼を絶句させてしまったことを覚えている。

二〇一七年に『A4または麻原・オウムへの新たな視点』(深山織枝・早坂武禮との共著、現代書館)を刊行した理由のひとつは、近づいている麻原処刑の前に、治療したうえで再審をして事件の動機を彼の口から語らせたいとの思いだった。

でも一人の声は小さい。『A3』も受賞して一部では評判になったとはいえ、ベストセラーには程遠い。これまでの生涯で会とか集団にはいつも距離を置くようにしてきたが、今回ばかりはその禁を破ろうと考えた。

雨宮から電話があって数日後、有志たちが集まった。会の正式名称は「オウム事件真相究明の会」と決まり、公式ホームページを立ち上げること、そして記者会見をどのように行うかなどがこの場で議論された。このときのメンバーは僕以外には、雨宮と香山リカ、宮台真司に高橋裕樹弁護士、そして麻原三女である松本麗華とテレビや新聞などメディア関係者も複数いた。その後のミーティングには、堀潤や有田芳生、鈴木邦男や二木啓孝なども加わった。

この席(あるいは次の打ち合わせ)で松本麗華が、「自分は会見の発言者の席にいないほうがいいと思う」と言った。僕は納得できなかった。だって袴田巖さんの最大の支援者は姉である秀子さんだ。親族が懸命になることは当たり前だ。なぜ遠慮する必要があるのか。でも彼女の意思は固かった。「絶対にみなさんに迷惑をかけることになる」と言って、発言者の席に座ることは拒否し続けた。

だから立ち上げ記者会見当日、彼女は最前列に座ったが、発言者の席には座らなかった。会場で記者から「麻原三女と会とはどのような関係か」と質問されたとき、僕は「一線を引いています」と答えた。この状況を示すうえで、最も的確で簡潔な日本語だと思ったからだ。彼女の関与を隠す気などさらさらない。だってそう答える僕のすぐ前に彼女は座っていて、会場のほとんどの人はその状況を目視している。

ところがそのあと、会のメンバーである宮台真司がラジオで、麻原三女も会を立ち上げたメンバーの一人であると発言してから（もちろんそれは事実だ）、「森は記者会見で三女とは関係ないと嘘をついた」「デマをとばした」「三女の関与を隠した」などとネット上で騒ぎが始まった。口火を切った人が誰かはわかっているが、ここには書かない。名前を書きたくもない。

「一線を引いています」は「関係ありません」と同義なのだろうか。むしろ関係があることを前提にしたつもりなのだけど、僕の日本語の解釈が間違っているのだろうか。もう一度書くが、関係を隠すつもりなどない。あるならば彼女は会見場に来ない。嘘とかデマなどと罵倒される理由がわからない。ただし一つだけわかることがある。こうした過激な言葉は、ネットで拡散しやすい、ということだ。

そしてようやく、麻原三女が「自分が前面に立ったら会に迷惑がかかる」と言った理由を理解した。

滝本太郎弁護士は最新のインタビューで「本当に詐病だったんだと、今確信しますね」と発言している。仮に詐病ならば、その理由（動機）は何か。二つしかない。裁判遅延と死刑逃れだ。でも麻原法廷は一審だけで打ち切られた。オウム最後の被告である高橋克也の裁判が終わってすぐに、確定死刑囚たちの移送（処刑準備）が始まった。つまり麻原の詐病はまったく裏目に出ている。それなのに詐病を続けた理由は何か。解は一つしかない。実際に心神喪失しているのだ。

もちろんこの視点は、僕（と会の多くのメンバー）の主観だ。他者の意識を正確に知ることなど不可能だ。だからこそ精神鑑定を正式に行うべきだった。少なくとも麻原の状態は精神鑑定を受けるに値する状態だった。でも結局は正当な手続きを無視した鑑定しか行われず、面会した他の精神科医の意見は黙殺され、麻原法廷は一審だけで打ち切られた。これが僕の認識だ。麻原は世界から消えた。ならば会を解散するしかない。処刑後に一回だけ集まって、解散に全員が同意した。同意するしかない。悔しい。でも仕方がない。

執行時には大きなニュースになったけれど、あっというまにオウムは人々の関心から消えた。最後に、『Ａ３』の最終章（「32　特異」）の結尾を以下に引用する。

東京葛飾区の拘置所の一室で、彼は今何をしているのだろう。何を思っているのだろう。たぶんもう、何かをする力も、何かを思う力も残されていない。自分が社会を変えたという意識もないし、いずれ絞首台に送られるという恐怖もない。

時だけが過ぎてゆく。でもこの時は無限ではない。やがて終わりが来る。麻原は絞首台に吊るされる。そのときに自分が何を思うのかはわからない。でもこの社会がどのような反応をするかはわかる。

それはきっと、圧倒的なまでの無関心だ。

（『創』二〇一八年一〇月号）

戦場ジャーナリストの使命

「たった一度でいい。世界中の人たちが戦場を自分の目で見たら、リン火剤で焼かれた子どもの顔、一個の銃弾によってもたらされる声も出ないほどの苦痛、手榴弾の爆風で吹き飛ばされた脚。そんな恐怖と不合理と残虐さを、皆が自分の目で見れば、戦争はたった一人の人間にさえ許されない行為を万人にしているのだときっとわかるはずだ。でも皆は行けない。だから写真家が戦場に行き、現実を見せ、事実を伝え、蛮行を止めさせるのだ」

ここに引用したフレーズは、ドキュメンタリー映画『戦場のフォトグラファー　ジェームズ・ナクトウェイの世界』の終盤で、被写体である戦場ジャーナリストで写真家のジェームズ・ナクトウェイが語った言葉だ。

ロバート・キャパ賞を何度も受賞して、名実ともに世界トップクラスの写真家と称されるナクトウェイが撮る写真は、例えばアメリカ同時多発テロで崩れ落ちた直後のワールドトレードセンタービルや、コソボやルワンダなどの内戦や虐殺、スーダンやボツワナの飢餓など、危険な現場を至近距離から撮りながら、どこかしら静謐で絵画的な美しさがある。そのナクトウェイに八年前にスイスで会った。寡黙で冷静で、映画のイメージどおりの人だった。

メディアは何のために存在するのか。権力の腐敗や暴走をチェックすること。苦しむ人たちの小さな声を社会に伝えること。この二つは重要だ。だからこそ危険な戦場に行く。飢餓や貧困を伝える。安全な場所にいる多くの人が気づかない矛盾や不合理を訴える。

でも（新聞も含めて）組織メディアは、社員の健康や命も守らねばならない。危険な任務を安易に指示できない。記者たちも社命に逆らうことは難しい。これにそむいて危険なエリアに足を踏み入れたら、現場から外される可能性がある。

だからこそ、組織の論理から外れたフリーなジャーナリストが取材し、これをバックアップする組織メディアが多くの人に伝える。本来なら組織メディアがもっと存在感を発揮すべきとは思うけれど、現状においてこの連携は重要だ。

ところが現地で拘束されたり負傷したりしたジャーナリストに対して、危険地帯と知りながら行ったのだから自己責任だとの言葉を安易に浴びせる人がいる。ならば質問する。そこが危険地帯だとあなたはなぜ知ったのか。その危険地帯で苦しんでいる人たちの生活や生命はどうなってもいいのか。

ナクトウェイが泊まっていたホテルの部屋は質素だった。窓際の椅子に腰を下ろしたナクトウェイは、じっと外の景色を眺めていた。夕日が窓から差し込んでくる。まるで一枚の写真を見ているかのようだった。眺めながらふと、『戦場のフォトグラファー』の一場面で、同僚の記者が言っていたことを思い出した。

「戦場取材での一日が終われば、僕たちはとにかく集まってビールを飲む。そうでもしないと続けられない。壊れてしまう。ところがナクトウェイは水を一杯だけ飲んで、明日も早いからと部屋に戻ってしまう。そして翌朝は一人でカメラを手に戦場に行っている」

（『新潟日報』二〇一八年一一月四日付朝刊）

誰が何を「政治的」とみなすのか

旧友のフォトジャーナリスト豊田直巳から、「なぜ！この写真が一時的に展示拒否されたのか⁉」というタイトルの一斉メールが送られてきた。

何だか週刊誌の見出しのようなタイトルだと思いながら本文に目を通す。真剣な訴えだった。そして決して他人事ではない。その内容と経緯を、豊田のメールからの引用も交えながら、以下に要約する。

今年（二〇一八年）一月から豊田は、福島原発事故後の多くの避難民たちを被写体にした写真展「フクシマ～尊厳の記録と記憶」を、全国で行っている。

その一環として一〇月二六日から、東京都大田区で「豊田直巳写真展「フクシマの7年間～尊厳の記録と記憶」in おおた」を開催することが決定した。主催は地元の大田区で活動する市民団体「おおたジャーナル」だ。

ところがその過程で、写真展予定会場である大田区の「男女平等推進センター「エセナおおた」」から主催者である「おおたジャーナル」の企画担当者に、「展示を許可する条件として、一点の写真を展示から外すこと」という要請が送られてきた。以下は豊田から届いたメールの引用だ。

（前略）連絡を受けた豊田がまず思ったのは、これは、日本国憲法の第二十一条に明記された「言論、出版その他一切の表現の自由は、これを保障する。検閲はこれをしてはならない。」に、明確に違反するものではないか、ということです。

そして以下は、この顚末を取材した東京新聞一〇月一日付の記事の一部だ。

施設を管理する区人権・男女平等推進課は、作品の展示を拒んだことを認め、「作品が若干、政治的だと感じた」と説明する。施設は利用条件で、展示できないものとして営利目的や政治活動、宗教活動を表現したものを定めているためという。

豊田さんは「作品一点だけを取り上げてダメだとする判断そのものが政治的で、表現の自由や文化を破壊する行為だ」と話し、区側の対応を批判。予定していた全作品の展示を求めてきた。（中略）作品に写っていたのは、小学生の時に標語を考えた茨城県古河市の大沼勇治さん（42）。作品が拒否されたことに「原発事故を風化させたくないと思っての行動。その写真のどこが「政治的」なのか」と嘆いた。

少しだけ東京新聞の記事を補足する。双葉町に生まれ育った大沼さんが小学六年生のときに学校の宿題で考えた標語「原子力明るい未来のエネルギー」は、特に福島第一原発の事故以降、多くの人が一度や二度は目にしているはずだ。

現在の大沼さんは、標語を書いた頃の自分を振り返りながら、「自責の念があります。少年のころ夢を持っていた。町が発展してビルが建ち並び新幹線も通るのかなと、希望がありました。それが今では無人の町です」と産経新聞のインタビューで答えている。

原発と共存する双葉町の象徴として、標語が記された看板は町の中心部に設置された。しかし事故が起きた二〇一一年三月以降、町の中心部は立ち入りが制限される帰還困難区域に指定され、看板は希望の象徴から一転して負のシンボルとなった。

その後に双葉町は、老朽化が進み危険だとの理由で、看板を撤去することを決定する。これに対して大沼さんは、過ちの記憶は消すべきではないと、署名運動などで撤去に反対した。結果として町は、看板を保存して、復興したときに改めて復元すると約束したらしい。ただし町の復興がいつになるのか、それはもう誰にもわからない。大沼さんは妻と二人で（写真の二人は大沼さんご夫妻だ）、今も「脱原発」を訴え続けている。豊田のメールに戻る。

展示から外すよう要請があった写真（提供・豊田直巳）

確かに「エセナおおたでの展示作品募集」に記載された「展示条件」には、その4「展示できないもの」として、「政治活動もしくは宗教活動を表現したもの」とあります。

しかるに、豊田の写真が「政治活動」を「表現したもの」というのなら、おそらく世界中で表現されている写真の大半も、同様の理由から展示できないことになります。

一例として挙げれば、秋空とうろこ雲を撮影した写真を「米軍の横田空域を批判的に表現した政治的な写真である」とすることも可能でしょう。また、真っ青な海に浮かぶヨットを写した写真は「福島第一原発から放出されるトリチウム等の汚染水問題を表現した政治活動を表現したもの」と解釈することも可能だからです。

よって、大田区の人権・男女平等推進課の指示は憲法違反であり、また表現の自由を守るためにも許されるものでないと考えています。

ここまでの豊田の主張はもっともだ。反論できる人はあまりいないだろう。しかし（それは写真にも表れているけれど）豊田は優しい。上記の文に以下を補足してメールを締めくくっている。

ただし、「人権・男女平等推進課」といい、「男女平等推進担当係」といい、それを運営するのは人です。人は、私がそうであるように、勘違いもすれば、間違いも起こします。よって、現時点でこの問題を、豊田は一方的に「糾弾」「弾劾」したりするつもりもありません。自らの勘違いなり間違いに気づいていただき、「指示」を撤回し、予定通りの作品展示がなされることを希望しているのです。

豊田がこうした見解を表明してすぐに、人権・男女平等推進課は問題になった写真の撤去の指示を引き下げて、掲示することに同意した。その対応は、ねえこれまでの主張は何だったの、と言いたくなるほどにあっさりだった。

ここから窺えることとは、人権・男女平等推進課の一連の判断の背景に、深謀遠慮が働いていたわけではない、ということだ。ましてや現政権支持のイデオロギーや原発再稼働の思想が駆動していたわけでもない。「これは物議をかもすのではないか」「これは批判の矢が思わぬところから飛んでくるのではないか」と万が一の事態を想定する基準が、いつのまにか大幅に低くなっている、ということなのだろう。

だからこそ深く考えることなく排除や規制を口にする。実践する。危ないから触れないでおこうとの気持ちが優先される。かつてであれば問題になどならない表現が問題視される。でも理由や根拠は説明しづらいから、「政治的」という曖昧でオールマイティな語彙が理由にされる。

ここまでの経緯を読みながら、「梅雨空に「九条守れ」の女性デモ」という俳句が、さいたま市の公民館だよりから掲載を拒否された事件を思い出す人がいるかもしれない。他にも、政治的であることを理由に、自治体や公共施設が市民団体の集会や催しを拒否する事案が、ここ数年とても頻繁に起きている。

でもそもそも、政治的とは何だろう。原発や憲法改正や安全保障についての自分の意見や思いを公共の場所で表明することは、政治的だから不適当なのか。戦争や差別に反対を唱えることは、きわめて政治的だから自重すべきなのか。豊田が言うように、年金や子育て支援、教育に税金、日常のあらゆる要素は、常に政治的な側面をも併せ持つ。「政治的」と「政治的ではない」ことを、誰が判断するのだろう。

……ここまで書いて、あらためて安倍政権の罪深さを思う。人が普通に生きること。悩むこと。決意すること。それらの多くを安倍政権は、政治的なイシューにしてしまった（それは政権だけの責任ではないが）。そして北朝鮮のミサイルや中国の脅威、ＩＳの危険性などと不安や恐怖を煽り続け、その結果として社会全体のセキュリティ意識が急激に高揚した。だからこそ公共機関のリスク管理が過剰になり、かつてなら問題にならないようなレベルの言論や表現が問題視されるようになってしまった。

公共施設は公正中立であること。それはまあわかる。頭ごなしに否定するつもりはない。そのためにはどうすべきか。政治的な要素をすべて排除するのか。それは不可能だ。ならば誰かに判断をゆだねるのか。それも公正ではない。

公共施設が目指すべき公正中立は、政治的な要素を無理やりに抽出して肥大した危機意識で敷居を上げることではなく、政治的な催しや集会すべてに対して（もちろん特定の誰かを標的とするような差別的なものは論外として）門戸を開くことだ。これはメディアも同様だ。政治的だからとか特定の政党を利するからなどの理由で排除するのではなく、すべての言論や表現に対して門戸を開放すること。このほうがはるかに健全で公正だ。

ここで思いつくのはアメリカの大統領選。民主党か共和党か。メディアは支持する政党を隠さない。メディアだけではない。ハリウッドスターやミュージシャンなど多くの著名人が、支持する政党や個人名をはっきり口にする。

二〇一六年の大統領選の際には、俳優のジョン・ヴォイトや、バスケットボール選手のデニス・ロッドマンがトランプ支持を表明し、ビヨンセやレブロン・ジェームズがヒラリー支持を公言した。ニール・ヤングやブルース・スプリングスティーンなどレジェンド的なミュージシャンも、当たり前のように自分の支持政党や応援する大統領候補を表明する。

ならば日本はどうか。ユーミンや矢沢永吉、キムタクや大谷翔平が、支持政党や応援する首相候補の名前を、ライブやインタビューで発言する状況を想像してほしい。

選択肢は二つ。ひとつは多くの人が互いに意見を言い合う。それを聞きながら自分の意見を決める。もうひとつは全員が沈黙する。意見は言わない。

さてここで問題です。真の民主主義を実現するのはどちらでしょう。

（『創』二〇一八年一二月号）

記録の余白１——

オウムの死で日本は救われたか

「処刑後の父とは二回会いました。最初は本当に短い時間。拘置所が用意した小さい棺桶にぎちぎちに入れられて、頭には白い布が巻かれていて、ひつぎの窓から顔だけ見えている。周りに刑務官の方がたくさんいて、ひつぎには絶対に触れるなと言われました。遺体を返してくださいと何度もお願いしたのだけど……」

そう言ってから松本麗華は数秒だけ沈黙した。その後の経緯は報道されたので僕も知っている。

二〇一八年七月六日、麻原彰晃こと松本智津夫の死刑が、他の六人のオウム死刑囚とともに執行された。七日、拘置所は遺体に会いに来た家族に対して引き渡しを拒否。その翌日以降、執行直前に遺体の引き渡し先について刑務官に質問された麻原が「四女」と答えたという報道が、一部メディアで始まった(ただしこれは法務省の公式発表ではない)。

しかし、遺体の引き渡しを拒む拘置所に対して麻原の妻と次女、三女である麗華と長男、次男は「(麻原の)精神状態からすれば特定の人を引き取り人として指定することはあり得ない」と反論。一一日には、四女の代理人である滝本太郎弁護士が、記者会見で散骨の意向を表明した。

ここまでは報道されている。そして以下は報道されていないこと。この年の三月、執行後の遺体について法務省は、死刑囚本人が指定した人に引き取らせるとする通達を発している。処刑はその四カ月後だ。なぜこのタイミングでこんな奇妙な通達が発布されたのか。四カ月後の処刑後に起きる事態を見越した通達ではないのか。そう思うのは僕だけだろうか。

事態は今も膠着したままだ。家族は引き渡しを求めているが、遺骨は拘置所に保管されている。こんな前例はかつてない。処刑前の不自然な通達や遺体の引き渡し先を四女としたとの情報の出どころも含め、極めて政治的な動きが裏であった可能性はあると思う。補足するが、麗華と家族たちが処刑翌日に遺体と対面したとき、拘置所は麻原の遺言については何も言っていない。その後にメディアが、「麻原は自らが執行される直前に係員から遺骨の引き取り先の意向を訊ねられて「四女」と答えたらしい」と報道した後に、急に話を合わせてきたという。

「二回目の対面のとき、担当の刑務官の方に、本当に父はそんなことを言ったんですか、と聞いてもちゃんと返事をしてくれない。目をそらす、という感じでした。何かを無理しているなと感じました」

そう言ってから麗華は、「このときはひつぎのふたを開けてもらって顔に触れることができました」とつぶやいた。「それが最後。それから森さんに電話しました」

僕はうなずいた。電話で麗華が「江戸時代の農民みたいな顔でした」と言ったことを覚えている。比喩の意味がよくわからなかったが、それよりも気になったのは、このときの彼女の声が妙に明るかったことだ。その直前には涙声だった。急激な変化に、何となく危うい精神状態を感じた。「そうだったかもしれない」と麗華は言う。「あの頃のことはあまりよく覚えていないんです。父が処刑されてしばらくはずっとふわふわしていて、今もちゃんと思い出せない」

「江戸時代の農民の意味は？」

「髪を短く刈られて痩せ細っていたので、そんなふうに思ったのかな」

法廷での異常行動の意味

父親が死刑執行された直後には、麗華のツイッターアカウントに多くの「おめでとう」「よかったね」などのコメントが寄せられた。このとき僕はパソコン画面を見ながら言葉を失った。冷酷や醜悪などの言葉では足りない。なぜこれほど憎悪を剥きだしにできるのか。でも今は思う。これは憎悪ではない。ネットに匿名で書き込む彼らはオウムによって殺害された被害者たちの遺族ではない。そして麗華はサリン事件の加害者でもない。これほどに憎悪する理由がない。もっと汚くてねじれた悪意だ。この「集合的無意識」的な悪意は、地下鉄サリン事件が起きてウィンドウズ95が発売された一九九五年以降、急激に増殖した。「今も私が何かツイートするたびに、「心があるなら家族も一緒に死ぬ」とか「おまえが遺族を忘れるな」みたいなレスポンスが来ます」

そこまで言ってから麗華は、「私はずっと元死刑囚の三女と扱われている」とつぶやく。「本当は実名や顔は出したくなかったけれど、父が精神的な病気であることを訴えたくて二〇一五年に手記を出しました(『止まった時計　麻原彰晃の三女・アーチャリーの手記』〈講談社〉)。でも父はその後に処刑され、目的が消えました。ならば自分の人生を歩かないといけないのに、私はずっと父の付属物として扱われている。三女とわかるたびに会社を解雇されます。もうすぐ三七歳です。結婚もできない。恋人もいない。普通の人生を送りたいんです」

そう言って黙り込んだ麗華の顔を見つめながら思い出す。麻原を含めたオウム死刑囚一三人が処刑される一カ月前、僕は有志たちとともに「オウム事件真相究明の会」を立ち上げた。会の理念は、「(心神喪失状態にあると思われる)麻原を治療して裁判のやり直しを行い、オウム事件の真相を究明すること」。多くの人にとって、この主張は唐突過ぎるかもしれない。でも僕には強い確信がある。

二〇〇四年二月二七日、東京地裁一〇四号法廷の傍聴席で、目の前の光景に僕は大きな衝撃を受けていた。被告席に座った麻原は、同じ動作の反復を最初から最後まで続けていた。頭をかき、唇をとがらせ、何かをもごもごとつぶやいてから口の辺りに手をやり、それからくしゃりと顔全体をゆがめる。その瞬間の表情は笑顔のようにも見えるし苦悶のようにも見える。順番や間隔は必ずしも規則的ではないし、頭ではなくあごや耳の後ろをかく場合もあるけれど、基本的にはこれらの動作をずっと反復している。つまり常同行動。精神障害を示す典型的な症例の一つだ。ただし法廷でのこうした挙動が、死刑判決回避のための演技であるとの見立てもできる。

でも昼の休廷時、地裁二階の廊下ですれ違った旧知の記者は、「午前と午後とでズボンが替わっていることなんてしょっちゅうですよ」と僕に言った。失禁・脱糞だ。だから今はオムツを当てられているという。もちろんそれだって演技でできないことはない。

でも考えてほしい。多くの人は麻原のこうした異常な言動を死刑逃れのための演技だと言い続けたが、結果として麻原法廷は一審だけで終わっている。つまり死刑判決を早めている。ならば一審が終了して（被告人とコミュニケーションできないことを理由に）弁護団の控訴趣意書提出が遅れて裁判打ち切りが濃厚になったとき、これは裏目に出たと気づいて、そろそろ気が違っているふりはやめにすると宣言するはずだ。

社会が共有した被害者意識

死刑を言い渡したこの一審判決を傍聴して衝撃を受けてから、僕は多くの人に取材した。拘置所に通ってオウム死刑囚たちと面会し、麻原の故郷である熊本の八代を訪ね、多くの知己や関係者に会った。今は確信している。異常な言動が始まった一審途中から、麻原の精神状態は壊れ始めていた。でも裁判は続けられた。そもそも一審の審理が終了するまで、麻原は一度も精神鑑定を受けていない。通常の裁判ならあり得ない。

結果として、戦後最大級の犯罪を起こしたオウム真理教の頂点にいた麻原の裁判は、一審だけで死刑判決が確定した。その後も処刑に至るまで、麻原は意味のある言葉を最後まで発していない（だからこそ遺体の引き渡し先として四女を指名したとの情報が宙に浮く）。

その帰結として、地下鉄サリン事件の動機は今もわからない。裁判では「間近に迫った強制捜査をかわすために地下鉄にサリンをまけと麻原が指示した」とされている。その根拠は井上嘉浩が法廷で証言したリムジン謀議だ。しかしリムジンに同乗していた他の側近たちは井上の証言に対して懐疑的であり、何よりも井上自身が後にこの証言を否定している。ところが裁判所はこの証言を前提にし続けた。

もちろん一審判決文にあるように、「救済の名の下に日本国を支配して自らその王となることを空想し」て、サリン散布を決意した可能性はある。それを否定する根拠を僕は持っていない。でも得心できるだけの確証もない。確かに多くの証言は積み重ねられたが、そのときに麻原が何を思っていたのかわからない。一審途中で不規則発言をくりかえしてから、麻原はぷつりと沈黙した。法廷だけではない。弁護人も含めて誰ともコミュニケーションをしなくなった。だから最終的な動機の稜線が曖昧だ。

事件を解明するうえで動機は根幹だ。多くの人は地下鉄サリン事件をテロと言い添えるが、テロは政治的目的が条件だ。暴力的行為だけではテロではない。動機がわからないのならテロとは断言できないし、もしも一審判決文にあるように「救済の名の下に日本国を支配して自らその王となることを空想し」が事実ならば、これは（脅しを目的とした）テロではなく内乱罪だ。ならば首謀者以外は死刑にできない。だから裁判所はこの判断を回避した。

地下鉄サリン事件は不特定多数の人が標的にされた。加害側と被害側に因果関係はない。九五年三月二〇日の朝にもしも東京の営団地下鉄に乗っていたら、誰もが被害者となる可能性があった。それは自分の夫だったかもしれないし妻だったかもしれない。子どもや親だった可能性もある。

こうして被害者感情が共有される。疑似的な当事者意識と言ってもいい。実際の被害者や遺族なら、加害の側を強く憎むことは当たり前だ。その感覚が戦後最大級の報道によって社会全体に共有され、善悪の二極化が進行し、セキュリティ意識が燃料となって日本社会の集団化が加速した。

もちろん、被害者や遺族の救済システムを整備する犯罪被害者等基本法の成立など、より良く変わった側面もある。でも被害者の聖域化が進行して、その後の北朝鮮による拉致問題なども含め、多くの問題に強い影響力をもたらしたことも事実だ。

ただしこれは言葉にしづらい。被害者や遺族の思いを踏みにじるのかと糾弾されるからだ。ここまでの記述に対しても、反発は絶対にあるだろう。その覚悟はしている。

加害者家族の苦悩

いずれにせよ被害と加害に対する社会のまなざしは、オウム事件によって大きく転回した。「例えば事件後のオウムに対するオピニオンリーダー的な立場に、滝本（太郎）弁護士や江川紹子さん、小林よしのりさんがいた。彼らはそれぞれの肩書を持ちながら、同時にオウムに命を狙われた被害者でもあった。だからオウムを憎むことは当然です。でもそれが弁護士やジャーナリストや表現者の視点として社会に共有された」

そう言う僕に、「そういえば」と麗華はうなずく。「滝本さんが弟について虚偽告訴したことを、メディアは報道してくれないんです」

「報道はされたと思うよ」

「滝本さんが告訴して記者会見したときは大きく報道されました。でもその後、その告訴が間違いだったと滝本さんが認めたという報道はほぼないです。私が知る限り一社だけ、スポニチの記者の方が「僕は書きます」と言ってくれて、小さな記事になりました」

麻原処刑後に行った記者会見の席上で滝本弁護士は、麻原は四女に遺骨を渡すように言ったと主張すると同時に、ツイッター上で自身が殺害予告を受けたとして、麻原の長男に対する告訴状を神奈川県警に提出したことも明らかにした。投稿内容やフォローやリツイートなどから、当該アカウントを長男のものと判断したという。ところがこの記者会見直後に真犯人が名乗り出て、長男はまったく無関係であることが明らかになった。なぜこれほどに人権侵害のリスクが高い発表を、現役の弁護士がしたのだろう。

会見で滝本は、長男からの脅迫と断定する理由を以下のように述べている。このときの言葉をそのまま引用する。

「（前略）強烈な、宗教上な強烈ものであり、破壊的カルト集団であり、かつ宗教団体であるオウムとして、麻原家として、どのようなことに出てくるか不安だから、いうことから国はテロリスト、テロリズムに対する解決の一環として、助けてください」

一部意味不明だが、だからこそ強い不安と恐怖が駆動していて、同時に麻原の血縁は危険なのだという（情緒的な）前提も感じる。少なくともこれだけは言える。記者会見だけをテレビで見た人は、そんな危険な家族に遺骨を渡すなどあり得ないと思ったはずだ。

麻原を治療して再審を行い、事件の根幹である動機を語らせるべきだ。これが「オウム事件真相究明の会」の理念だった。反発が強いことは予想していた。でもその予想をはるかに超えた。多くの識者やジャーナリストから、「目的は麻原の死刑回避」「三女に利用されている」「後継団体を利するために設立された」などと激しく批判され、同様の視点で報じるメディアも少なくなかった。

でも刑事裁判の基本はデュープロセス（適正手続き）だ。「たぶん治らない」「麻原は自発的に真実をしゃべるような男ではない」。これはどちらも予測だ。可能性を理由に手続きを省略すべきではない。

麻原は生きていた。ならば治療して語らせるべきだった。答えに窮して立ち尽くす姿をさらすだけでも意味がある。そして何よりも、心神喪失の状態にある人は処刑できない。それは近代司法国家としては最低限のルールのはずだ。

「私も当時は報道を信じていたので、父が詐病していると思っていました。最初の面会のときは緊張とうれしさで一人でしゃべり続けてしまい、父はずっと「ん、ん、ん」みたいな反応をするからうなずいていると思っていて。でも面会を重ねるうちに、私が黙っていても同じように「ん、ん、ん」と言い続けていることに気がついた。終わって扉を閉めて隙間に耳を当てたら、やっぱり「ん、ん、ん」って言い続けていました」

そこまで説明してしばらく間を置いてから、「私が被害者の方に謝罪しない理由を話していいですか」と麗華は静かに言った。

「子どもの頃から加害者と同じように扱われ、謝罪しろと言われ続けてきました。本を書くときにも謝罪を書こうとしたけれど、でもどうしても書けなかった。父と私は別の人格であり、私は事件について何も知らない。私だけではなく、他の多くの事件の加害者の家族や子どもたちも同じです。何もしていないし責任を取れないのに問われ続ける。私が謝れば、加害者の家族として苦しんでいる今の子どもたちや、未来の子どもたちにも責任を押し付け、傷つけてしまうと思いました。私はもう大人だったので、自分が死ぬところまで追い詰められたとしても、謝っちゃいけないと考えたんです」

うちのものがご迷惑をおかけしましたと身内の不始末をわびる。それは日本社会のマナーかもしれない。でもオウム事件は不始末のレベルではない。家族もある意味で被害者だ。しかし被害と加害を安易に二分化する社会は、オウムによって煽られた危機意識と憎悪を燃料に変わり続ける。過去形ではなく現在進行形だ。

村井が麻原にかけた電話

『A』『A2』という二本のドキュメンタリー映画を発表して以降、僕は六人のオウム死刑囚に面会し、手紙のやりとりを続けた。会った順番で書けば、岡崎一明、広瀬健一、林泰男、早川紀代秀、新実智光、中川智正だ。殺人マシンとメディアから呼称された林とは最も頻繁に面会と手紙のやりとりをした。年齢が近いこともあって、最初の面会から数カ月が過ぎる頃には、互いにため口で会話する関係になっていた。

「地下鉄サリン事件が起きる少し前、上九（一色村のサティアン）にいたとき、遠くの空にヘリコプターが見えたんだ」

一審判決後に訪ねた東京拘置所の面会室。透明なアクリル板越しに座る林泰男はそう言った。そのとき彼は施設の外にいて、すぐそばにはサリン事件から一カ月後に刺殺された村井秀夫がいたという。ヘリコプターを認めた村井は慌てて電話をかけ、「米軍のヘリがサリンをまきに来ました」と報告した。相手は麻原だ。そんな様子を眺めながら林は、「何であれが米軍のヘリとわかるんだ」と内心あきれたという。しかし目のほとんど見えない麻原は、村井の誇大な報告を否定する根拠を持てない。言われれば信じるだけだ。

そんなエピソードを話した後に、「あのとき村井にひとこと「あり得ないです」って言っていたら、その後の状況も変わっていたかなあ」と林は言った。地下鉄サリン事件を防げたかもという意味だ。でも言えなかった。この時点で村井のステージは正大師。林は師長。会社でいえば常務と課長ほどに違う。だから林は沈黙した。個ではなく組織の一員として。ひとつの歯車として。そして、そんな自分を悔いていた。

このとき僕は林に、仮にそのとき村井をいさめていたとしても、多くの側近がそんな状態にあったのだから、事態は変わっていないと思うよ、と言った。これに対しての林の言葉はよく覚えていない。そうかなあ、というような反応だったと思う。

目が見えない麻原は、新聞を読んだりテレビを見たりすることができない。だから側近たちが麻原に代わって情報を収集して報告する。そしてこのとき、「麻原というマーケット」

に対する市場原理が発動する。つまり視聴率や部数に貢献する情報を、メディアである側近の側がフィルターにかけて選別する。視聴者や読者が最も強く反応する要素は不安や恐怖だ。

こうして麻原は、側近たちによって危機意識を煽られ続けた。遠くに見えるヘリコプターを米軍の襲撃と報告した村井にしても、嘘をついているという明確な意識はなかったはずだ。その根底にあったのは、自分たちは迫害や弾圧の被害者であるとの前提から発動する過剰なセキュリティ意識であり、麻原の意を先回りで捉える過剰な忖度だ。

事件を起こす直前のオウムのこの状況は、まさしくメディアと政府から危機意識を煽られ続ける今の日本社会と重複する。

アレフは「反社会的団体」

「では最初の質問。荒木さんの今の役職を教えてください」

数秒の間を置いてから、「広報部長」と荒木浩は小さく答える。「でも訴訟関係もやっています。人が少ないので何でも屋さんです」

「アレフの実質的なトップと考えていいんですか」

「代表は別にいます。いわゆる「師」と呼ばれる人が二〇人ほどいて、持ち回りのような感じでやっています」

「現在の信者数は?」

「出家信者が一五〇人くらいで(普通の社会生活を続ける)在家が一〇〇〇人くらいです。出家信者は減っています。在家信者は微増かな」

ここ七、八年、メディアはたびたび「信者数が急激に増えている」としてアレフなどオウム後継団体の危険性を強調している。その情報源は公安調査庁が公開したデータだ。でもここにはトリックがある。公安調査庁は入会した信者数は発表するが、脱会した信者数は発表しない。収入だけで支出を計上しなければ、家計簿だって膨らむばかりだ。

オウムとその後継団体を対象とする団体規制法の所轄官庁である公安調査庁は、オウムの危機を煽ることで予算や人員を保持し、組織の存続を実現させてきた。危機は彼らのレゾンデートル（存在理由）だ。ここに（不安や恐怖を煽る）メディアの市場原理が重なる。でも公開されたデータを丁寧にチェックすれば、これはおかしいと小学生でもわかるはずだ。なぜメディアはその程度のチェックすらしないのか。あるいは気づかないふりをしているのか。

「今も信仰はありますか」

この質問に対して荒木は、少しためらってから「もちろんです」と答える。

「麻原の写真は今も道場にあるのですか」

「あるところもあれば、ないところもあります」

一瞬だけ答えをためらった理由はわかっている。このインタビューが掲載されたとき、いまだに麻原を信仰しているのかと強く批判されるからだ。でも彼らは信仰の徒だ。これがダメならあれと変えることは困難だ。さらに、偶像崇拝を禁じるイスラムは別にして、キリスト教でも仏教でもヒンドゥー教でも、信仰のアイコンは必ずある。信者たちはそれを身に着ける。しかし社会はそれを許さない。なぜならそのアイコンは極悪人である麻原だからだ。

ならば質問したい。荒木ではなく日本社会に。麻原に帰依することの何がどのように危険なのか。かつてオウム真理教は麻原を宗教指導者として称えながらあり得ない犯罪を起こした。それは紛れもない事実だ。でも犯罪に至るプロセスやメカニズムを、この社会はしっかりと解明して獲得できていない。動機を解明しないままに処刑を優先させた自分たちの異例な対応を、異例と認識していない。神の子を自称したが故に反逆者として処刑されたナザレのイエスを持ち出すつもりはない。松本智津夫は俗人だったと僕は思っている。最終解脱などあり得ない。だからこそ犯罪に至るメカニズムと組織共同体の作用を、日本社会はしっかりと考察すべきだった。

荒木がいま所属するアレフは、公式に認定された反社会的な存在だ。信者の多くが居住している足立区はアレフを対象とした「反社会的団体の規制に関する条例」を二〇一〇年に成立させて、報告義務や建物への立ち入り検査を合法化し、違反に対して立ち退きを強制することや過料支払いなどを明文化している。これは破防法（破壊活動防止法）から派生した団体規制法も含め、適正手続きの保障や令状主義への違反、さらには信教の自由の侵害など憲法違反の疑いがある。

「今も群衆が怖いんです」

グレーゾーンだからやるべきではないと主張するつもりはない。でもせめて、例外的な措置であることくらいは認識しながら運用すべきだ。だってその意識が欠落したままの例外は、必ず前提になる。

「（サリン事件直後の）九五年や九六年くらいは警察やメディアからずっと包囲されていたけれど、私の身の回りの実感としては、ある程度落ち着いた時期もあったんです。でも、九八年や九九年くらいから今に至るまで、第二波というか社会全体の草の根的な激しい排斥運動が始まりました。普通の人たちからの敵意や憎悪が激しくなった。それを受けた自治体の住民票不受理とか、信者の子どもの就学を認めないとか、私たちはそんな異常な状況にいました。でも多くの人は忘れていますね」

そこまで言ってから荒木は、「今もちょっと群衆が怖いんです」と小さな声でつぶやく。

ちょうどその時代、僕は千葉県我孫子市に住んでいた。市役所の正面玄関の横には以前から「人権はみなが持つもの守るもの」と記された大きな立て看板が置かれていた。市役所や県庁などにはありがちの風景だ。

でもある日、その横にほぼ同じ大きさで、「オウム（アレフ）信者の住民票は受理しません」と宣言する看板が設置された。住民票がなければ健康保険証や運転免許証の更新ができない。子どもを通学させることもできないし図書館も利用できない。

つまり基本的人権が行政によって侵害されている。さらにこの時期、適正な住民票がないのに居住しているとの理由で、信者が逮捕される事態も頻繁に起きていた。

千歩（百歩じゃ足りない）譲る。こうした特例をやむなく実施しなければならない状況であるとしたならば、せめて「人権はみなが持つもの守るもの」は撤去すべきだ。二つのスローガンが矛盾や違和感なく共存できている状況は、その後の日本社会が陥る隘路《あいろ》を暗示している。

「僕が『A』や『A2』を撮影していた時代は信者の不当逮捕や起訴が日常だったけれど、今はないですか」

「昨年（二〇一九年）一二月にも会社の経理担当でお金の出し入れをしていた在家の女性信者が、不正に銀行口座を開設したとの容疑で逮捕されました。でも経理担当の普通の業務です」

この事件は多くのメディアが、女性信者の実名とともに報道した。結局、彼女は不起訴になった。でも逮捕は報道されても不起訴は報じられない。だから記事を読んだ多くの人は、いまだにオウムは危険なのだと意識を更新して上書きする。こうして不安や恐怖は絶え間なく刺激され続け、セキュリティ意識は高揚する。その帰結として日本社会は集団化を加速させる。

群れる生き物は少なくない。イワシにメダカ、スズメにムクドリ、ヒツジにトナカイ、まだまだたくさんいる。彼らの共通項は弱いことだ。一人だと天敵に食われてしまう。だからいつも怯えている。特にホモサピエンスは弱い。翼はないし走っても遅い。練習しなければ泳げない。天敵から逃げることができないし、反撃しようにも爪や牙はすっかり退化した。だから群れる本能がとても強い。

これを全否定するつもりはない。群れとは社会性を意味する。群れる生き物であるからこそ、言葉を発達させた人類は文明を獲得し、現在の繁栄につながっている。でも群れには、同調圧力が強くなるという副作用がある。特に不安や恐怖を感じたとき、群れようとする動き(集団化)は加速する。

公園などで餌をついばんでいるハトは、一羽が羽ばたけば全体が後に続く。あるいはイワシやムクドリなどの群れが示すように、群れは全体で同じように動く。個が勝手に動くのなら、群れは群れの意味を失う。

イワシやムクドリは鋭敏な感覚で全体の動きを察知するが、感覚が退化したホモサピエンスは、集団化が始まったときに言葉を求める。つまり指示だ。全体止まれや右向け右。その指示が聞こえないときはどうするか。それを想像して先回りして動く。これがここ数年のキーワードである忖度だ。

独裁的政治家への強い支持

こうして集団は独裁的なリーダーを求める。地下鉄サリン事件以降に日本で始まった集団化は、二〇〇一年のアメリカ同時多発テロを契機に世界で顕在化した。僕の視点からはそう見える。だからこそ今は世界中で、強い指示を発する独裁的な政治家が支持を集めている。

集団化とは分断化でもある。独裁者は自らへの支持を維持するために敵（別の集団）を探し、いなければ無理やりにつくり出す。そして自衛を理由に攻撃する（ブッシュ政権はその典型だった）。こうして人類の負の歴史はくりかえされてきた。

地下鉄サリン事件が起きたとき、人を救うはずの宗教がなぜ人を殺すのか、と多くの人は怒っていた（実際にテレビでそう発言したコメンテーターもいた）。気持ちはわからないでもない。でも宗教について知見とリテラシーがなさすぎる。

世界中に多くの宗教があるが、死後の世界や魂の存在を否定する宗教は存在しない。なぜなら人は、自分が死ぬことを知ってしまった唯一の生きものだ。イルカやチンパンジーなど高等な知性を持つ生きものならば、他者が死ぬことは知っているかもしれない。でも自分が死ぬことは体験できない。演繹するだけの知見も持たない。

人は演繹ができる。だから自分がやがて死ぬことを知ってしまった。これは怖い。どれほどに財をなして名声を高めても、死ねばすべて消えるのだ。逃れるすべはない。

こうして人は、宗教を持つ唯一の生きものになった。なぜなら宗教は、死への不安や恐怖を緩和する装置でもあるからだ。でもここには大きなリスクがある。信仰心が強まれば強まるほど、死と生の価値が転換してしまうのだ。だからこそ多くの宗教は、実は殺戮と親和性が高い。補足するが、ブッダは死後の世界について明確な言及をしていない。だから仏教の本質は宗教ではなく哲学だと見なす人もいる。でも布教のためには、死後の魂や世界を説かなければならない。だから彼の死後、弟子など継承者たちによって、地獄や浄土や天国などの概念が教えに加えられた。

オウムのポアは、罪や悪行を重ねながら生きる人の生をリセットすることでもある。こちらからすれば大迷惑でありえないお節介だが、彼らは大まじめだった。

既成宗教が長い歴史のあいだにそっと内側にしまい込んできたこのリスクを、新興宗教が剥きだしにする場合がある。オウムはその典型だ。この内在リスクに、自分たちは社会から攻撃される被害者の側だとの妄想が重なり、オウム（麻原）は社会への攻撃を決意するまでに至った。

……もちろんこれは仮説だ。これを実証するだけのエビデンスを僕は持ち得ていない。だって最大のキーパーソンである麻原は、もうこの世界にいない。でも側近たちも含めて、生前の麻原を知る人にはできるかぎり取材した。話を聞いた。そのうえで到達した仮説だ。

最後に荒木に、少し元気がないですね、と僕は言った。実際にこの日の荒木は、いつも以上に口数が少なかった。表情も明らかに疲れ切っている。少しだけ考えてから、「頭が働かないんですよね」と荒木は言った。「メディアからは、ちゃんと広報の仕事をしろって言われそうな気もしますけど。静かにしておいてくださいという気持ちのほうが強くて……」

そこまで言い終えてから、荒木はじっとテーブルの一点を見つめる。やっぱり表情がない。このインタビューも相当つらいのだろう。

「僕はもう聞くことはだいたい聞いたけど」と言いながら隣に座る担当編集者の大橋に視線を送れば、「森監督の『A』と『A2』を見ている編集長の長岡から、これだけは訊いてほしいと言われたことがあります」と大橋は言った。

「荒木さんは今も童貞ですか?」

『A』を観ていない人にとっては、意味不明の質問だ。でも観た人ならば、よくぞ訊いてくれたと膝を打つかもしれない。

一瞬の間を置いてから、荒木は小さく微笑む。当時の教団の本拠地だった青山本部で初めて会ってから互いに二〇年近く齢を重ねたけれど、その笑顔は以前のままだった。

(『ニューズウィーク日本版』二〇二〇年三月二四日号)

2019　個を欠いた社会

2019年の主な出来事

2月
アメリカが、1987年締結の中距離核戦力（INF）全廃条約からの離脱を正式宣言。
沖縄県名護市辺野古の新基地建設をめぐる県民投票で「反対」が72％。

4月
新元号「令和」が発表される。
旧優生保護法下で行われた強制不妊手術の被害者に一時金を支給する法律が成立・施行。

5月
新天皇が即位し、令和が始まる。
アメリカが対中制裁関税第3弾発動。知的財産侵害を理由に、5700超えの輸入品目の関税を25％に。

6月
香港で、中国本土への容疑者引き渡しを可能にする逃亡犯条例改正案に反対する大規模デモが発生。
熊本地裁で、ハンセン病の元患者の家族への損害賠償を国に命じる判決。政府は控訴を断念し、おわびを表明。
トランプ大統領が、現職のアメリカ大統領として初めて北朝鮮に入境。

7月
政府が、韓国向け輸出の管理厳格化措置を発動。元徴用工問題への事実上の対抗措置。
京都市伏見区「京都アニメーション」第1スタジオで放火、36人死亡。
参院選で自公が改選過半数を獲得。野党は1人区で共闘し10議席確保、れいわ新選組とNHKから国民を守る党が初議席。

8月
あいちトリエンナーレ「表現の不自由展・その後」が、テロ予告や大量の抗議電話を受け中止。10月8日に再開。
韓国が軍事情報包括保護協定（GSOMIA）の破棄を日本に通告。11月に破棄方針を撤回。
環境活動家のグレタ・トゥーンベリさんが気候変動サミットで演説。

10月
消費税率が10％に引き上げ。
台風19号上陸で記録的豪雨が発生。死者90人超。
首里城で火災。正殿など計8棟が焼損。2000年に城壁などが世界文化遺産に登録されていた。
安倍首相の通算在職日数が2887日と憲政史上最長に。

12月
中村哲医師がアフガニスタンで銃撃され死去。「ペシャワール会」現地代表として人道支援に取り組んだ。
イギリス下院総選挙、ジョンソン首相の与党保守党が大勝。イギリスのEU離脱をめぐる混迷に決着。
川崎市でヘイトスピーチに刑事罰を科す全国初の条例が成立。

社会を映す「国語」教育

高校の国語教師たちの集まりに参加した。今の教育課程が大きな曲がり角を迎えていることは何となく知ってはいたけれど、あらためてその現状を聞いた。

「特に国語教育について具体的に言えば、小説などよりも論文やノンフィクションなどの文章を教えよという方向に変わってきています」

一人の教師が言った。意味がよくわからない。首をかしげる僕に、彼は具体的に説明してくれた。

「私たちの世代は、国語の授業で芥川龍之介や志賀直哉などの文章に触れることができたけれど、その機会が少なくなっているということです」

そう言われて思い出した。高校の国語の授業で梶井基次郎の「路上」を読んだとき、言葉にできないほどの衝撃を受けたことを。志賀直哉の「小僧の神様」や太宰治の「走れメロス」、ヘミングウェイの「老人と海」なども、高校（中学だったかもしれない）の国語の授業で読んだ記憶がある。

僕のこれまでの生涯で、最も多くの本を読んだ時期は間違いなく中学時代と高校時代だが、そのきっかけは国語の授業だった。学校の図書館で梶井基次郎や志賀直哉の全集を借りて、その後に武者小路実篤や遠藤周作から野坂昭如や安岡章太郎、ヘミングウェイやオー・ヘンリーからパール・バックやオスカー・ワイルドへと読書体験が広がった。

「でも今の子どもたちは、そういう機会は少なくなっているはずです」

「その方針変更の背景にあるものは何ですか」

「実用的な情報処理能力を重視せよと文科省は言っています」

「つまり役に立つかどうか」

「そういうことです」

「生産性がなければ価値がないと主張して叩かれた自民党議員がいたけれど」

「まさしく同じですね。今の政権とこれを支持する社会全般に、そうした雰囲気が現れています。まあ今に始まったことではない。そもそも森さんは、国語という科目名について違和感を持ったことはないですか」

また意味がわからない。きょとんとする僕に、「国語」とはつまり「National language」です、と教師は説明してくれた。アメリカでもイギリスでも母語の科目名は「English」です。中国では「普通話」。科目名にNationalを入れる国はとても少ない。国語辞典とか国文学という呼称も日本独特ですよ。

そう言ってから彼は、例外は日本以外には韓国や台湾などですねと言った。この意味はわかりますか。

少し考えてから、かつて日本が宗主国だった国、と僕は答えた。教師は大きくうなずいた。

そういえば日本の教育現場には、大日本帝国時代の軍事的な要素が色濃く残されている。遠足は陸軍の行軍だ。学ランやセーラー服は海軍の制服だし、ランドセルは陸軍歩兵の背嚢《はいのう》。ラジオ体操に前へ倣えや右向け右。すべて兵士教育の名残でもある。

なぜＧＨＱは、あれほど除去しようとした日本の軍事色を、よりによって教育現場に残すことを許したのか。いまだに批判されながら管理教育が色濃く残るのも、こうした要素が無関係とは思えない。

集会が終わってから、会場で販売されていた参考書などを購入した。国語や教育について、あらためて考えねばと思ったからだ。


（『生活と自治』二〇一九年一月号）

高江と辺野古、忘却に抗う

辺野古の海に土砂が投入され、新基地建設は次の段階に移行した。どれほどに反対の声があっても新基地を造るとの意思を、安倍政権は表明したということになる。建設費用の現在の見積もりは二兆五〇〇〇億円。最終的にはもっと膨らむとの見方もある。そしてこの費用はすべて日本が提供する。アメリカは一銭も払わない。

日米地位協定第二四条には、米軍基地の維持経費は原則的にアメリカが負担すると規定されている。まあそれは当たり前。だって米軍基地だ。日米安保があるから土地くらいならただで貸してもいいけれど、基地内の諸経費は自分たちで払ってね。誰だってそう思うはずだ。

ただし当初は、基地で働く日本人従業員の福利費を日本側が拠出していた。まあそれくらいならぎりぎりかな。でもその後、日本人従業員への福利だけではなく手当や基本給、基地の光熱費も日本が支払うようになり、負担はどんどん増大し、思いやり予算という呼称が定着する過程で訓練資機材調達費や訓練移転費などの項目が加わり、ここ数年は年間八〇〇〇億円規模の負担が常態化している。

二〇〇四年にアメリカが公表した米軍駐留経費の負担総額は、米軍基地がある世界各国の中で日本が圧倒的に大きい。駐留米軍経費の負担率も日本は七四・五パーセントで、ドイツの三三パーセント、韓国の四〇パーセントと比べても突出している。マティス国防長官はこの発表のとき、「日本は（他の同盟国が）見習うべきお手本」だと評している。上納金が多いと親分から誉められた。良かったたね。いずれにしてもその後も経費項目は増え続けているから、負担率はもっと上がっているはずだ。

辺野古の基地建設費用は「米軍再編関係経費」から支出される。書くまでもないけれど、これらはすべて、僕たち国民が納めた税金が源泉だ。

ちなみに日本語で税は「納める」だけど、英語では「pay（支払う）」だ。支払いだから対価を求めることは当然だ。つまり社会保障。福祉サービスや医療支援、教育無償化にセーフティーネットの充実。でも「納める」ならば対価はない。だって年貢だ。ならば日本政府は国民のお上。首相が年貢を受け取る藩の殿様ならば、アメリカは総元締めの江戸幕府。つまりボスだ。なるほど腑に落ちた。いや腑に落ちている場合じゃないか。

土砂投入のニュースを見ながら、ヘリパッド建設に住民たちが反対する高江に行った三年前を思い出した。那覇からは車で三時間。そもそもこの地域の住民は一六〇人。とても小さな集落だ。そして「やんばるの森」と呼称される原生林がある。その原生林を切り開き、コンクリートで押し固め、六つのヘリパッドを建設してオスプレイを配備すると日本政府は発表した。

早朝だった。でも一〇〇〇人近い住民たちが集まっていた。高江の住民だけではない。近隣の集落から来たおじいやおばあもたくさんいた。唄っていた。踊っていた。必死に声をあげていた。お願いだからやめてくださいと機動隊員に土下座するおばあもいた。

ネットでは本土から工作員が多数送り込まれているとか、デモに参加している人たちは日当をもらっているなどと書き込む人がたくさんいたが（多くの自民党議員たちも書き込んでいた）、少なくとも日当をもらっていた人はいないと思う。だってほとんどが地元の人たちだ。もちろん僕だって日当なんかもらっていない。誰かくれるのか。くれるなら欲しいけれど。

僕が行った数日後、移設工事現場の警備にあたっていた機動隊員二名が、反対派の市民に対して「土人」「支那人」などと罵倒したことが大きなニュースになった。

でも工事は強行され、ヘリパッドは完成した。もちろんこの建設費もすべて日本国が提供している。つまり日本からアメリカへの思いやり。反対する地元の人たちへの思いやりはどこにもない。そもそも沖縄以外のほとんどの人は、この話題をもう忘れている。

おそらく辺野古についても、いずれ忘れるのだろう。政権は学習した。あるいはこれまでの学習の成果なのか。一時は反対の声があがっても、強行してしまえばこの国の人たちは忘れるのだと。

こうして既成事実が積み重ねられ、この国は戦後ずっと守ってきた形をどんどん変えている。

（『生活と自治』二〇一九年二月号）

世界中で立ち上がる調査報道

二〇一八年一二月一五日、ポレポレ東中野で開催された、韓国のドキュメンタリー映画『共犯者たち』『スパイネーション／自白』上映後のトークショーに呼ばれた。

トークの相手は堀潤。ちょうどこの映画が撮られていた二〇一四年、NHKを退社したばかりの堀は、韓国の公共放送であるKBCを取材していたという。トークはそのときの話から始まった。

『共犯者たち』『スパイネーション／自白』の監督は、韓国の公共放送局MBCで看板報道番組「PD手帳」のプロデューサーを務めていたチェ・スンホだ。アメリカ産牛肉BSE問題などの報道によってイ・ミョンバク政権が国民の支持を失いかけた二〇〇八年、支持率回復に焦ったイ・ミョンバク政権は、特に影響力の大きい公共放送局KBSとMBCを標的にメディアへの露骨な介入を始める。『共犯者たち』はここから始まる。政権に批判的な経営陣は排除され、政権に従順な社長が送り込まれた。

「PD手帳」など調査報道番組は上層部によって打ち切りを決定され、取材チームは解散を余儀なくされ、関連会社のスケート場管理など非制作部門へと記者やディレクターたちは追いやられた。この処遇に不満を示せば解雇だ。

両局の労働組合はストライキなどで対抗した。でも政権が送り込んだ新たな経営陣は、記者やディレクターたちの解雇や懲戒処分をくりかえし、チェ・スンホも一方的に解雇される。さらに政権の意向を受けた検察は、国権の発動としてストライキを一方的に弾圧し、局員たちを逮捕した。

こうしてジャーナリズムの最重要な使命である権力監視は骨抜きにされ、公共放送局であるKBSとMBCは、政府発表を報じるだけの広報機関へとなってゆく。

テレビは支配された。残るは新聞だが、韓国の主要紙である朝鮮日報、中央日報、東亜日報はそもそも保守的で、右派政権に親和性を示す傾向が強い。こうしてイ・ミョンバク政権はメディア・コントロールに成功し、支持率は二〇パーセント台ではあるけれど、とりあえず任期満了することができた。政権末期、竹島にイ・ミョンバクが上陸した映像は、多くの人が覚えていると思う。明らかなスタンドプレイ。日本の首相がこれ見よがしに靖国に参拝するようなものだ。でもこれを批判する論調は、この時期の韓国メディアからほとんど生まれなかった。

政権はイ・ミョンバクと同じハンナラ党（当時）のパク・クネへと引き継がれ、政権によるメディア支配の状況も継続していた。

しかしMBCを不当解雇されたチェ・スンホも含めて志あるジャーナリストたちは、オルタナティブ・メディアである「ニュース打破」を二〇一三年に立ち上げた。報道の独立性を確保するため、企業広告をとらず、サポートに応じた市民たちの会費で運営される。そのスローガンのひとつは、政府発表を書き写すだけの「発表報道」ではなく、綿密な取材を重ねて真実に迫る「調査報道」だ。

セウォル号が沈没したとき、政権におもねる韓国のメインストリーム・メディアは、乗客ほぼ全員が救助されたとの大誤報を流し、結果として救助が遅れ、政権とメディアに対する国民の怒りが爆発した。さらに二〇一六年には、パク・クネ大統領の友人である崔順実の国政介入問題である「崔順実ゲート事件」が発覚し、パク・クネ政権の支持率は急落する。

そしてこのとき、メインストリーム・メディアに代わって政権の不正と腐敗を報道した急先鋒が「ニュース打破」だった。

その「ニュース打破」が作った映画『共犯者たち』は、政権に擦り寄った自分たちの古巣の経営陣を「共犯者」として糾弾する。キャッチコピーは「記者が黙った。国が壊れた」。

上映後のトークで僕が話した内容を要約する。韓国の場合は政権の圧力で、まずはテレビ局の調査報道部門が弾圧され番組が打ち切られたが、日本の場合は弾圧など必要ない。なぜなら調査報道に多くの人が関心を示さないから。だからテレ朝の「ザ・スクープ」を筆頭に、調査報道の番組は自分たちで勝手に店仕舞いしてしまう。かつてテレビ・ディレクター時代、各局ニュースには「特集」という形で調査報道の枠が残されていたが、今はほとんど消えかけていると聞いている。

ジャーナリズムは個を基盤とする。もちろん組織ジャーナリズムは重要だが、欧米の場合は組織ジャーナリズムにおいても、個の記者やディレクターの自立が明確だ。でもアジアの場合は、個を軸とするはずのジャーナリズムの意識が、営利を優先する組織（メディア）に回収されやすい。ならば権力監視はおろそかになる。中国や北朝鮮は論外としても、日本と韓国のこれまでのメディア状況を俯瞰すれば、その実態は明らかだ。

韓国も集団化を起こしやすい国だ。そのときに情が前面に現れる。ただし日本と比較すれば、韓国は個が少しだけ強い。言い換えれば我が強い。しかも民主化と弾圧の歴史が長く続いた。植民統治された時代も経験している。だから権力や統治に対する摩擦係数は大きい。政治権力を監視することをメディアが企業の論理で放棄したとき、これに反駁する個が少なからずいる。

……その表れが実名性だ。『共犯者たち』も『スパイネーション／自白』も、徹底して個を晒す。モザイクはほとんどない。大統領など政治家は当然だが、ＫＢＳやＭＢＣの過去の経営陣、あるいは政権側に従属したかつての上司や同僚たちに対しても、本作はモザイクや匿名をまったく使わない。告発する自分たちも告発される経営陣も、顔と名前を当然のように明示する。なぜなら政治とメディアは権力だ。だからこそ匿名に埋没することを許さない。容赦なく個を晒す。

監督のチェ・スンホも含めて、制作に関わったジャーナリストたちの多くは元テレビマンだ。過去には報道にあたって、（日本ほどではないけれど）過剰にモザイクをつけていただろうと僕は想像する。この映画の編集中も、顔や名前を晒すことの逡巡や葛藤はきっとあったはずだ。でも彼らは決意した。それがジャーナリズムの基本設計だと気づいたのだ。

ちなみに韓国の報道は、無罪推定原則をしっかりと守っている。事件の被害者はもちろん、容疑者や被告人の名前や顔が晒されることはまずない。だから日本の新人記者のように、被害者や加害者の顔写真（ガンクビ）を入手するというつらい仕事は存在しない（もちろん原則だから例外はある）。ガンクビとは何か。語源はキセルのタバコを詰める部分らしい。メディアで使うときは顔写真の意味になる。事件が起きたとき、被害者や加害者の顔写真を探してこいと上司から指示された新人記者は、まず被害者の家に行く。チャイムを鳴らして家族に故人の写真はないかと打診する。歓迎されるはずはない。追い返されて当然だ。加害者の家族も、写真を提供するとは思えない。だから出身学校を調べて友人関係を当たる。被害者や加害者の顔写真として卒業アルバムなどの写真が使われることが多いのはこのためだ。

被害者遺族を鳴咽させたり罵声を浴びたり加害者家族をさらに追いつめたり、つらい仕事だ。新人記者は悩む。なぜここまでして顔を晒さなくてはならないのかと葛藤する。でもやがて馴れる。一種の通過儀礼だ。やがて自分が上司になったとき、新人記者に同じようにガンクビ探してこいと命じている。

『共犯者たち』を観ながら（僕も含めて）日本の観客の多くは、日本と韓国のメディアの違いについて考えるだろう。テレビ局など企業メディアについては、ある意味で五十歩百歩だった。でも今は違う。国境なき記者団が発表する「報道の自由度ランキング」の最新版（二〇一八年）において、韓国は前年の六三位から四三位へと大きく順位を上げた。日本は七二位から六七位。パク・クネ政権の時代である二〇一五年には、韓国は六〇位で日本は六一位だった。

もちろん報道の自由度ランキングは一つの指標だ。欧米的な価値観が基盤となっているとの批判もある。でもこの数値を見るかぎり、「ニュース打破」を筆頭に企業メディアを追われたジャーナリストたちの命がけの闘いが、この状況を現出させたと考えるべきだろう。

ただし『共犯者たち』は、決してよくできた映画ではない。権力告発の意識が少しだけ過剰だ。テレビ局幹部に対しては、正式なアポイントメントを取らずにあえて路上や会合などで質問を浴びせる。今は答えられないと彼らが対応すれば、それでもメディアですかと罵声を浴びせる。決してフェアではない。でもそう見えることは承知なのだろう。「スローニュース」「リアリティ・チェック」のスローガンを掲げて企業広告をいっさい排除することを宣言したトータスメディア（ちなみにトータスとは亀のこと）が、イギリスで発足したのは昨年（二〇一八年）一〇月。中心にいるのはBBCを辞めた報道スタッフたちだ。設立資金を募るためにクラウドファンディングで一カ月かけて七万五〇〇〇ポンドの募金を目標としていたが、告知から四時間後に達成してしまったという。トータスや打破だけではない。オランダのコレスポンデントやデンマークのゼットランドなど、独立系メディアが世界では多くの支持を受けている。日本でもそうしたメディアが必要だ。深く考えないままツイッターでそうつぶやいたら（ツイッターはこれが怖い）早速友人から注意された。

「最近発足したワセダクロニクル（現在はTansaに改称）もそうだけど、オルタナティブ・メディアは日本にも昔からあるよ。それこそ『週刊金曜日』とか『DAYS JAPAN』（現在は休刊）もそうだ。海外と日本の違いをあえて言えば、日本の場合は市民がサポートしてくれないことなんだ」

確かにそうだ。結局は人々の意識。ここに行き着く。いまだに現政権の支持率は四〇パーセント台。国会で水道民営化法や入管法改正の強行採決を行って辺野古に土砂を投入しても、多くの国民は怒らない。いや怒るとか支持するとかしないとか以前に、そもそも政治やメディアに興味を示さない。

だから『共犯者たち』のトークショーのとき、僕は通路にまで人が溢れた客席に向かって、「韓国の場合の共犯者たちはメディアの上層部や経営陣たちですが、日本の場合の共犯者は僕たち国民一人ひとりです」と言った。思わず言いたくなった。書くまでもないことだけど、本当の共犯者たちはこんな映画を観に来ない。でも僕たちは今、ひとつの船に乗っている。政治を取り戻したい。メディアを健全にしたい。もう猶予はない。この国は本当に末期的だ。堀潤がこの映画に寄せたコメントを、最後に引用する。

２０１４年５月、私は韓国公共放送ＫＢＳを訪ねた。この映画の舞台だ。

大統領府からの圧力に抗議し職員がストを続けていると聞き、いてもたってもいられなくなった。

その前年私はNHKを辞めた。屈したくなかったからだ。エレベーターホールではプラカードを掲げた若い職員たちが声をあげていた。夢中でカメラを回しマイクを向けた。「公共放送は国民の財産です。権力者の所有物ではない。国民の財産です」。

この声が届くか？　見るべきだ。日本でこそ、いま。

（『創』二〇一九年二月号）

ストリートミュージシャンのいない街

ヨーロッパやアメリカなどの街を歩いたことがある人ならば、演奏したり大道芸を披露したりする人などを、メインストリートの至るところで何度も見ているはずだ。ミュージシャンやパフォーマーの前には帽子や空き缶などが置かれている。もしも私の演奏やパフォーマンスを気に入ってくれたら支援をお願いします、とのメッセージだ。冒頭にヨーロッパやアメリカと書いたけれど、思い起こせばパナマやペルー、ケニアやドミニカでも見た。

これをとがめる人などいない。多くの人は舗道を歩きながら楽しんでいる。僕もストリートで聞く音楽は大好きだ。ときには立ち止まって拍手する。手持ちのお金を帽子に入れる。とても日常的な光景だ。警察官が彼らを排除する現場など見たことがない。

掲載した写真は秋葉原駅のすぐ近く。かなり大きなスペースがある。通りかかったときはちょうど帰宅ラッシュの時間帯だったけれど、広い通りだから、通行に差し支えがあるほどに混雑していたわけではない。

なぜ警察官がいるのだろう。不思議に思って立ち止まってシャッターを押した。事態は終わりかけていたので、ちょっとあわてた。だから若干ピンボケ。申し訳ない。

秋葉原の路上で警察から注意を受ける若者たち

警察官がいなくなってから事情を聞いた。三人の男女はミュージシャン志望の若者たち。自作の歌をこの場で歌っていた。でも駆けつけた警察官に退去することを命じられた。根拠は千代田区条例だ。そもそもは路上喫煙を禁止するための条例だったはずだが、いつのまにか拡大解釈されている。

警察官からすれば、掲示の横でいい度胸だ、ということかもしれないが、でも日本国憲法二一条は、「集会・結社・表現の自由」を保障している。これを制限するのなら、明確な理由がなければならない。少なくとも通行の邪魔にはなっていない。立ち止まっていた人たちは、もっと聴きたかったなあ、とつぶやいていた。実のところ千代田区だけではなく、日本の都市部のほとんどのエリアで彼らは排除されている。

なぜダメなのか。ルールがあるから。このルールに日本人はとても従順だ。ならばルールは何のためにあるのか。秩序と安寧を守るため。それは理解できる。でもここで演奏することは秩序や安寧を破壊することになるのか。誰かの利益を損なうのか。誰かを害するのか。僕にはそうは思えない。

国民には厳格なルールを強要しながら、官公庁では公文書の改竄《かいざん》や捏造が当たり前のように行われている。特にこの数年は、この乖離がひどい。ルール厳守の意識は肥大して、戦地に取材に行って拘束されたジャーナリストに対する「渡航制限のルールに従わないのだから自己責任だ」というような言説へとつながっている。

もしも自由と安全の二者択一を迫られたら、多くの人は躊躇なく安全を選ぶ。

なぜなら僕たちホモサピエンスは弱い。爪や牙はほぼ退化したし、二足歩行だから必死に走っても遅い。翼は持たないし、練習しなければ泳げない（ほとんどの哺乳類は、練習などしなくてもとりあえず泳ぐことはできる）。

つまり天敵に襲われたらひとたまりもない。だからこそホモサピエンスは、進化の過程で不安と恐怖を感じる遺伝子をより鋭敏にして、群れで生活することを選択した。

その結果としてコミュニケーションを図るために表情筋が豊かになり、空いた両手で道具を使うことが可能になり、言語が生まれ、文化の継承や伝来が可能になり、僕たちはこれほどに繁栄している。

でも不安と恐怖の遺伝子（正式名称はセロトニントランスポーター遺伝子）は、今も色濃く僕たちの身体に残っている。

だからこそ自由と安全の二者択一を迫られたとき、僕たちは躊躇なく安全を選ぶ。例外はいないだろうか。少し考えて思いつく。ムーミン谷に春と夏と秋だけ暮らすスナフキンだ。

ムーミン谷にはムーミン一家のほか、スノークやヘムレン、フィリフヨンカなど多くのキャラクターが登場するが、ミムラねえさんやミイ、そしてスナフキンの外見は、他のキャラクターたちとは異なってほぼ人間そのままだ。でも人間とは微妙に違う。小さなしっぽがあるらしい。

スナフキンは基本的にはベッドで寝ないから、ムーミン一家が暮らす家には泊まらない。ムーミンたちが冬眠する冬は谷を離れるが、春と夏と秋はムーミン谷にある湖畔にテントを張って寝泊まりしている。スナフキンは所有することを嫌う。昼は湖畔でハーモニカを吹いたり釣りをしたりして時間を過ごす。

孤独と音楽を愛するスナフキンだけど、感情をあらわにする瞬間がある。「この公園の中に入るべからず」などの立て札を見たとき、普段はあれほどクールなのに、怒り狂って立て札を引き抜くのだ。誰かに指示されたり命令されたりすることが、身の毛がよだつほどに嫌いらしい。

彼ならば安全よりも自由を選ぶだろう。でもムーミン谷でみんなから愛されるスナフキンは、見方を変えれば家も仕事もないホームレスでもある。もしも今の日本社会に旅の途中のスナフキンが来たならば、すぐに不審者として通報されるだろうな。

千代田区条例の正式名称は、「安全で快適な千代田区の生活環境の整備に関する条例」だ。安全で快適であることを目指しながら、寛容で余裕があって優しい社会が損なわれている。吐息をついてから、スナフキンはハーモニカをポケットに入れて、ムーミン谷湖畔のテントへ帰る。そもそも人混みは嫌いなのだ。


（『生活と自治』二〇一九年三月号）

「不謹慎」という名の同調圧力

時おりツイッターが炎上する。その多くは、現政権を批判したときだ。例えば最近では、以下のツイートが炎上した。

亡くなった男性二人は70代。これほど高齢なのに危険な高所で清掃作業をしていた。この痛ましくて切ない事故が、SP引き連れた首相がキャッシュレスでショッピング、とのニュースと並列で報道される。それがこの国の現状。

このツイートに添付したのはネットにあった読売テレビのニュース。以下に貼りつける。

13日午前、大阪府和泉市の工場で作業員2人がタンクに転落し、その後、死亡が確認された。周辺では有毒な硫化水素が発生している疑いがあるとし消防などが一時、付近の住民に避難を呼びかけた。

現場は和泉市伯太町のカーペットののり付けなどを行う工場で、午前9時ごろ、70代の男性作業員2人がのりが貯蔵されている高さ5・4メートルのタンクに転落した。2人はタンクの清掃作業を行っていたということで、午後1時ごろに救出されたが、死亡が確認された。

この時期の国会では、まさしく厚労省の統計不正問題が大きな焦点になっていた。働く人の賃金や労働時間などを調べる「毎月勤労統計調査」が、長年にわたって不正な手法で行われていて、しかもこの事実が隠され続けていたのだ。政権がこの工作に加担していたとの断定はできない。国会で安倍首相はそれを頑なに否定している。でも加担はしていなくても、現政権がずっと唱え続けていた経済成長がフィクションだったことは明白になった。

国全体の経済は上向きで賃金も上がっているらしいけれど、なぜ自分や自分の周囲は相変わらず貧しいのかと思っていた人たちは、きっと腑に落ちたと思う。

そんなことを思いながら、ニュースでは名前も顔も公開されない（それはそれで間違いではないけれど）二人の七〇代男性について考えた。家族はいるのだろうか。どんな人生を過ごしてきたのだろう。なぜこれほど高齢でこんなに危険な作業に従事していたのか。

会社の危険管理対策が責められることは当然だが、七〇代の男性がこうして働かなければいけない状況について、やはり間違っていると考えて、冒頭にあげたツイートを投稿した。そして炎上した。リプの多くは「何でもかんでも政権批判に利用しやがって」「このパヨク脳を何とかしろ」「権力批判する僕ちゃんはかっこいい」「安倍さんとこの事件に何の関係があるんだ」「亡くなった二人に失礼だ」などのフレーズが、wwwや（笑）などの嘲笑とともに氾濫している。いわゆるネトウヨ的な人たちだけではない。この二つの事実を並列した意味が本当にわからないのだろうと推測される人たちも少なくない。

ちょうど同じ時期、ウーマンラッシュアワーの村本大輔が、「福島の浪江町で21時以降の遅くまで空《(ママ)》いてる飲み屋さんありますか?あと宿も。知ってる方いたらインスタのDMください。自分の町がなくなることへの話が聞きたい。ちなみに明日の話です」とツイッターに投稿し、（僕とは比較にならない規模で）大炎上していた。「自分の町がなくなる」などの記述が、失礼すぎると怒りを買ったようだ。

結果として村本はネット上で謝罪した。その経緯を記した記事を読みながらふと思う。規模の大小はともかくとして、多くの炎上には共通する傾向がある。キーワードは不謹慎だ。

東日本大震災直後、被災地を縦断する『３１１』という映画を発表した。監督は僕以外には、綿井健陽と松林要樹、そしてプロデューサーを兼ねる安岡卓治だ。つまり共同監督。ドキュメンタリーの本質は徹底して極私なのだと主張している僕としては、おそらく最初で最後のクレジットだと思う。

この映画の中で四人の監督は、下らない冗談を言い合いながら福島第一原発に向かう。あるいは笑いながら被災地近くの旅館で酒を飲む。

意図的にそんなシーンを繋いだ。原発に向かいながら下らない冗談を言い合っていた理由は、放射線の恐怖が半端ではなかったからだ。被災地で酒を飲んでいた理由は、瓦礫となった街を撮影しながら歩き続けて、その衝撃の強さに耐えられないからだ。戦場を取材する記者やジャーナリストたちは、現場で毎夜のように酒を飲んで騒ぐ。怖いからだ。そんな話を、戦場ジャーナリストの肩書も持つ綿井から聞いた。

でも実際に被災地で酒を飲みながら冗談を言い合う男たちのシーンを見せられたら、指摘されるまでもなく不謹慎だと感じるだろう。批判され糾弾されて当然だ。それは承知でこのシーンを挿入した。

『３１１』を観たメディア関係者の多くは、僕たちも現場ではほぼ同じです、と感想を口にする。でもそれは撮ったとしても使わないし、そもそも撮りません。だってＮＧなのです。そんな様子を一般の人に見せる意味もないし必要もない。

見せない理由は後ろめたいから。ならばそれをテーマにしたい。被災地で四人の監督はそう考えた。なぜメディアは現場に行くのか。なぜ悲惨な人を探すのか。なぜ悲惨な状況を強調するのか。その問いを抱えながら四人は被災地を縦断した。おれたちはハイエナだ。そうつぶやいたのは安岡だ。屍を見つけたらあっというまに集まってきて貪り食う。でもハイエナにも意味はある。サバンナの掃除屋なのだ。メディアはどうか。泣き崩れる人を見つければインタビューを打診する。拾った子どもの玩具を瓦礫のあいだに置き直してカメラを向ける。遠くで膝をついて泣いている人がいればズームする。その所業は不謹慎なハイエナそのものだけど、でもきっとこの行為にも意味があるはずだと思っている。でもハイエナは胸を張ってはいけない。むしろ姑息に引け目を感じるくらいがちょうどいい。一昔前、新聞記者はブン屋と呼ばれた。テレビ局員はテレビ屋。もちろん蔑称だ。それでよい。

一九七四年のハリウッド映画『フロント・ページ』（監督ビリー・ワイルダー）は新聞記者と死刑囚をめぐるブラックコメディだが、タクシーから記者が乗車拒否されるエピソードが紹介されている。記者たちの多くは「人から尊敬される仕事をしたい」とぼやいていたし、主人公を演じるジャック・レモンは実際に記者を辞める決意をしていた（結局は上司であるウォルター・マッソーから退社を妨害される）。

メディアの本質はハイエナなのだ。人の不幸や不祥事を探す。探して晒す。あげつらう。強調する。でもこうした仕事があるからこそ、多くの人は今も世界のどこかで理不尽な状況に置かれて苦しんでいる人がいることを知ることができる。虐げられ、か細い声をあげて助けを求めている人がいることに気づく。

そうした思いを映画に込めた。公開早々にバンコク映画祭から招待され、監督の一人として参加した。バンコク郊外の映画館で上映後に行われた観客とのディスカッションで、震災後の日本では「不謹慎」がとても重要なワードになったと状況を説明した。例えば石原慎太郎都知事（当時）は、花見は不謹慎だから自粛すべきだと、この時期に発言した。だから考える。不謹慎とは何か。法にそむいたわけでもないし誰かに迷惑をかけたわけでもない。花見気分が被害者や遺族を傷つけると言うならば、テレビのニュースやワイドショーの報道は遺族を傷つけないのか。メディアは加害装置だ。その意識が薄すぎる。

そんなことを壇上で語ったけれど、通訳の女性が僕の隣で困っている。どうしたのかと訊けば、不謹慎という言葉はタイ語に訳せませんと説明された。困りながら彼女は、手にしていた電子辞書で不謹慎の英語訳を検索した。ディスプレイに表示された説明は bad behavior。つまり悪い行い。これも微妙に違う。つまり不謹慎は英語でも的確な言葉がない。

その後に日本語に精通している何人かの在日外国人に訊いたけれど、不謹慎をニュアンスそのまま訳せる言葉は自分の母語にはないとの回答がほとんどだった。つまり日本独特。日本社会や文化を考えるうえで、とても重要なキーワードだと思っている。

僕の定義では、「みんなが右に行っているときになぜおまえは左に行くのか」だ。もちろん右と左は入れ替え可能。前でも後ろでもいい。要するに全体の動きに合わせないこと。同調的な空気に従わないこと。

そんなことを考えたもうひとつの理由は、三月に公開される映画『ウトヤ島、7月22日』を、一足早く観たからかもしれない。東日本大震災と同じ二〇一一年。ノルウェーで単独犯によるテロが勃発し、七七人（うち一〇代少年少女が五五人）が二日間で殺害された。エリック・ポッペ監督は少年少女たちが殺害される現場を克明に描く。さらにネットフリックスでも、この事件をテーマにした映画『7月22日』（ポール　グリーングラス監督）が昨年（二〇一八年）公開されている。

紙幅がないので映画の内容について踏み込んだことは書けないが、もしも日本で同様の事件が起きたとき、こんな映画が作れるだろうかと考える。仮に作られたとしても、「被害者遺族の気持ちを踏みにじる」「不謹慎が過ぎる」などの理由で公開はできないだろうと想像する。だから考えねば。何が僕たちの手足を縛っているのかと。

（『創』二〇一九年四月号）

黒スーツに埋没する個

僕は今、明治大学の情報コミュニケーション学部で教えている。専門はジャーナリズムとメディア・リテラシー。授業は前期週五コマで後期は週六コマ。ゼミも二つ受け持っている。

そもそも教育者タイプではない。これは謙遜ではなく冷静な自己分析だ。何かを誰かに教えることが苦手だ。社会を変えたいとか向上させたいなどの意識が希薄だからだろうか。自分さえ良ければいいのだ。教壇に立って偉そうにしゃべる自分も想像できない。

だから最初に話が来たときは、引き受けて良いのかどうか逡巡した。でもそれから一〇年が過ぎた今、社会や世相を形成する重要な因子はメディアと教育にあることを実感している。そしてこの国におけるメディアと教育は、いまとても危機的な状況にあることも共通している。とはいえ教員としてはポンコツだ。その自覚はある。

毎年四月は入学式の季節だ。写真は僕が所属する学部のセレモニーの時のもの。一番前の列で学生たちに相対する列に並んでいるのは教員たちだ。僕もその中にいる。

最初は違和感を持たなかった。でも式の途中で隣に座る教員が「一人残らずスーツですね」とつぶやいたとき、これが異様な光景であることに気がついた。

彼女が指摘するとおり、濃紺とダークグレーを含めれば学生たちはすべて、ほぼ黒のスーツ姿だった。例外は一人もいない。入学式には黒のスーツを着用すること。そんなルールや指導があったわけではない。服装は自由だ。昨年までは私服や学生服も（きわめて少数派であるけれど）多少はいた。柄入りのスーツを着用する学生もいたはずだ。でも今年は一人もいない。黒のスーツ。文字どおり一色だ。

補足するが、これは僕が所属する学部や明治大学だけの現象ではない。この時期の日本中の大学の入学式で、同じような光景が見られたはずだ。

僕が大学に入学したとき、入学式はどんな風景だったのだろう。……覚えていない。というか、たぶん参加していない。母親はスリーピースのスーツを買ってくれたけれど（黒じゃない）、ほとんど着ないままに誰かに売ってしまった。そもそも入学式に保護者はほぼ来ない。それが当たり前だった。

不安や恐怖を感じたとき、人は群れたくなる。より強く集団に帰属したくなる。そして群れにおいては、同質性を何よりも求められる。もしも周囲に同調しなければ、異物としてその集団から排除される。

群れることは人の本能だ。良いも悪いもない。でも人はその歴史において、群れが暴走する過ちを何度も犯してきた。その典型が戦争や虐殺だ。なぜ群れは暴走するのか。全員が同じ動きをするからだ。

そうした歴史観をしっかりと持つのなら、教育の場において何が最も重要なのか、誰にだってわかるはずだ。ところが最高学府における四年間がスタートするその日、学生たちはまさに個を埋没させることを選択した。そしてポンコツ教員の僕も、同僚に指摘されるまでは気づかなかった。つまり偉そうなことを言ったり書いたりしている僕自身も、いつのまにか群れに埋没していた。

今年の入学式は文字どおり黒一色だった。

　集団化と同様に、人の適応能力は強い。だからこそ人は、これほどに繁栄することができた。でも適応能力が強いということは、周囲の環境に自分を無自覚に合わせてしまうということでもある。

　……何だか怖い。隣の教員がつぶやいた。あらためて黒一色の会場を見回しながら、僕もその怖さに共感する。目には見えづらいけれど、この数年でこの国は、何かが大きく変わっている。

（『生活と自治』二〇一九年六月号）

天皇制と穢れ思想

所用があって仙台で一泊した。チェックアウトを済ませてホテルを出る。五月の気持ちの良い朝だ。初夏の風が頬に心地よい。駅までは徒歩で一〇分ほど。しばらく歩いてから僕は交差点で立ち止まる。目に入ったのは「奉祝」と「天皇陛下」と「令和」の文字。その向こうには日の丸も見える。

天皇制とは何か。もしも保守に質問すれば、日本の国体であって世界最古の誇るべき日本の王朝である、などと答えるのだろう。天皇制反対論者に訊けば、日本の諸悪の根源であって一日でも早く消滅させねばならない制度である、などの答えが返ってくるかもしれない。

僕はどちらでもない。ただし天皇制については、できるかぎり理解はしたい。これほど長く続いた理由は、権威ではあっても権力をまとわない存在であり続けたからだ。だからこそ時の為政者に錦の御旗として利用される。その集大成というか極めつけが、「天皇ハ神聖ニシテ侵スヘカラス」と定めた大日本帝国憲法第三条だ。国民統合のための精神的中核として明治天皇は現人神として規定され、大正、昭和とその系譜は続く。

天皇制の基盤は神道だ。その根源は八百万の神が示すようにアニミズム。教祖もいなければ教義もない。きわめて原始的な宗教であるともいえる。ただし教義はないが、神道には重要なテーゼがある。

穢れ思想だ。

死を恐れるという人間の基本的な感情から発生した「穢れ」は、この国の歴史の中で、変容しながらも統治者に利用されてきた。

なぜトイレをご不浄と呼ぶのか。女性を大相撲の土俵に上げてはいけない理由は何か。なぜ古事記におけるイザナギは黄泉の国からイザナミを救えなかったのか。なぜ被差別部落に生まれた人たちは差別され迫害されてきたのか。家を建てる前の地鎮祭で塩と酒を供える理由は何か。

これらすべては、その理由のひとつ（あるいはすべて）に、穢れ思想が駆動している。

穢れ思想は日本人の生活や習俗に深く結びついている。死は穢れているから葬儀後に参列者は塩で浄める。これは神道の発想だ。仏教にはこんな思想はない。でも日本では多くの仏教諸派が、葬儀後には当たり前のように塩を配る。つまり神仏習合だ。戦後すぐに特効薬が開発されて感染の恐れはほぼなくなったのに、ハンセン病患者の絶対隔離政策を一九九六年まで廃止できなかった理由は何か。福島第一原発爆発後に福島から他県に避難した人たちを、放射能で汚染された人たちとしてパージした人たちの意識には何が駆動していたのか。犯罪者の家族は、なぜその地域に住めなくなるのか。

神道におけるヒエラルキーのトップに位置する存在が天皇だ。要するに浄めのシンボル。穢れ思想が意識下で息づいているからこそ、日本人は天皇制を自分たちと切り離すことができない。これを外せば穴が空く。その空白に日本人は耐えられない。

そう考えたGHQは、天皇制を戦後も存続させることを選択した。天皇の上に自分たちが立てば統治は容易になる。その思惑は成功した。だからこそ元号は今も残っている。

令和で盛り上がるメディアや社会を一概に否定するつもりはない。でも横断幕や幟《のぼり》を掲げながら、カウントダウンで跳びはねながら、令和の出典は万葉集などと聞いて感心しながら、ふと穢れと浄めについて考えるくらいはしてもいい。そんなことを思いながら、僕は東京行きの特急に乗り込んだ。

（『生活と自治』二〇一九年七月号）

映画『主戦場』から日本の右派を考える

大学でジャーナリズムを教えている。科目名はジャーナリズム論。でも少なくとも、ジャーナリズムを志す学生のためにノウハウやハウトゥを教えることが目的の授業ではない。

とはいえ学生たちがこの授業を選択した理由は気になる。だから毎年授業初日には大教室で一〇〇人ほどいる学生たちに、卒業後は新聞社やテレビ局、出版社などメディアに就職したいと考えている人はどれくらいいますか、と僕のほうから質問する。手を挙げる学生はほんの数人。全体の数パーセントだ。

僕が学生の頃、テレビ局や新聞社は花形企業だった。特にテレビ局はフジテレビを筆頭に、人気アンケートの上位をいつも占めていた。

でもそれも今は昔。就職先企業としての人気の低下はすさまじい。だから授業では、ジャーナリズムについて教えるよりもむしろ、メディア・リテラシーのほうにウェイトを置いて教えている。つまり情報を受け取る側のノウハウでありハウトゥだ。これならばどんな仕事に就いたとしても、きっと大きな意味があるはずだ。

ただし僕自身は、このくらいのほうがちょうどいいと考えている。テレビ局が人気企業だった時代には、縁故やコネなどの入社はとても多かった。あの時期は有名人や会社社長や広告代理店幹部などの息子や娘が、メディアやジャーナリズムに特に強い関心もないままに入社していた（おそらくはその多くは、今はそれぞれの会社の上層部にいるはずだ）。

コネや縁故採用は今も多少はあるようだが、圧倒的に減ったらしい。ならばモティベーションを持つ社員たちがこれから少しずつ増えてくる。社員ではあるけれど、組織の論理に簡単には回収されず、個としての意識を持ち続ける記者やディレクターやカメラマンたちだ。

もしも個を捨てた社員ばかりならば、視聴率や部数を上げる組織の論理が常に最優先される。その状況は簡単には変わらない。しかし個を持続できるのなら、現場で自分が感じた怒りや悲しみを伝えることが優先される。視聴率や部数に貢献しないことが予想されても、この情報は多くの人が知るべきだとの思いがもっと前面に現れる。

ならば会社は内側から変わる。

メディアと教育は民主主義を支える最重要な要素だ。この国は今、その二つが酸欠状態で喘いでいる。上からは押さえつけられ、下からは突き上げられ、現場はこれ以上ないほどに疲弊している。出世するのは組織の論理に摩擦なく従属する人たち。だから政権与党との距離がありえないほど近くなる。トップが首相と当たり前のように会食する。教科書からは南京虐殺や従軍慰安婦などの記述が消え、大化の改新や鎌倉幕府の年号を丸暗記するだけの教育が主流となる。

こうして歴史は変わる。ここ数年の統計すら偽装する国なのだ。都合よく解釈することは当たり前。日本人は嘘をつかない気高い民族。周辺には平気で嘘をつく国ばかり。あの戦争だって望んで起こしたわけではない。我々はいつも被害国。世界で唯一元号を持つ誇り高い国なのだ。右派のそうした主張が全開されたドキュメンタリー映画『主戦場』が大ヒット中だ。僕も公開前に視聴してパンフレットに寄稿した。以下にその文章を、少しだけ修正しながら引用する。

教室内の学生の数は二〇人余り。韓国留学生が一人いる。夏休みが終わって最初のゼミであるこの日は、後期の研究テーマが議題だった。すぐに韓国の留学生が手を挙げて、「日本と韓国の歴史認識の違いを研究したいです」と発言した。

なるほどいい視点です。そう言ってから僕は、「じゃあまずは閔妃暗殺事件について、日本と韓国の学校それぞれで、どのように教えているかを比較してみようか」と学生たちに言った。あえてこの事件を取り上げた理由は後述する。そして予想どおり、日本人学生たちは反応しない。半ば口を開けてぽかんとしている。

あなたにも説明は必要だろうか。閔妃は李氏朝鮮第二六代王である高宗の妃（もしもこの説明が不要だったら申し訳ない）。王妃であると同時に当時の朝鮮における日本の影響力を排除することを意図して、ロシアに近づこうとしていた親露派の中心メンバーでもあった。このとき日本公使だった三浦梧楼は、公使館員や大陸浪人、朝鮮親衛隊らを指揮して夜半に王宮に侵入し、閔妃と複数の女官などを殺害して死体を焼き払った。これが閔妃暗殺事件だ。

「日本の学生たちに訊きます。この事件について学校ではどのように教わりましたか」

僕の質問に対して、日本人学生たちは互いに顔を見合わせるばかりだ。やがて一人がおずおずと手を挙げて、「すいません。ミンピって何ですか」と言った。「日本人学生で閔妃暗殺事件について知っている人はいますか」と僕は重ねて訊いた。誰も手を挙げない。韓国留学生は呆然としている。

多少の乱暴さを承知で例を挙げれば、日本の皇居にアメリカ大使と在日米軍兵士たちが武器を持って乱入して皇族たちに殺戮と残虐のかぎりを尽くしたと考えれば、当時の朝鮮国民にとっての衝撃の大きさはわかるはずだ。ちなみに首謀者である三浦梧楼は、事件後に日本で裁判を受けたが無罪判決を受け、晩年には枢密顧問官となっている。暗殺は国からの指示だった可能性もある。もちろん、解釈は視点によって変わる。同一の事件や政変ではあっても、視点によって見えかたが変わることは当たり前だ。ところが日韓においてこの事件の解釈は、そのレベルですらない。韓国と北朝鮮に暮らす人たちにとっては絶対に忘れることができない閔妃暗殺事件は、日本では解釈が違うどころか、そもそも学校で教えないし、ほとんどの人が知らないのだ。

あなたは電車内でいきなり殴られた。その場では謝罪された。でも電車を降りてから、やはり殴っていないと言われたら、あるいは殴ったことをその人が忘れていたら、いくら何でもそれはないと言いたくなるはずだ。謝罪するかどうかはともかくとして、せめてしっかりと正しく記憶してほしい、と思うはずだ。

ここまでの記述を、そのまま慰安婦問題に当てはめることに無理があることは承知している。でもエッセンスは近い。閔妃暗殺事件だけではない。例えば南京攻略直前である一九三七年一二月一三日の東京日日新聞（現在の毎日新聞）一面には、「百人斬り超記録　向井106‐105野田　両少尉さらに延長戦」の見出しとともに、軍服姿でポーズをとる二人の少尉の写真が大きく掲載されている。いわゆる一〇〇人斬り報道だ。

南京陥落後に鹿児島に帰還した野田少尉は、最終的に三七四人の中国兵を斬り殺したと地元紙（鹿児島新聞と鹿児島朝日新聞）で語り、講演会などでも同様の発言をしている。また向井少尉については、ついに三〇五人斬りを達成して五〇〇人斬りを目指しているとの記事が、東京日日新聞一九三九年五月一日版に掲載されている。武器が日本刀であることを考えれば、殺された人の多くは兵士ではなく市民と考えるべきだろう。

ここで二人の少尉を糾弾するつもりはない。メディアと社会は相互作用だ。新聞各紙がオリンピックのメダル獲得数を誇るスポーツ紙のようにこのエピソードを伝えた理由は、日本社会がこの報道に歓喜するからだ。二人の少尉もその一部だ。そんな時代だった。そんな国だった。多くの人を苦しめた。多くの人を傷つけ、そして殺戮した。僕たちはそんな歴史の延長にいる。句点はない。無自覚なまま繋がっている。

慰安婦は何人いたのか。強制はどのようになされたのか。慰安婦たちはどの程度の謝礼をもらっていたのか。論点は無限にある。そして（資料がないのだから）それぞれのスタンスが視点として剥きだしになる。それはある意味で当たり前。でも映画を観ながら思ってほしい。朝鮮や中国に暮らす人たちは平気で嘘をつく民族などと断言できる根拠は何か。日本人は特別な民族ですと胸を張れる理由を教えてほしい。騙される側のほうが騙した側より悪いとの教育を彼らは受けているなどと、本気で思い込む理由は何か。

映画は論文ではない。あなたは主張する主体の表情をスクリーンで見ることができる。声を聞くこともできる。目の動きを確認することもできるし、一瞬の笑みや動揺に気づくこともできる。

顔をしっかりと見てほしい。表情を凝視しよう。

そのうえで考える。そして悩む。日本はこれまで周辺国に何をしてきたのか。何をされたのか。日本だけではない。人は誰でも間違える。ミスを犯す。民族や宗教や言語は関係ない。大切なことは過ちを知り、そのプロセスを理解すること。直視すること。僕たちは紛れもなく（彼らからすれば）加害者だった。その事実は確かだ。その歴史を認めることはつらい。でも目をそむけてはならない。彼らは平気で嘘をつく、などと下劣なデマに逃げてはならない。

だってこの事実を直視しなければ、僕たちはきっとまた同じ過ちをくりかえす。

この映画に対して、インタビューに応じた右派の論客たちの多くは、監督に騙されたと反論している。ならば訊きたい。何をどう騙されたら、このような発言ができるのか。被写体の一人である右派論客の一人が、これからこの番組でネタバレしますから皆さん映画館に観に行かないでくださいね、などと何度も訴えるYouTube動画をネットで見つけたけれど、さすがにこれにはあきれた。批判は自由。酷評ももちろんあってよい。でも公開中の映画に対して、こんな反論などありえない。論外が過ぎる。少しは恥を知れと言いたい。

ラーメンなら食べる。そのうえで美味いとかまずいとか油がくどすぎるとか出汁が足りないなどの批評が生まれる。音楽なら聴く。本なら読む。そして映画なら観る。当たり前のこと。その当たり前が今、この国では窒息しながら機能不全を起こしかけている。

（『創』二〇一九年七月号）

ピースボートから見た景色

六月上旬からおよそ二週間、久しぶりにピースボートに乗船した。ただし世界一周はスケジュール的に無理だから、今回もポジションは、いつものように水先案内人(ピースボート用語)だ。

水先案内人とは何をする人か。本来の意味は、船が港に出入りするときや複雑な海峡などを航行するときに船に乗り込んで、安全に船を誘導する仕事だ。英語では「パイロット」。資格を取るためには国家試験を受けなければいけない。

でもピースボートでは、船の航行に意見を言う必要はない。というか言えるわけがない。ただし違う役割を与えられる。

通常の豪華客船クルーズなら、マジシャンや歌手などエンターテイナーが乗船して、乗客にパフォーマンスを披露する。でもピースボートはエンターテイナー路線だけではなく、映画監督や作家やジャーナリストやアクティビストなどを乗せて上映会や講座を行わせる。日本人だけではない。外国人の水先案内人も多数乗船する。ギャラはない。でもキャビン宿泊代など乗船中の経費は、すべてピースボートが負担する。

まあ普段から講演などで稼いでいる文化人や識者にとってはノーギャラなどありえない条件かもしれないけれど、僕のレベルならば、ただで海外を船旅できるのだからありがたい。

ただし最初に水先案内人として乗船しないかと依頼があったとき、実は即答しなかった。できなかった。一回は断ったかもしれない。なぜなら船の中で多くの人たちが、反戦平和と染めぬいた鉢巻をしてシュプレヒコールをあげているようなイメージがあったからだ。

でも何度か依頼を受け、意を決して乗り込んで、僕は自分のイメージを大幅に修正した。当たり前だけど乗客のほとんどはイデオロギー的に偏向などしていない。自民党支持者もいれば死刑制度存置論者も多数いる。むしろ多いかも。つまり日本社会の縮図なのだ。

そんな観客を相手に映画を見せたり、メディアや死刑制度について講座を行ったりする。反応は様々だ。もしも陸の上ならば、僕の映画など決して観に来ないし講演に足を運んでくれそうもない人たちが、無料だし物は試しだとばかりに観たり聞いたりしてくれる。そして夜はデッキ上の居酒屋で語り合う。論争する。喧嘩になりかけることもあるかもしれない。でもバカヤロウとか怒鳴り合っても、翌日にはまたデッキや食堂で顔を合わせる。表に出ろ！と叫んでも、表はすぐ海だ。だから一線は守る。抑制する。何度も論じ合う。一致点は必ず見つかる。

今回は乗船前にニューヨークに二日間滞在した。だからニューヨークに居住している想田和弘夫妻と一日目はランチを食べ、二日目はニューヨーク近代美術館で行われていた原一男監督の特集上映を一緒に観に行った。

上映前のロビーで原さんに挨拶する。何で森くんがここにいるんだ、と原さんがあきれている。原さんの特集上映を観に来たんです。いやいや、何だそれは。何でNYにいるんだ。しかも今日は誕生日なんですよね。ならば日本にいるわけにはゆきません。いやいや。冗談はやめろ。何でいるんだ。

この日に七五歳になった大先輩は、昔と変わらず曖昧なことが嫌いなのだ。なぜ森くんがここにいるんだとぶつぶつ言い続ける原さんの隣では、奥さままで原さんの作品のほとんどでプロデューサーを務める小林佐智子さんがにこにこと微笑んでいる。

この日の上映は『全身小説家』だった。公開時にも観ているし、そのあともDVDで観直した。被写体である小説家、井上光晴の虚と実がスクリーンに交錯する。井上だけではない。登場する多くの人たちの虚と実も明滅する。原さんの作品では最も好きな一本（『ゆきゆきて、神軍』は別格として）かもしれない。

上映が終わってから想田夫妻に別れを告げ、ハドソン川のターミナルに停泊していたピースボートに乗り込み、寄港地が変更したことを聞かされた。

今回の乗船区間は主に中米だった。NYを出港してからの予定では、キューバ、コロンビア、パナマと回る予定だった。特に僕にとっては、これまで訪問する機会がなかったキューバは最も楽しみな国だった。ところがニューヨークから乗船した直後、キューバに寄港する予定がジャマイカに変わったことを知らされた。キューバに対する新たな経済制裁を発表したトランプ政権の意を受けて、アメリカ財務省がキューバへの往来を禁じたことが要因だ。

とても残念。一人ひとりのアメリカ人は無邪気で善意溢れる人が多いけれど、国家としてのアメリカは本当に力任せで自己中心的でえげつない。乗船してからスタッフたちに聞いたけれど、こんな一方的な指示に従わねばならないのかと船内でかなり議論もあったという。

ピースボートはこれまでキューバに一八回寄港している。乗船していた広島・長崎の被爆者が故フィデル・カストロ議長と面会したこともあった。でも日本ではほぼ報道されない。僕がNYから乗船した日も、船内では国連の世界海洋デー公式レセプションが行われていて、多くの国連職員や招待されたVIPたちがデッキ上に集まっていた。予定ではアントニオ・グテーレス事務総長がスピーチするはずだったが、急な予定変更があって事務次長がスピーチした。

国連の公式行事が日本の船で行われる。これもかなり大きなニュースになってよいはずだ。でも日本では報道されない。

そもそもピースボートは、過去にイスラエルとパレスチナの青年たち五〇名を船に乗せて討論させるなど、とても画期的な催しを何度も行っている。でもそれらが報道されることもない。一昨年（二〇一七年）のノーベル平和賞をとったICANは、ピースボートが主要運営団体だ。つまりピースボートが受賞したとの見方もできる。だから授与されたメダルは、しばらく船の上で展示されていた。でもやっぱり日本のメディアの扱いは（ごく一部を除いて）冷淡だ。ICANのベアトリス・フィン事務局長が来日して安倍首相に面会を希望したとき、多忙を理由に官邸側は面会を拒絶した。このときに交渉の窓口となった川崎哲（ピースボート共同代表）によれば、面会する時間を作ってほしいとの申し入れに対して、総理官邸からは最後まで直接的な返答がなく、さらに（一部報道によれば）政府は、「ベアトリス事務局長と首相との面談の要請が来ていたのは事実か」との国会での質問主意書に対して、「事実は確認できなかった」との答弁書を閣議決定したという。

あまりに大人げない。世界で唯一の被爆国でありながら、日本は核兵器禁止条約に反対し続けている。だからICANの受賞を喜べない。面会すれば意思表示になるし、なぜ日本は核兵器禁止条約に反対するのかと訊かれたら何も答えられないし、おまけにアメリカの機嫌を損ねるかもしれない。

そんな意識が背景にあると考えれば、この不可解な対応も腑に落ちる。ある意味でわかりやすい。納得してから嘆息する。嘆息してから気持ちを切り替える。今日のランチは何を食べようか。

寄港予定をキューバからジャマイカに変えた現在の船は、ジャマイカからさらにカリブ海を南下してコロンビアに向かっている。船旅の最大の魅力のひとつは、航海中はほぼリアルタイムな情報に接することができなくなることだ。ネットは繋がらないわけではないけれど、気象条件によっては使えなくなるし有料だから、あまりチェックしなくなる。

最初は不安だった。でも乗船して数日で気づく。スマホを手から放して情報入手が一日や二日遅れたからといって、何も不都合はないのだと。

さらに数日が過ぎた頃に、そもそも情報とは何だろうと思い始める。それほどに必要なものなのか。メディアは何のためにあるのか。

もちろんこれは、日常とは切り離された船の上だから思うこと。でも人生は長い。僕たちの日常は、スマホを手にずっと繋がりっぱなしだけど、たまにはこうした時間を過ごすのも悪くない。

（『創』二〇一九年八月号）

パレンケ村の平和主義

船が寄港したのはコロンビアの港湾都市であるカルタヘナ。ここから車で一時間半ほど走ればパレンケ村に着く。車から降りれば熱気が身体を包む。日本でもここ数年の夏の暑さは異常だけど、中米の陽射しの強さは明らかに質が違う。皮膚に光の先端が突き刺さる感じだ。

パレンケ村の人口は約三五〇〇人。一見は中南米でよく見かける普通の村だ。でも歩き始めて気づく。中南米の多くの国の民族構成は、先住民と、先住民とかつての支配国（スペインやポルトガル）にルーツを持つ人とのミックス、そして奴隷として連れてこられた黒人（もちろんミックスも含めて）に分けられるが、この村で出会う人たちは、ほぼ一〇〇パーセント黒人だ。

今からおよそ四〇〇年前、カルタヘナは奴隷貿易の一大拠点となっていた。アフリカから連れてこられた多くの黒人たちが、この地で奴隷として売買されていた。プランテーションなどで使役されながら、何人かは自由を求めて脱走し、カルタヘナの周囲に自分たちのコミューンを作った。もちろん宗主国であるスペインがこれを認めるはずがない。軍隊が出動してコミューンは破壊され、住民の多くは所有者のもとに連れ戻され、あるいは殺された。

しかし抵抗し続けた一部のコミューンが、カトリックに改宗するなどの条件付きで、初めて自治を認められた。その代表的な存在がパレンケ村だ。正式名称はサン・バシリオ・デ・パレンケ。

その後にスペインはこの地から撤退したけれど、奴隷たちの末裔は今もこの村で、独自の文化とともに生活している。かつて行われたスペインの弾圧に対して、彼らは決して反撃しなかった。民衆暴動やゲリラ戦は選択せずに、徹底して逃げたのだ。

つまりガンジーよりもずっと前に、「非暴力」と「不服従」を実践していた。その文化は今も残っている。

村の中をしばらく歩いてから、警察官の姿をまったく見かけないことに気がついた。現地のガイドに説明を求めれば、そうですよと即答された。パレンケ内には警察など治安権力は存在しないのです。

でもそれで治安は大丈夫なのですか。

小さな村です。何の問題もありません。

それだけではない。アフリカ起源の言語にスペイン語などをミックスした独自の言語を使うパレンケの住民たちは、自分たちの憲法を持っている。要するに特別自治区的な存在だ。二〇〇五年、パレンケ村はユネスコから無形文化遺産に認定された。路上で出会う住民たちの多くは人懐っこい。優しい。道を訊ねれば、わらわらとおおぜいが集まってくる。

でもつい四〇〇年前、彼らは人間として扱われていなかった。牛馬のように売買されていた。そして彼らを弾圧していたスペイン人たちも、今は善良な観光客だ。この地で自分たちの過去の過ちを知って、悲しそうに顔を歪めている。

だから実感する。人の優しさと冷酷さ。この二つは相反しない。僕たち一人ひとりの裡《うち》に共存している。

（『生活と自治』二〇一九年八月号）

座右の銘はネガティブ志向

子どもの頃、夏休み初日の朝は目が覚めると同時に、「今日は夏休み最後の日なのだ」と思うようにしていた。大学受験の際にも志望校はすべて落ちる状況をイメージしていた。もしも「合格するかも」などの気持ちが湧いてきたら、あわてて必死に打ち消した。すべては裏目に出る。好転することなど絶対にない。

つまりネガティブ志向だ。だって最悪の事態をイメージしておけば、実際に最悪の事態になったときのショックが小さい。そしてもしも最悪の事態を回避することができたのなら、その喜びと安堵は、期待していない分だけ大きくなる。

世に多く出ている啓蒙書などに従えば、ネガティブ志向は実際にネガティブな状況を誘引する可能性が高いからすべきではないということになるはずだ。確かにそうかもな、とは思う。イメージの力は意外と強い。少なくとも、ポジティブな状況につながる可能性が上がることはないだろう。でも今さらやめられない。多少のデメリットはあるにしても、傷つく度合いはできるだけ小さくしたい。要するに臆病なのだ。

この傾向というか性癖は、大人になった今も続いている。特に最近は、この傾向がより強くなってきたと自覚している。常にネガティブな方向に考える。失敗して打ちひしがれている自分をイメージする。

オウム真理教の施設内で一年半にわたって撮影していたとき、僕はこの国の変化を、多くの一般の人たちとは違う視点から眺めることができた。その変化を言葉にすれば「集団化」だ。地下鉄サリン事件直前には阪神淡路大震災が起きていた。未曾有の天災と人災で不安と恐怖を激しく刺激された多くの人は、独りが怖くなって同質な集団でまとまることを求め始めた。それは人の本能だ。

でも集団は時おり大きな過ちを犯す。暴走するのだ。警察とメディアはオウムに対して不当な捜査や無軌道な取材をくりかえし、排斥を訴える地域社会は、理不尽なまでに高揚した憎悪と嫌悪の視線をオウムに向けていた。

社会の側にいれば、自分たちのまなざしに気づかなかっただろう。でもカメラを手にオウム施設に入った僕は、強制的に視点を転換することを余儀なくされていた。施設から振り返って外を眺めることで、自分が帰属している社会の新たな断面に気がついた。

もちろん、オウム信者たちも日常的にこうした光景を見ている。皮肉なことに彼らは、こうした社会の変化をオウムの教義にある「カルマ落とし（苦行によって悪い部分を顕在化して霊的ステージを上げること）」と解釈していた。逆境になればなるほど信仰心を強める信者は多かったし、マハームドラー（師から与えられる試練）と見なす信者も多かった。尊師は日本社会のカルマ落としをしようとしているのでしょうか、と僕に言った信者もいた。

もちろん、すべての発端はオウムの犯罪だ。でも無害だったはずのヨガのサークルが社会に牙を剥く巨大な宗教集団になる過程にも、閉鎖された集団における危機意識の高揚が、大きな要因として働いている。つまりこのとき日本社会とオウムは、僕の視点から見れば、まさしく合わせ鏡だったのだ。

均質化して全体で同じように動こうとする集団は、集団内に異物を探し、集団外では敵を無理やりに可視化しようとする。全体で同じ動きをするために指示や号令を発する強硬な政治リーダーを求め、支持を強めるためにリーダーは対外的に強硬な姿勢を誇示し、集団は可視化した敵を攻撃する。このときに燃料となるのは自衛の意識だ。

ほとんどの国民とメディアが拍手喝采した日本の国際連盟脱退や、正当な選挙の帰結として台頭したナチスドイツ、最近では9・11後のアメリカなどを挙げるまでもなく、歴史にはそんな事例はいくらでもある。

決して過去形ではない。ここ数年の世界では、圧倒的な支持を背景に、独裁的で専制的な政治リーダーが増えている。つまり現在進行形だ。

「実際のところ、民主主義は最悪の政治形態と言うことができる。ただし、これまでに試みられてきた民主主義以外のあらゆる政治形態を除いてだが」

チャーチルのこの有名なフレーズを引用するまでもなく、国民主権や多数決を基盤とする民主主義は、現状において人類が辿り着いた最上の政治形態だ。しかし集団化が始まったとき、民主主義は内在していた危険性を露呈する。特に個が弱い社会ならば、選挙は諸刃の剣となる。

二〇一九年七月の参院選の数日前、新橋駅前広場には多くの人が集まっていた。「れいわ新選組」の街宣だ。応援スピーチを依頼された僕はステージ横のテントにいた。船後靖彦と木村英子は車椅子に乗っている。久しぶりに会う蓮池透が、「ニール・ヤングの新しいアルバム聴いた？」と話しかけてきた（ほぼ同世代の彼と僕はニール・ヤングの大ファンなのだ）。女装した安冨歩は記者たちに囲まれている。前に彼に会ったときは韓国だったかトルコだったか。その日にストリートで演奏して帽子に入れられたという投げ銭を見せてくれた。走ってきた渡辺照子が、いきおいよく名刺を僕の目の前に突き出した。

山本太郎党首だけではなく、れいわの候補者は個が強い人ばかりだ。忖度や迎合とはほとんど縁がない。だからこそ今のこの国の政治に、新しい動きを与えてくれるかもしれない。そう考えてこの日はスピーチ依頼に応じた。

しかしれいわ新選組の躍進は難しい。選挙に影響するのはメディア報道だ。そのメディアが、れいわ新選組についてはほとんど報道しない。理由はわかる。この三カ月前に山本が設立したばかりのれいわ新選組は、この時点でまだ諸派であって政党要件は満たしていない。つまり多くのメディアは、公職選挙法との整合性を気にして報道を控えているのだろう。

そんなことを思いながらステージに上がって驚いた。聴衆の数がすごい。でもそれ以上に、カ

参院選前の駅前の光景

メラをかまえるメディアの数に驚いた。ネットニュースやフリーランスのジャーナリストたちだけではない。おそらくは在京のテレビ局や新聞社のほぼすべてが来ているだろう。

　でも今夜のニュースや明日の紙面では、この街宣が報道されることはない。それはわかっている。わかってはいるけれど何か変だ。これほどに多くの人が集まっている。多くの人が関心を持っている。カメラやペンを手にあなたがたがここに来た理由も、ニュースバリューがあると思ったからだ。ところが報道されない。中立公正原則を理由に。やはりそれはおかしい。公職選挙法は知る権利より上位なのか。普通のニュース枠で扱えばいいじゃないか。

　マイクを手にれいわ新選組と山本太郎について話しながら、だんだん腹が立ってきた。だから思わず言った。顔を上げて後ろのほうに。あなたたちはジャーナリストではない。会社員だと。いきなり言われて彼らも腹が立ったと思う。なぜそこまで言われなくてはならないのだと。一般企業に勤める多くの人たちも腹が立ったと思う。会社員の何が悪いのだと。

　ごめんなさい。言葉足らずでした。会社員が悪いわけじゃない。組織メディアに勤める人ならば、市場原理やコンプライアンスやガバナンスなど組織の論理だけではなく、ジャーナリズムの論理も持つべきではないかと言いたかった。それを言葉にすれば「個」の論理。時には組織を裏切ってくれと伝えたかった。

でもいずれにせよ、れいわ新選組だけではなく野党の躍進は、今のこの国では難しい。だって集団化は加速するばかりだ。集団は敵を求める。強いリーダーを支持する。だから中国や韓国を仮想敵にして、不安や恐怖を煽る与党の支持率は盤石だ。

そう思いながらふと横を見れば、駅前の巨大ビジョンには、膨大な資金力と圧倒的な支持率と電通のプロモーションに支えられた与党党首のCMが流れていた。


（『生活と自治』二〇一九年九月号）

新作映画『i―新聞記者ドキュメント―』

『A』や『FAKE』など過去の作品のときもそうだったけれど、公開が近づけば近づくほど、多くの人の視線から隠れたくなる。もう少し具体的に書けば、作品について誰かに話すことが苦痛になってくる。

だって映画は完成したばかりだ。そこには自分の思いを込めている。その説明や補足などしたくない。

コップは下から見れば円だけど、横から見たら台形だ。解釈は視点によって変わる。まして映画の形や内実は、コップよりはるかに複雑だ。多様に解釈されて当たり前。均質な方向や角度など求めていない。観てもらった瞬間に作品は観客一人ひとりのものになる。そこに水を差したくない。ただ観てもらいたいだけなのだ。

だから『ＦＡＫＥ』のときは宣伝担当スタッフに、「基本的に取材は受けない」と公開前から伝えていた。でも実際に公開が近づけば、せめて初日くらいは舞台挨拶できないか、とか、この新聞のインタビューだけは受けてほしい、などとプロデューサーや宣伝担当スタッフから説得され、結局は舞台挨拶に足を運んだり、雑誌や新聞の取材を受けたりすることになっていた。

まあ仕方がない。公開したばかりの映画にとって、宣伝はとても重要な要素だ。舞台挨拶は画や記事になりやすいし、監督インタビューは記事に欠かせない。特にドキュメンタリーの場合は、ドラマのようにキャストが舞台挨拶したり取材を受けたり、ということが考え難いこともあって、取材は監督に集中しやすい。取材されることが好きな監督もいるけれど、僕はどうしてもだめだ。

映画の公開において、映画祭に参加したり受賞したりなどのニュースは、大きな宣伝材料となる。これまでにいろんな映画祭に僕も招待された。たくさんの国の映画監督や観客たちと触れ合うことができる映画祭そのものは大好きだけど、上映後にステージに上がって観客の質問に答えるティーチインを要求されることが、いまだにどうしても馴染めない。

だって質問に答えたくない。この映画のテーマは何ですか。あのカットの意味を教えてください。……ここまでナイーブな質問はさすがに多くはないけれど、でも時おりはある。そのたびに悶絶する。以前にドキュメンタリー監督の想田和弘から、「そういう質問に対してはあなたはどう思いましたかと答えることにしている」と教えられて、なるほどと感心した。以降は僕も、この質問返しを使うことにしている。

とはいえ、同じ場では何度も使えない。バカにしているのかと怒られるかもしれない。だからやっぱり上映後は、バカ面下げてのそのそとステージにあがるべきではないのだ。劇場の隅のほうの暗がりから、席を立つ観客たちの顔を見つめていたい。

例えとしてはかなり恐縮だけど、交響曲第九番を指揮し終えた直後のベートーヴェンがティーチインに参加する光景を想像してほしい。あるいは畢竟の大作「ゲルニカ」を描き終えてからシンポジウムに参加するピカソ。観客からテーマを質問されて答えるベートーヴェンや作品意図を説明するピカソの姿など、想像できないし、したくもない。

……よりによってベートーヴェンとピカソを挙げてしまった。でも表現に対する姿勢に限るなら、三流映画監督も楽聖や天才とそれほど変わらないと思うのだ。

とにかく新作映画『i―新聞記者ドキュメント―』は一一月に公開される。テーマはジャーナリズムであることと、メインタイトルの「i」には被写体である望月衣塑子のファーストネーム以外の意味があることだけはお伝えできます。……結局は宣伝になっちゃった。だってやっぱり一人でも多くの人に観てほしい。


（『生活と自治』二〇一九年一一月号）

匿名に身を隠すな

この数年間で印象に残った映画は何だろう。数え上げればきりがない。まずは『バイス』。ブッシュ政権時に副大統領を務めたディック・チェイニーを主人公に設定して、9・11前後に政権の中枢にいた政治家たちの裏の顔を伝えるドラマだ。監督はアダム・マッケイで、チェイニーの青年期から現在までを演じたのはクリスチャン・ベール。

ほぼ同時期に公開された『記者たち　衝撃と畏怖の真実』の監督はベテランのロブ・ライナー。9・11後のブッシュ政権時に決行されたイラク侵攻の大義が、政権に都合よく捏造されたことを暴く新聞社ナイト・リッダーの記者たちの闘いを描く物語だ。

この少し前に公開された『ペンタゴン・ペーパーズ／最高機密文書』の時代背景はベトナム戦争。泥沼化したこの戦争においてアメリカ政府が、国民への背信行為をいくつも犯していたことを記したペンタゴンの文書（ペンタゴン・ペーパーズ）をスクープするワシントンポストとニューヨークタイムズの記者たちのストーリーだ。監督はスティーブン・スピルバーグ。

思いつくままに書いたけれど、この三作品はすべてアメリカにおける政治の内幕がテーマであり、さらに『記者たち』と『ペンタゴン・ペーパーズ』は、その政治権力を監視するメディアのありかたをメインテーマにしている。そして三作のもう一つの共通項は、ドラマに登場する会社名や個人名は、批判される場合も称賛される場合も、すべて実名であるということだ。

ヨーロッパの多くの国や韓国、中国などでは、容疑者の名前や顔写真を、原則的には（裁判で有罪が宣告されるまで）公開しない。これを匿名報道という。

なぜなら近代司法国家ならば、「疑わしきは罰せず」とする無罪推定原則があるからだ。もちろん日本の司法においても、この原則は同様に働いている（はずだ）。ところが日本のメディアは、（あなたもテレビニュースなどで護送中の容疑者の映像は何度も見ているはずだ）容疑者や被告人の顔や名前などを当然のように晒す。つまり実名報道を原則にしている。

補足するが匿名報道の国でも、政治家など公人が関係する事件などの場合は、その影響力を考慮して実名で報道する。あくまでも原則だ。さらにもう一つ補足すれば、情報を捜査権力に独占させてしまうことへの危惧など、実名報道にも論理はある。でも少なくとも無罪推定原則の立場からは、街でよく見かける指名手配犯のポスターなどはかなり際どいということくらいは（だって彼らの多くはまだ容疑者だ）知ってほしい。

この国のメディアは事件報道に関しては実名を優先するのに、報道以外では匿名主義が蔓延している。実録的な映画やテレビドラマでも、政治家やメディア各社の名前はすべて仮名が当たり前だ。佐藤栄作は佐橋栄作で田中角栄は田村角栄（いずれも実際にあった）。こんな匿名に何の意味があるのか。ネット上に氾濫する情報の多くも、匿名の誰かによってアップされているから、虚偽がとても多い。ツイッターなどのＳＮＳで、自分の実名を名乗る人はきわめて少数派だ。

二〇一四年に総務省が発表した情報通信白書によれば、アメリカやイギリス、フランス、韓国、シンガポールなど世界の多くの国でＳＮＳの匿名率は三〇〜四〇パーセント台だが、日本の匿名率は七五・一パーセントだ。圧倒的に高い。おそらくだけど世界一だ。

要するに被害者や加害者など少数派は実名で晒し、これを攻撃する自分たちは匿名で身を隠している。だからこそ誰かを追い詰めたり罵倒したりできる。その背景には、集団の中に埋没して個を隠そうとする日本社会の特性が表れている。

人は一人では生きられない。集団の中で生きる。それは大前提。でも集団や組織に埋没すると、大きな過ちを犯す。もっと個を出すべきだ。特にジャーナリストならば。

（『新潟日報』二〇一九年一二月一日付朝刊）

記録の余白２——
安易に白黒をつけてはならない

「あいちトリエンナーレ２０１９」の企画展「表現の不自由展・その後」の展示中止が突然発表された八月三日から二カ月以上が過ぎた。通常の事件や騒動ならば、とっくに沈静化して人々の記憶も薄くなり始めている時期のはずだ。でも事態は今も動き続けている。

再開するも補助金は不交付

九月三〇日、あいちトリエンナーレ実行委員会と「表現の不自由展・その後」実行委員会が展示再開で合意したことが報道された。実際に再開したのは一〇月八日だから閉幕まで一週間。決して充分な期間ではないけれど、展示が再び実現したことは少なくとも朗報だ。

ただし手放しでは喜べない。この発表の四日前である九月二六日、就任したばかりの萩生田光一文部科学相が、「申請のあった内容どおりの展示会が実現できていない」として補助金約七八〇〇万円全額を交付しないとする方針を表明している。確かに展示企画のひとつとして予定されていた「表現の不自由展・その後」は、始まってから三日目に中止となり、内容どおりの展示会は実現できなかった。でも問題視された要素は内容ではなく、申請（手続き）のほうらしい。

報道によれば萩生田文科相は、「慰安婦を表現した少女像などの作品展示について、批判や抗議が殺到して展示継続が難しくなる可能性を把握していながら、文化庁に報告がなかったこと」を問題視したという。しかしそうした可能性について、申請の段階で報告する義務は定められていない。

表現が先鋭化すればするほど、批判や抗議が殺到する可能性は高まる。リスクをゼロにすることなど不可能だ。文化庁に報告がなかったことを萩生田文科相は問題視した。ならば批判や抗議が殺到して展示継続が難しくなる可能性があると事前に報告しておけば、補助金は問題なく交付されたのだろうか。どう考えてもありえない。これほどにリスクが高い催しに補助金は認められない、との対応をされたはずだ。つまり「報告がなかった」との理由は後付けなのだ。

なぜ僕は「なのだ」などと断言できるのか。前例があるからだ。

この騒動のそもそものきっかけは、慰安婦を表現した「平和の少女像」が展示されていることを知った松井一郎大阪市長が「にわかに信じがたい！河村市長に確かめてみよう」とツイートして、これを受けた河村たかし名古屋市長が展示を視察したあとに「日本国民の心を踏みにじる行為」と囲み取材で発言したことだ。同日に菅義偉官房長官は、「審査の時点では具体的な展示内容の記載はなかったことから、補助金の交付決定では事実関係を確認、精査したうえで適切に対応していきたい」と発言した。これが今回の萩生田文科相発言の伏線だ。いや伏線という言葉は気恥ずかしいほどに露骨な思惑だ。だって「適切に対応」と言っているが、すでにあいちトリエンナーレは始まっているのだから、補助金交付は前提だったはずだ。なんでこんなに杜撰なのだろう。悪事を企むなら企むで、もっと周到に発言してほしい。

これに対して津田大介芸術監督は、「行政が認められない表現は展示できないということが仕組み化されるのであれば、それは憲法二一条で禁止された『検閲』に当たる」と正面から反論するが、同日に少女像について「大至急撤去しろや、さもなくばガソリン携行缶持って館へおじゃますんで」などと記した文書がＦＡＸで送付されてきた事態を受けて、菅官房長官発言の翌日である八月三日、津田と大村秀章愛知県知事は、「表現の不自由展・その後」

展示中止を発表する。

この経緯をあらためて振り返ることで既視感を持った人は、きっと僕以外にもいるはずだ。なぜなら問題となった展示の焦点は、韓国の彫刻家キム・ウンソンとキム・ソギョンが制作した「平和の少女像」と、大浦信行の映像作品「遠近を抱えて Part II」だ。この二つはそれぞれ、慰安婦問題と皇室タブーを体現する展示でもある。

ＮＨＫ番組改変問題との共通項

慰安婦問題と皇室タブーのミックス。そして政治的な圧力と表現の自由への侵害。このコンテクストは、二〇年近く前に起きたＮＨＫ番組改変問題の再現そのままだ。

この問題の経緯と概要を以下に記す。二〇〇一年一月三〇日、ＥＴＶ特集シリーズ「戦争をどう裁くか」の第二夜放送「問われる戦時性暴力」がＥテレで放送された。

Ｅテレの正式名称はＮＨＫ教育テレビジョン。ＮＨＫ総合に比べれば圧倒的に地味なチャンネルだ。こうしたドキュメンタリーにアンテナを張っているつもりの僕もオンタイムでは「問われる戦時性暴力」を見逃しているし、周囲でもほとんど話題にならなかったと記憶している。

その放送から四年が過ぎた二〇〇五年一月一二日、「ＮＨＫ「慰安婦」番組改変　中川昭・安倍氏「内容偏り」前日、幹部呼び指摘」との大きな見出しを朝日新聞が一面に掲載し、中川昭一経済産業相（報道当時）と安倍晋三自民党幹事長代理（同）の二人が、この番組放送前にＮＨＫ上層部に対して内容を変更するようにと圧力をかけたとスクープした。

さらにこの記事が出た翌日である一三日、当番組のデスクを担当した長井暁が会見を行い、昨年一二月にＮＨＫのコンプライアンス推進委員会に対して「政治介入を受けた」と内部告発していたことを明らかにした。

　長井が会見で公開した文書の一部を以下に引用する。少し長いけれど、重要な論点がしっかりと整理されている。


　ＮＨＫの放送番組「ＥＴＶ２００１」のシリーズ「戦争をどう裁くか」は、２００１年１月29日(月)から２月１日(木)まで、４日間にわたりＮＨＫ教育テレビで放送されました。

　シリーズ第２回の「問われる戦時性暴力」は、第２次世界大戦中に日本軍によって引き起こされた戦時性暴力を問うために、アジア諸国と日本のＮＧＯが開催した「女性国際戦犯法廷」を取材し、日本とアジアの被害者が、どのようなプロセスで和解を目指すべきかを考えようとした番組でした。

　２００１年１月下旬、衆議院議員の中川昭一氏と安倍晋三氏らが、ＮＨＫで国会・政治家対応を担当していた総合企画室の野島直樹担当局長（現・理事）らを呼び出し、「女性国際戦犯法廷」を取り上げたＥＴＶ２００１の放送を中止するよう強く求めました。自民党総務部会でのＮＨＫ予算審議を直前としていたこともあり、事態を重く見た野島担当局長は、１月29日(月)の午後、松尾武放送総局長（現・ＮＨＫ出版社長）を伴って、中川・安倍両氏を議員会館に訪ね、番組についての説明を行い、理解を求めました。しかし、中川・安倍両氏の了解は得られませんでした。そこで松尾放送総局長は、「番組内容を変更するので、放送させてほしい」と述べ、ＮＨＫに戻りました。松尾放送総局長は、当日の午後6時過ぎから、すでにオフライン編集をUPしていた番組（通常、これ以降の編集の変更は行われない）の試写を、野島担当局長と伊東律子番組制作局長とともに行い、番組内容の変更を制作現場に指示しました。

そのときの主な変更内容は以下の3点でした。

（1）「女性国際戦犯法廷」が、日本軍による強姦や慰安婦制度が「人道に対する罪」を構成すると認定し、日本軍と昭和天皇に責任があるとした部分を全面的にカットする。

（2）スタジオの出演者であるカリフォルニア大学の米山リサ準教授の話を数カ所でカットする。

（3）「女性国際戦犯法廷」に反対の立場をとる日本大学の秦郁彦教授のインタビューを大幅に追加する。

この指示を受けて、制作現場では既にオンライン編集（本編集）を終えていたVTRの手直し作業を深夜に行いました。この結果、通常44分の番組は43分という変則的な形で放送されることになりました。

しかし、番組の改変はそれだけにとどまりませんでした。松尾放送総局長は、放送当日の1月30日(火)の夕方、すでにナレーション収録・テロップ入れなどの作業が完了し、完成間近となっていた番組の内容をさらに3分カットするように制作現場に指示したのです。その内容は以下の3点でした。

（1）中国人被害者の紹介と証言。

（2）東ティモールの慰安婦の紹介と、元慰安婦の証言。

（3）自らが体験した慰安所や強姦についての元日本軍兵士の証言。

この指示を受けて制作現場ではVTRの手直し作業が行われ、通常44分の番組は40分という異例の形で放送されることになりました。こうした2度にわたる政治介入にともなう番組の改変によって、番組内容はオフライン編集完了時とは大きく異なるものとなり、番組の企画意図は大きく損なわれることとなりました。

朝日の記事や長井の内部告発に対してNHKは、二人の政治家からの圧力を真っ向から否定し、編集改変は自主的な判断で行ったと反論した。このときの記者会見は僕もテレビニュースで見た。松尾武放送総局長は、この番組が放送直前に尺が四分短くなったことについて「よくあること」と弁明したが、この瞬間に（僕も含めて）日本中のテレビ番組制作関係者は、いくらなんでもそれはない、と唖然としたはずだ。長井は内部告発文書で「異例の形」と表現しているが、僕の感覚から言えば、放送前日に尺が四分短くなるなど、異例では言い尽くせないほどに異例だ。絶対にありえない。なぜ「よくあること」などとあからさまな嘘をつくのか。やはり何かを隠そうとしているのか。僕も含めてテレビ番組制作関係者ならば、誰もがそう思ったはずだ。

「問われる戦時性暴力」の回は、市民による擬似民衆法廷のドキュメンタリーを主軸にしている。テーマは従軍慰安婦など戦時における女性への暴力だ。長井が文書で明らかにしたように最初の編集では、実際に慰安婦だった女性や慰安所を利用したかつての帝国陸軍兵士たち数名が証人として出廷し、被告人である昭和天皇裕仁と日本国に有罪判決が下されるシーンも収録されていた。

つまりこの番組も、慰安婦問題と皇室タブーに抵触していた。だからこそ放送前に、（その内容を知った）二人の保守政治家は圧力をかけた（と報道された）。その一人は故人となったが、もう一人は総理大臣となった。あいちトリエンナーレへの補助金交付を中止すると表明した萩生田文科相はその安倍現首相の最側近の一人であり、菅官房長官が安倍首相の最強のパートナーと称されていることは説明するまでもない。

従軍慰安婦と皇室タブー。二つの禁忌がおよそ二〇年の時空を超えながら表現領域の自由を抑圧する。反復している。あるいはリンクしている。

そしてETV問題とあいちトリエンナーレのあいだの二〇〇八年には「表現の不自由展・その後」と同じように、文化庁の助成金を政治家が問題視した映画『靖国 YASUKUNI』の上映中止騒動があった。このときに前面で動いたのは、安倍チルドレンなどと称される稲田朋美議員や有村治子議員だった。

反復している。つまり前に進んでいない。同じところを回りながら後退するばかりだ。

明確な規制はなくとも……

最初の映画『A』を公開した翌年である一九九九年、そもそもの職場だったテレビに戻った僕は、テレビドキュメンタリー「放送禁止歌」を発表した。放送はフジテレビの深夜枠だ。しかも関東ローカル。視聴率は一パーセントにも満たなかったはずだ。

だから多くのテレビ番組と同様にこのドキュメンタリーも、放送が終わった瞬間に忘れ去られるはずだった。ところが放送後の反響は予想を超えて大きく、フジテレビは何度か再放送を行い、さらには放送禁止歌をテーマに本を書かないかとの依頼まで舞い込んだ。つまり僕にとって大きなターニングポイントになった作品だ。

撮影のためのリサーチを始めた頃は、権力による規制や弾圧が放送禁止歌の本質なのだろうと僕は思い込んでいた。でも取材を始めてすぐに気がついた。放送や音楽業界で働く人たちの多くがこの問題について語るとき、使われる述語は常に「らしい」とか「ようだ」なのだ。つまり伝言ゲーム。でも始まりがわからない。これもまたループしている。どこまで探っても伝聞なのだ。

やがて明らかになった。明確な規制や圧力はどこにもない。でも（僕も含めて）誰もが、放送禁止歌という排除システムが実在すると思い込んでいた。当然の前提にしていた。だからこそ、この歌は危険ではないかと誰かが誰かに言えば、その伝聞や噂がみるみる肥大して、規制があっさりと発動する。ところが規制の主体はどこにもない。仮想だから摩擦も働かない。こうして仮想が現実になる。実体がどこにもない現実だ。

およそ五〇〇万年前のアフリカ大陸で樹上生活を送っていたラミダス猿人は、地上に降りて直立二足歩行を始めると同時に、それまでの単独生活から群れて集団で生きるライフスタイルに移行した。

なぜなら地上には大型肉食獣がひしめいている。一人ならばあっさりと捕食されてしまう。群れならば天敵も簡単には襲ってこないし、迎撃することも可能になる。

群れる本能は保持したまま、ラミダス猿人はホモサピエンスへと進化する。イワシやムクドリやトナカイなど、群れる生きものはたくさんいる。彼らの共通項は弱いことだ。常に天敵に脅えている。特にホモサピエンスは、二足だから走れば遅いし、逃げるための翼を持たない。夜目はきかず泳ぎは下手だ。筋力もないし爪や牙はほぼ退化した。圧倒的に弱い。だからこそ群れる本能がとても強い。

イワシやムクドリなどが典型だが、群れは全体でひとつの生きもののように動く。つまり同調圧力が常に働いていている。だって勝手気ままに動いていたら天敵に捕食されるリスクが高くなる。周囲の多数派の動きに自分を合わせないと不安になる。

イワシやムクドリは鋭敏な感覚で周囲の動きを瞬時に察知するが、感覚を退化させたホモサピエンスは言葉を得た。

つまり全体で同じように動くために指示を求める。強いリーダーが欲しくなる。そして号令を待つ。もしも明確な指示がなければどうするか。不安になった集団は仮想の指示を作り出す。これが忖度だ。こうしてリーダーにとっては理想的な環境が実現する。もしも集団が大きな間違いを犯したとしても、私は指示などしていない、と抗弁することができる。特にこの国は、七〇余年前に終わった戦争が典型だが、会社や国家など集団の失敗における責任の所在が常に曖昧だ。

ドイツが民主的手続きを経ながらファシズム国家になったプロセスについて、エーリッヒ・フロムはその著作である『自由からの逃走』で、地縁的な共同体から解放された近代人は孤独に耐えられず自由から逃れて権威や権力に従属する、と考察した。だからナチスを支持した。群れて生きることをDNAに刷り込まれたホモサピエンスは自由が怖いのだ。そして仮想の権威に従属する。エティエンヌ・ド・ラ・ボエシはこれを「自発的隷従」と呼んだ。

その敵が持つ特権はと言えば、自分を滅ぼすことができるように、あなた方自身が彼に授けたものにほかならないのだ。

（『自発的隷従論』、ちくま学芸文庫）

放送禁止歌は標識だ。そこには「ここから先は危険」と書かれている。日本のメディアや表現領域に与えられている自由の裁量権は、諸外国に比べても実のところ決して小さくない。だからこそ集団と相性が良い日本人は不安になる。広い野原で「どこに行ってもいいよ」と言われて立ちすくんでしまう子どものように。

ここから先は危険だと規定されるということは、ここから先に行かなければ安全なのだとお墨付きをもらうことと同義でもある。こうして広い野原に「この先危険」の標識を立てる。多ければ多いほど安心できる。群れに従属しているから主語が曖昧だ。つまり主体性が薄い。だから自分たちで標識を立てたことを忘れてしまう。そして今夜も新橋や赤坂の居酒屋などで放送業界関係者は、規制が多すぎて何も表現できないよ、などと愚痴をこぼしながら酒を飲んでいる。

表現の本質とは

「表現の不自由展・その後」の展示再開が決定する少し前、騒動を受けて設置された「あいちトリエンナーレのあり方検証委員会」は、「脅迫や電凸（電話による攻撃）等のリスク回避策を十分に講じること」「展示方法や解説プログラムの改善・追加」「写真撮影とSNSによる拡散を防ぐルールを徹底する」などの条件を提示しながら、「条件が整い次第、速やかに再開すべきである」との方向性を示す中間報告案を発表した。

もちろん、再開すべきとの趣旨は間違いではない。直接のきっかけになったとされる脅迫「さもなくばガソリン携行缶持って館へおじゃますんで」とFAXしてきた男は逮捕された。差し迫った危機は消滅している。そもそも本気で火をつけようと考えたなら事前に予告などしない。実際に男は本気ではなかったと取り調べで供述している。それを聞くまでもない。無視するべきだった。中止すべきではなかったのだ。

とにかく危機は去った。ならば再開する。当たり前のこと。でも表現を自分の仕事に選んだ一人として僕は断言する。「あり方検証委員会」の委員に選ばれた識者たちは、表現の本質について何もわかっていない。

展示方法の改善として委員会は、「遠近を抱えて Part II」については、「今の場所では作家の真意が理解されにくい」としたうえで、別の会場で作家自身に作品への思いを語らせることなどを提案している。また「平和の少女像」については、作品の背景説明と併せて、ガイドツアー方式の鑑賞を取り入れることなどと報告案に記している。

例えば僕の映画について、「今の場所では監督の真意が理解されにくい」と断言されて上映会場とは別の会場で「監督に作品の思いを語らせる」ことを上映の条件にされたなら、僕は間違いなくその日のうちに荷物をまとめるはずだ。上映中にガイドが映像について説明しますなどと言われたら、椅子を蹴散らかしながら会場から遁走するかもしれない。

表現は論文ではない。言葉で説明できないからこそ、映像や絵の具や音色に、言語化できない自分の思いを託すのだ。つまり暗喩。あるいはメタファー。それが表現の本質だ。

自画像を展示するゴッホが、「ここで茶色を使った理由は何ですか」とか、「なぜパイプをくわえているのですか」などの質問に答える状況を想像してほしい。あるいは交響曲第九番を指揮し終えた後のベートーヴェンが、別会場で観客とのティーチインに臨むだろうか。過剰な補助線は作品を壊す。一〇〇パーセントの理解など作者自身も求めていないはずだ。誤解や曲解をすべて排除しようとするならば、表現はその瞬間に窒息する。観たり読んだり聴いたりした人の解釈によって、作家自身が気づいたり発見したりすることも無数にある。

市長の「心を踏みにじる」発言

結果として、「あり方検証委員会」の提案はほぼ採用されなかった。それは当然だと思いながらも、なぜこれほどに後退し続けているのか、と吐息をつきたくなる。

そもそも脅迫や電凸を誘引した発端は、前述したように、展示を視察した河村たかし名古屋市長の「日本国民の心を踏みにじる行為」との発言だった。だからまずは河村市長に言いたい。この発言の主語はあなただ。あなたは踏みにじられたと感じたのかもしれない。ならばそう言えばいい。自分の視点や感覚を日本国民の総意にすり替えるな。

そう告げてから考える。この発言を公権力の介入と規定して問題視する人は少なくない。でも僕の意見は少し違う。表現の自由は政治家にも認められるべきだ。いや認めるというレベルではなく、公権力を持つ立場にあるからこそ、内心の思想信条をごまかしたり隠したりせずに表明することは責務だと思う。だから（主語を一人称単数から日本国民にすり替えたことは別にして）河村市長が思いを発言することに問題はまったくない。

ただし河村市長はこの発言後に、実行委員会会長である大村秀章愛知県知事に対して、文書で展示中止を要請した。名古屋市の負担金支払いを今になって拒否する意向も示している。これは自己の思想信条の表現ではない。文字どおり公権力の介入だ。その違いすらわからないならば、あなたは公権力を持つべきではない。

その後に河村市長の「日本国民の心を踏みにじる」発言を受ける形でネットやSNSなど

では、「人を傷つけるような展示は表現ではない」とか「ヘイトスピーチと何が違うのか」などの書き込みが増殖した。

ならば答えよう。例に挙げた書き込みの後者はともかく、前者は明確に間違っている。

そもそも表現には加害性がある。だからこそ人の心を揺さぶることができる。国連本部に置かれているピカソの「ゲルニカ」（複製タペストリー）は、これを見る人をハッピーにするだろうか。丸木位里・俊夫妻が描いた「原爆の図」は、見た人の心を深く抉るからこそ価値がある。それは表現の大切な本質だ。「人を傷つける展示は表現ではない」と主張するあなたは、映画を観たり本を読んだり絵画を見たりすることはやめて、テレビのバラエティショーを終日観ていればいい（ただしバラエティショーにも毒はある）。

ヘイトと表現の自由の衝突

ならばヘイトスピーチと表現との差異はどう捉えるべきか。特定の民族や国籍を有する人々などに対する憎悪を表明し、あるいは憎悪を煽る表現であることがヘイトスピーチのとりあえずの定義だ。その対象には民族や国籍だけではなく、被差別部落出身者やＬＧＢＴＱ＋、心身障害者や男性優位社会における女性なども含まれる。

一九六五年の国連総会で採択された人種差別撤廃条約四条は、「人種的優越又は憎悪に基づく思想のあらゆる流布、人種差別の扇動」などを禁じ、「人種差別を助長し及び扇動する団体及び組織的宣伝活動」「このような団体又は活動への参加」を法律で処罰すべきことを定めている。もちろん日本もこの条約の締約国だ。ただし日本は締約にあたり、「日本国憲法の下における集会、結社及び表現の自由その他の権利の保障と抵触しない限度において」

と留保を付している。最高裁の諸判決も、「憲法二一条の保障する表現の自由は、民主主義国家の政治的基盤をなし、国民の基本的人権のうちでもとりわけ重要なものであり、法律によってもみだりに制限することができないものである」と認めている。

つまり人種差別撤廃条約や国際人権規約などで規定されるヘイトスピーチと憲法二一条が保障する表現の自由は、時として対立し衝突する。さらにこの構図に、「生命、自由及び幸福追求に対する国民の権利については、公共の福祉に反しない限り、立法その他の国政の上で、最大の尊重を必要とする」とする憲法一三条「公共の福祉」を重ねれば、さらに解釈は複雑になる。

だからこそ頻繁に議論になる。これはヘイトなのか。あれは表現の自由として許容されるべきなのか。政治家がテレビ局上層部を呼びつけて公正にやれと発言することは表現の自由への政治介入なのか（どう考えてもそうだ）。客観的な映画であるかどうかを政治家が判断して助成金交付を中止すると脅すことは表現の自由への侵害にあたらないのか（これも同様）。かつてアジアの多くの人を苦しめた大日本帝国の軍部やその精神的支柱だった天皇制を批判することはヘイトスピーチとは違うのか（当たり前だ）。

……例が悪いのかな。これでは議論にならない。補足するけれど、「遠近を抱えて Part II」の作者である大浦信行とは旧い友人だけど、天皇制批判のつもりなんかないんだけどな、などとぶつぶつ言っている。でもそれはどうだろう。彼の真意とは違うかもしれない。あるいは、真意は表現者本人にもわからないのかもしれない。

明確な線引きはできない

結論から書けば、在特会（在日特権を許さない市民の会）の「朝鮮人は皆殺せ」とか「ウジ虫韓国人」、あるいは被差別部落に暮らす人たちに対する「エタヒニン」などの罵倒や扇動は絶対的な論外としても、ヘイトの定義と表現の自由のあいだに明確なラインはない。つまり線引きはできない。グレーな領域にあるのだから、一つひとつ煩悶して解を探すしか方法はない。煩雑で手間がかかる。でもそれは、健全な民主主義を実現するうえで必要な代償だ。手間を理由に簡略化はできない。そして冷静な解を得るためには、熱狂した社会ではなく、一人ひとりが個（一人称単数の主語）を保持する成熟した社会であることが条件だ。

しかし集団化が進みつつある社会は余裕がない。一人称単数の主語が消えて指示待ちアイドリング状態となっている。特に熱狂する人たちにとって、曖昧な指示は意味をなさない。黒か白。右か左。真実か虚偽。正義か悪。こうしたダイコトミー（二項対立）が前面に現れて、煩悶や葛藤は無価値な要素として捨象される。

……今この原稿を書きながら、少し前に会った作家・演出家の鴻上尚史が、「最近の演劇の観客は昔とはずいぶん変わってきた」とぼやいていたことを思いだした。「どう変わったのか」と訊ねれば、「芝居が終わってから、結局は誰が悪者なのですか、って真顔で訊くんだよ」と鴻上は困ったようにつぶやいた。悪者は誰だ。敵はどこにいる。ラミダス猿人の時代から五〇〇万年が過ぎたのに、この国の人たちは不安と恐怖に耐えきれず、まるで先祖返りを起こしたように、仮想の敵を無理やりに可視化しようとしている。

集団化した社会は多面的な見方ができなくなる。イチかゼロ。つまりデジタルだ。それは仮想空間であって、決してアナログな現実ではない。だから歴史と事実が乖離する。

戦争には被害もあれば加害もある。でも加害の側に身を置いていたとの記憶はつらい。被害の側にいたと記憶するほうが気持ちは楽だ。

こうして被虐史観が強くなる。加害の歴史から目をそむけたくなる。河村市長の「日本国民の心を踏みにじる」発言に続いて松井一郎大阪市長は、公金が投入された催しで「我々の先祖があまりにも人としての失格者というかケダモノ的に取り扱われる」ことは問題だと発言した。まずは松井市長の旺盛な想像力と鑑賞眼を、僕は（舌の裏に皮肉を込めながら）称賛したいと思う。展示された少女像を見て（松井市長は展示された実物を見ていないはずだが）、それだけで「かつて自分たちは人としての失格者でありケダモノのような存在だった」との意識が芽生えたのならば、少女像はそう訴えていると感じるのなら、それはそれで間違いではない。

歴史を学ぶ意義

僕たちは歴史をなぜ学ぶのか。同じ過ちをくりかえさないように学習するためだ。特に集団化が進んだとき、集団のラスボスである国家は大きな過ちを犯すことを、歴史は雄弁に物語っている。

自国民の蛮行を克明に展示するドイツのダッハウ強制収容所記念館やカンボジアのキリングフィールド、あるいはトゥールスレン虐殺博物館など、自分たちの過ちや加害をテーマとした世界の主要な展示施設のほとんどは国立だ。つまり公金を使って自分たちの過ちと加害を直視し、さらに世界に向けて発信している。特にホロコーストについては、ユネスコが世界遺産に登録したアウシュビッツ強制収容所を筆頭に、世界中でその蛮行の写真や資料が展示されている。

国連本部の安全保障理事会の会議場に掲示されている巨大な「ゲルニカ」に対して、「我々の先祖をケダモノのように扱っている」と今のドイツが抗議して撤去を主張したとしたら、世界はドイツに対して何を思うだろう。群れて生きることを選択した人類は、条件さえ揃えばケダモノにもなるし紳士淑女にもなる。民族や宗教は関係ない。同調圧力がもたらす人類の負の属性だ。大切なことは負の歴史を見つめる勇気と理性を持つこと。それが歴史を学ぶ意義のはずだ。

特にETV番組改変問題から始まったこの二〇年（それはまさしくこの国の集団化が加速した時期とほぼ重なる）、展示会や映画上映などが中止されたりテレビ局に対して圧力がかけられたりなどの事例が急激に増えている。市民団体が平和や憲法などをテーマにした集会を公民館などで実施しようとしても、会場を管理する自治体から政治的な催しには協力できないと断られる事態も頻発している。

リスク回避を優先する人たちの意識内に駆動しているのは不安と恐怖だ。つまりセキュリティ意識の高揚。「万が一のことがあったら」という声に対抗できない。炎上は何よりも怖い。責任も取りたくない。街を見渡せば防犯カメラばかり。「特別警戒実施中」や「テロ警戒中」などの貼り紙も目に飛び込んでくる。不安と恐怖はさらに増殖する。だから問題が顕在化する前に店仕舞いする。なるべく周囲と一緒に動く。余計なことはしない。その傾向が加速している。どうすればリスクを少なくできるかを考えるべきなのに、いきなりリスクゼロを選択しようとする。本日閉店の札を早く出したい。ならば表現の自由の優先順位が下がることは当然だ。集団化によって右へ倣え。社会全体が均質化する。多数派に同調しない表現は群れの中の異物だ。少しでも物議をかもしそうな表現は、これに関わる自分を危機に晒す。ならばできるだけ速やかに排除せねばならない。

集団は敵を探す

集団は集団内に異物（少数派）を探す。なぜなら自分たちは多数派になりたいから。次に集団は集団の外に敵を探す。なぜなら共通の敵を発見すれば、さらに強く自分たちは連帯できるから。つまり集団化は分断と同時並行に進む。もう二〇年近くにわたって集団化が進行してきたこの国では、セキュリティ意識が飽和して国外に溢れ出している。

その帰結として仮想敵国が出現する。メディアはその危機を煽る。なぜなら視聴率や部数が上がるから。政治権力もこれを煽る。なぜなら支持率が上がるから。こうして近隣の国が仮想敵国となる。具体的には中国と韓国と北朝鮮。つまり隣近所すべてだ。こうした動きに対抗すべき言論や表現が機能しなければ、最悪な状況へと相は転移する。その一線はどこにあるのか。

特にこの二〇年、表現の自由の領域はずっと後退してきた。ならばその一線は今、僕たちの踵のすぐ後ろにあっても不思議ではない。

（『Journalism』二〇一九年一一月号）

2020　自ら従う人びと

2020年の主な出来事

1月
イギリスが欧州連合（EU）を離脱。

2月
政府、全国の小中学校や高校などを3月2日から春休みまで一斉休校とするよう要請。

3月
相模原市の障害者施設「津久井やまゆり園」で入所者19人を殺害したとして元職員に死刑判決。
世界保健機関（WHO）が新型コロナを「パンデミックとみなせる」と表明。
東京オリンピック・パラリンピックの1年程度の延期が決まる。

4月
安倍首相が全世帯に布マスク（「アベノマスク」）を2枚ずつ配ると表明。
コロナ拡大で7都府県に緊急事態宣言が発令。後に全国に拡大。

5月
政府・与党が検察庁法改正案の成立を断念。同月、東京高検の黒川弘務検事長が賭け麻雀報道で辞職し、廃案に。
アメリカで黒人のジョージ・フロイドさんが白人警官に首を圧迫されて死亡。事件をきっかけに「BLM」運動が世界に拡大。

6月
19年参院選での買収容疑で、河井克行元法相と妻案里議員を逮捕。
中国の全人代が「香港国家安全維持法（国安法）」の導入を決定、香港政府が即日施行。

7月
九州各地で記録的な豪雨。熊本県では球磨川が氾濫し特別養護老人ホームが水没。

8月
安倍首相が、潰瘍性大腸炎が再発したことを理由に辞任を表明。7年8カ月余りの史上最長政権だった。

9月
トランプ大統領の仲介で、アラブ首長国連邦とバーレーンがイスラエルと国交樹立の文書に署名。
菅義偉氏が臨時国会で第99代首相に選出。

10月
菅首相、日本学術会議会員候補6人を任命拒否。
核兵器禁止条約を批准した国・地域が発効に必要な50に達し、21年1月に発効する見込みに。

11月
アメリカ大統領選で民主党のバイデン元副大統領が共和党のトランプ大統領に勝利。

インフレを起こす「テロリズム」

おそらくというか間違いなく、誰もがこの類の掲示（次のページ）は何度も目にしているはずだ。テロを許さない。大前提としてそれは当たり前。テロくらい大目に見ようよ、などと考えている人がいるのか。いるならここに連れてこい。あらためて「許さない」などと言われても困る。でもだからこそ考えたい。そもそもテロとは何か。我々は何を監視せねばならないのか。

テロの正式名称はテロリズム（terrorism）。語源は不安や恐怖を意味するテラー（terror）だ。そしてテロリズムについて『広辞苑』は、「政治目的のために、暴力あるいはその脅威に訴える傾向。また、その行為。暴力主義。テロ」と定義している。つまりテロは暴力行為そのものが目的ではなく、暴力や破壊によって標的に恐怖を与え、自らの政治目的を達成しようとする試みだ。もしもビル爆破や多数の人を殺傷する事件が起きたとしても、そこに政治的目的がなければ、テロではなく凶悪犯罪として線引きされるべきなのだ。

だからテロを決行する側にとっても、大目に見られるのだったらテロの意味がない。許すなと社会がいきりたてばたつほど、大きく報道されればされるほど、皮肉なことにテロの意味と効果は増大する。

つまり「テロ」は取扱注意なのだ。でもこの国ではオウム真理教による地下鉄サリン事件以降、そして世界ではアメリカ同時多発テロ以降、テロという言葉が、とても安易に消費されるようになった。

東海道新幹線の車内で男女三人が殺傷された事件で、被告男性に対して検察は、以下のような記述で論告求刑した。

「一生刑務所に入りたいという身勝手な動機で（中略）強固な殺意に基づいた極めて残虐な犯行で、満員の新幹線での犯行は暴力テロとも言える。反省も一切無い」

「一生刑務所に入りたい」という動機を額面どおりに受け取るなら、これは決してテロではない。政治性はまったくない。不安や恐怖を社会に与えるとの意図もない。定義の前提が違うのだ。

街でよく見かけるテロ防止の掲示

　なぜ検察はテロという言葉を論告に使ったのか。テロの意味すら知らないのか。その可能性はある。でもそれだけではない。残虐性や冷酷性を強調したいからだ。同じことはメディアにも言える。最近は些細な事件についても、テロという言葉を使う。敵の存在を強調したい政治家も、テロを安易に使う。こうして世界中でテロがインフレーションを起こす。なぜならテロは絶対的な悪だ。だから闘わねばならない。許してはいけない。屈してはならない。正義は我らとともにある。……こうした高揚が間違いを犯す。アメリカのイラク侵攻はその典型だ。

「「テロに屈するな」に屈するな」。……これは四年前（二〇一六年）に上梓した本のタイトルだ。わかりづらくてまぎらわしいせいかあまり売れなかった。でもその思いは今も変わらない。

　もう一度書く。テロの目的は標的や社会に不安や恐怖を与えること。ならばメディアが（結果的に）そのアシストをしている、との見方もできる。そしてもちろん、社会にまき散らされるこんなチラシや標語も、いわば一つのメディアである。

（『生活と自治』二〇二〇年二月号）

複数形の正しさに向き合う

ずっと家にこもっている。

……といっても過剰に感染を恐れているわけじゃない。大学は春休み中だし、シンポジウムや映画祭などの予定はほぼ軒並み中止になった。三月は長期海外取材の予定もあったのだけれど、これも出発直前にキャンセルされた。例年なら参加する二つの花見の会も消えた。だから外出する理由がないのだ。

昨夜は短時間だけど外出した。目的地は家の近くのスーパー。買い占めで東京都内のスーパーの陳列棚からほとんどの品物が消えたと報道されていたので、都内ではないけれど首都圏の端の事情はどうだろうとの興味もあった。

結論から書けば、夜なのに買い物客はいつもに比べて五割ほど多く、インスタントラーメンなど保存食の棚は確かにほぼ空になっていたが、テレビニュースで見た映像ほど深刻ではなかった。ただしこの先どうなるかはわからない。

新型コロナウイルスのパンデミックを防ぐため、大人数が集まるイベントの中止や外出を控えることは間違っていない。致死率も低くはないし感染力も弱くない。そして何よりも、決定的な治療方法がまだ見つかっていない。ならば自粛は当然だし、事態によっては完全封鎖（ロックダウン）もありえる。

しかし期限がわからない。もしもこのまま社会全体の自粛が続けば、経済はこれ以上ないほどに悪化する。中小零細企業や個人商店は存亡の機を迎えるし、大企業もリストラなどを始めるだろう。弱い人や声の小さな人はさらに追いつめられ、自己破産や自死が増えても不思議はない。どちらにしても拡大すれば大きなダメージを受ける。

感染拡大の防止と過剰な自粛への危惧。前者は疫学的な見地から考察される正しい選択だし、後者は経済学的な視点からの正しい選択だ。日本だけではない。二つの正しさの衝突で世界が苦悶している。

このジレンマは珍しいことではない。場合によっては二つではなくもっと複数の正しさが混在することもある。ここで単純な多数決に陥らないことは民主主義の重要な機能だし、多くの正しさを調整することが政治の重要な役割だ。つまりこんな状況だからこそ、その国の政治と民意の成熟度が明らかになる。

三月下旬、相模原市知的障害者施設殺傷事件を起こした植松聖に面会した。この数日前に植松は、一審で死刑判決を下されていた。でも本人は控訴しないつもりらしい。ならば死刑が確定する。確定すれば面会はできなくなるし手紙のやりとりもできない。控訴すべきだと僕は言った。もう少しこの事件について考える時間が欲しい。生きる価値がないと命を選別して殺した彼は、命はすべて平等に価値があると怒る社会から、おまえは生きる価値がないと判断されて処刑される。

まるで悪夢のようなジレンマだ。でもそのジレンマについて、疑問を持つ人は決して多くない。さらに一審の判決がこのまま確定すれば、社会は急速に関心を失う。煩悶する手がかりがなくなってしまう。

そんなことを思いながら控訴を勧める僕に、ほぼ一カ月前の初公判の日に被害者と遺族への謝罪のためと称して右手小指を噛みちぎった植松は、微笑みながら「無理ですよ」と首を横に振った。なおも控訴を勧める僕に、「それは筋が違います」と植松は言った。表情は柔和だが言葉は強い。法廷で右手小指を噛み切ろうとした植松に対して、死刑逃れのために精神錯乱を装っているのだと断言する人は少なくなかったが、ならば控訴しないとの意思を最初から示していたこととの矛盾について、どのように説明するのだろう。

犯行前に大島理森衆議院議長と安倍首相に宛てた手紙には、具体的な犯行予告だけではなく、「地球の奇跡が生んだ大麻の力は必要不可欠だ」とか「私はＵＦＯを２回見たことがあります。未来人なのかも知れません」などと書かれており、手紙の最後には、犯行後は自由な生活と五億円の支援を確約してほしいなどと記されている。

明らかに常軌を逸している。でも精神鑑定の結果は、重大犯罪の場合にはほぼお約束のパーソナリティー障害だ。大麻を常習していた影響は認めながら、計画した内容どおりに襲撃を決行していることから責任能力に問題はない、と結論づけている。

意味がわからない。計画どおりに異常な犯罪を決行したことが、なぜ正常であることの証明になるのか。牽強付会どころではない。ただし理由は想像がつく。もしも責任能力がないということになれば、処刑できなくなる。それは困る。多くの人が怒り狂う。だから最初から死刑判決以外にはありえない。そんな裁判に意味はあるのか。でも異議や批判の声は小さい。

ジレンマだらけ。でも多くの人は気にしない。つくづく実感する。政治や司法は社会を反映する。レベルは同じなのだ。

面会室の扉を開けながら振り返れば、植松は深々と頭を下げていた。

(『新潟日報』二〇二〇年四月五日付朝刊)

報道の自由度トップの国で

ヘルシンキは寒くなかった。

と書きだしたけれど、滞在した時期は一月初旬から二月初旬にかけての厳冬だから、寒くないはずはない。でもこの時期のヘルシンキはもっと寒いはずだ。多くの人から防寒対策は充分にするようにと言われたので、ユニクロとファッションセンターしまむらで、ヒートテックのアンダーウェアを大量に買い込んでスーツケースに入れた。

ところが九時間のフライトで到着したヘルシンキ・ヴァンター国際空港の外に出れば、まったく冷気を感じない。体感的には、やはり暖冬の東京とほぼ同じくらいの寒さだった。アンダーウェアなど必要ない。現地の人から「例年のこの時期はマイナス一〇度くらいだけど、今年はプラス五度の日もあるよ」と教えられた。そもそも雪が降っていない。雨がしとしと降っている。世界の温暖化は明らかだ。でもトランプも含めて世界の指導者たちは無関心。あるいは関心がないふりをしている。その本音がよくわからない。同じ北欧のスウェーデンに生まれた環境活動家のグレタ・トゥーンベリの怒りを共有する。

多くの人たちが苦しんでいます。多くの人たちが死んでいます。全ての生態系が破壊されています。私たちは大量絶滅の始まりにいます。

それなのにあなたたちが話しているのは、お金のことと、経済発展がいつまでも続くというおとぎ話ばかり。恥ずかしくないんでしょうか！

三〇年以上にわたって、科学ははっきりと示してきました。それに目をそむけて、ここにやって来て、自分たちはやるべきことをやっていると、どうして言えるのでしょうか。必要とされている政治や解決策はどこにも見当たりません。

（国連でのスピーチから引用）

フィンランドに来た理由は、新作映画『i』がヘルシンキ・ドキュメンタリー映画祭に招待されたから。ノルウェーやスウェーデンは仕事で何度か来たことがあるけれど、フィンランドの長期滞在は初めてだ。そして何よりも、観客たちの『i』への反応は、ある意味で楽しみであり、同時にある意味で怖かった。

「怖かった」と書く理由は単純だ。国境なき記者団が毎年発表する「報道の自由度ランキング」において、フィンランドはノルウェーと並んで、ほぼ毎年一位か二位にランクインする国なのだ。日本の最新のランクは六六位。ギリシャ、アルゼンチン、ポーランド、ジョージア、クロアチア、チリ、ルーマニア、パプアニューギニア、韓国、ニジェールなど多くの国の後塵を拝し、OECD参加国では堂々の最下位だ。

民主党政権時代の一一位がこれまでの最高位。安倍政権になってから日本のジャーナリズムへの評価は下落の一途。今ではガーナやハイチのほうがランクとしては上なのだ。別にガーナやハイチを見下すつもりはないが、少なくともデモクラシーの歴史において日本は、これらの国よりもはるかに長い歴史を持つはずだ。

もちろん報道の自由度の査定基準について、欧米の価値観が強く反映されすぎているなど、いくつか異論があることは知っている。でも最下位の常連が北朝鮮やエリトリアであることも含めて(そのすぐ上が中国)、査定は公正に行われていると思う。少なくとも世界レベルで現在の日本のジャーナリズムの自由度が、六六位と認定されていることは確かなのだ。

ならば毎年ほぼトップにランクインするメディア環境に暮らすフィンランドの人たちは、『i』を観てどんな感想を抱くのだろう。おそらくあきれるはずだ。失笑されるかもしれない。フィンランド語の「Oh my god!」や吐息で劇場内が充満する光景が目に浮かぶ。

だから上映前の映画館のロビーで、自分はなぜここにいるのだろう、という気分になってきた。まるで日本の恥を世界に晒すために来たかのような気がしてくる。

ただしこの感覚は初めてではない。『A』や『A2』、『FAKE』のときにも、同様のいたたまれない思いを抱いたことは何度もある。

特に初めての映画作品である『A』のときには、この感覚に自分の力量は映画監督には達していないとの思いが重なり、香港映画祭のときは上映後に港に行って一人で泣いた。今さらそこまでウブではないけれど、でも報道の自由度ランキングがトップの国で『i』を上映するということで、緊張がより高まったことは確かだ。

ヘルシンキ・ドキュメンタリー映画祭は、規模としてはさほど大きくないが、おおぜいのヘルシンキ市民によって支えられている。多くの人たちが劇場に足を運ぶ。

初回の上映は市内目抜き通りにあるオリオン座で行われた。上映後の観客たちの表情は複雑だった。Q&Aが始まって司会が感想を求めれば、日本の記者クラブ制度やメディアの政治権力監視について、「とても信じられない」とか「不思議だ」とか「理解できない」などの声が（予想どおり）多かった。でもラストについて、つまり集団や組織の暴走については、「国や民族は違ってもそのリスクは共通だ」と発言する人も少なくなかった。『i』を観ていない人にとってはネタバレになるけれど、ラストはナチスドイツについて少しだけ触れている。だから実際にナチスの脅威に晒されたヨーロッパの人たちが、このラストをどのように解釈するだろうかという興味はあった。

でもフィンランドは第二次世界大戦中、実は枢軸国の側にいた。つまり立場的にはナチスドイツと同盟関係にあった日本と近い。まあこれも事情がある。長くロシアからの脅威に晒されていたフィンランドにとっては、どちらを選ぶべきか、という究極の選択をこの時期に迫られたのだ。でも結果的には、ナチスドイツに加担したことになる。だからこそラストシーンについての感想は簡単ではない。少しだけ思いつめた表情で、歴史や自分たちの加害性について語るフィンランドの人たちの言葉を聞きながら、シャイで内向的なところが日本人に似ている、と誰かが言っていたことを思いだした。確かに似ている。でも違いもたくさんある。当たり前だ。世界は複雑だ。多面的で多重的で多層的。その思いをあらためて実感した。

Q&Aの終盤、「あなたはこの映画に日本のジェンダー状況についての異議も加えたかったのか？」と質問された。基本的にはテーマについての質問には答えたくない。あのカットの意味は何かとの質問についても同様。映画は観た瞬間にその人のものになる。好きなように解釈されるべきだ。監督が余計なことを言うべきじゃない。

そう思っているけれど、この質問には虚を衝かれた。そういえば以前にもこの質問をされた。外国人特派員協会で行われた試写会で、手を挙げたのはやはり外国の記者だった。ヘルシンキではこの質問が口火となって、複数の観客から、「なぜ日本の記者は男性ばかりなのか」「国会に女性が少ないことが不思議だ」などの質問や意見が相次いだ。

現在のフィンランドの首相は三四歳のサンナ・マリン。彼女は実母とその同性パートナーに育てられている。現首相だけではない。フィンランドの連立五与党のうち三党の党首も三〇代女性で、内閣閣僚一九人のうち女性は一二人。女性の社会進出は議論の段階ではなく前提なのだ。

そんな国に暮らしている人たちから見れば、男ばかりの日本の国会や記者クラブの状況は、とても異様に見えるのだろう。ホテルでテレビを観ていても、女性カップルや男性カップルが、当たり前のように紹介されている。そもそも日本のワイドショーやバラエティのような番組はほとんどない。ゴールデンタイムの民放で社会や政治の問題について、普通にディベート番組が放送されている。これはフィンランドに限ったことではなく、ヨーロッパのほとんどの国はテレビ番組が真面目だ（例外はイギリスとイタリアらしいが）。

上映の合間に市内を散策した。映画祭主催でサウナツアーがあったので参加した。海のすぐそばのサウナだ。

サウナに入ることは予想していたので水着を持参してきたが、他の外国人監督や制作関係者たちは、あっというまに全裸になってしまった。隠す気などまったくない。こうなると水着が逆に恥ずかしい。

サウナで蒸された後はすぐそばの海に飛び込む。ジョークかと思っていたら現実だった。仕方がない。覚悟を決めて僕も海に浸かる。例年なら海は凍っていて穴を開けて入るんだと、フィンランドの監督が説明してくれる。

帰国して早々に国会中継を見る。衆院予算委員会だ。以下は翌日（二月一八日）の朝日新聞朝刊だ。

立憲民主党の辻元清美幹事長代行は17日の衆院予算委員会で、安倍晋三首相が抱える「桜を見る会」の問題に関連し、前夜祭の会場となったホテルのうち、「ＡＮＡインターコンチネンタルホテル東京」に問い合わせて得た回答が、これまでの首相の国会答弁とは「真っ向から違う」と指摘、追及した。

首相は、都内のホテルで開いた前夜祭について、ホテル側と契約した主体は参加者だとして、明細書や領収書は、自身の事務所に対して発行されていないという内容の説明を続けている。

一方、辻元氏は、13年以降、３回、前夜祭が開かれた「ＡＮＡインターコンチネンタルホテル東京」に問い合わせた内容として、首相の会合を含めて13年以降に行われたすべてのパーティーや宴会で、主催者に見積書や明細書などを発行しないケースはあったかとの質問に「ございません」との回答があったと明かした。

また、領収書を手書きで宛名を空欄にしたり、代金を参加者から会費形式で受け取るなど、これまで首相が主張してきた内容についても問い合わせたというが、ホテル側は、いずれも否定したという。

まさしくこの場面を僕はライブで見ていたが、記事を読みながらあらためて不思議になる。この記事を掲載した朝日も含めてこの国のメディアは、なぜ辻元議員の前にANAホテルへの取材をしなかったのか。したけれど答えてもらえなかったのか。そもそもこれは、国会議員ではなくてメディアがやるべき仕事ではないのか。アメリカではペンタゴン・ペーパーズにウォーターゲート事件、最近ではアフガン・ペーパーズなど、政権の不正行為はメディアがすべて暴いている。

メディア環境の成熟度は社会の成熟度に呼応する。ならばその社会が選ぶ政治家たちの質も比例する。つまり三位一体。ならば日本の今の成熟度は世界第六六位。ほぼ途上国だ。ただし途上国は成長するが、日本の場合は下降する途上国。

報道の自由度ランキングトップの国から帰国して早々に、つくづくこれを実感した。

（『創』二〇二〇年四月号）

地下鉄サリン事件の禍根

オウム真理教による地下鉄サリン事件が発生してから四半世紀が過ぎた。ひとつの節目だ。でも今年（二〇二〇年）の三月二〇日は、一人のサリン事件被害者がひっそりと亡くなっていたことが一部メディアで報道されたが、オウムについて正面から扱った記事やニュース番組は（僕の知るかぎり）見当たらなかった。

ある意味で当然だ。「風化させてはならない」は大きな事件が起きたあとの常套句だが、アニバーサリー的な扱いばかりが前面に出る状況は、すでにその事件が風化しかけていることを示している。それは前提にしながらも、やはりオウム事件を忘却してはいけないと僕は声をあげる。なぜならサリン事件以降に始まった社会の変質は終わっていない。それは過去形ではなく現在進行形なのだ。

地下鉄サリン事件は不特定多数の人が標的にされた。加害側と被害側に因果関係はない。もし一九九五年三月二〇日の朝に東京の営団地下鉄に乗っていたら、誰もが被害者となる可能性があった。それは自分の夫だったかもしれないし妻だったかもしれない。子どもや親だった可能性もある。

こうして共有された疑似的な被害者遺族感情を燃料に、善悪二極化が進行した。不安や恐怖も増大する。だからセキュリティ意識が突出する。

もちろん犯罪被害者等基本法の成立など、より良く変わった側面もある。でもオウムによる一連の事件を契機にして被害者の聖域化と善悪二元化が進行し、その後に起きた多くの問題に強い影響力をもたらしたことも事実だ。

ひとつ例を挙げる。北朝鮮による日本人拉致問題だ。二〇〇二年に平壌で行われた日朝首脳会談で、最高指導者である金正日が日本人拉致を認めて謝罪し、日朝国交正常化と再発防止を約束した。日朝平壌宣言だ。これを受ける形で同年には拉致被害者五人が帰国した。しかし北朝鮮はこのとき、一時帰国のつもりで五人を送り出している。それは日本政府も承知していた。ところが五人をまた北朝鮮に戻すなどありえないと世論が沸騰し、五人は帰らなかった。約束を反故にされた北朝鮮は当然ながら怒る。

補足するが、五人を北朝鮮に戻さなかったことは正しい。一時帰国などありえないと僕も思う。ただし、国家間の約束を先に破ったのは日本政府のほうだということくらいは記憶したほうがいい。

それから二〇年近くが過ぎるが、国交正常化もなされていないし、他の拉致被害者の帰国も含めて事態はまったく進展していない。複雑な経緯なので、すべてを書くには紙幅がない。でも「悪の北朝鮮を許すな」とか「交渉などできる相手ではない」などの世論に、日本政府が迎合し続けたことは確かだ（そしてこのとき内閣官房副長官だった安倍晋三が、北朝鮮への経済制裁などを強硬に主張して国民的な人気を得たことも）。

もしも「国交正常化を早期に実現させるため、あらゆる努力を傾注する」と記された平壌宣言を日本が履行していれば、その後に拉致問題はまったく違う局面になっていたはずだ。

二〇〇四年に北朝鮮は横田めぐみさんの遺骨を日本に提供したが、DNA鑑定を依頼された帝京大の吉井富夫講師は遺骨を偽物と断定し、このときも日本国内の世論は沸騰した。しかし翌年になって、イギリスの科学専門誌『ネイチャー』二月二日号が、この鑑定について吉井講師にインタビューを行い、「自分が行った鑑定は断定的なものではない」「サンプルが汚染されていた可能性もある」などと答えたことを記事にした。

そもそも吉井講師と同じタイミングで鑑定を依頼された科警研（科学警察研究所）は、遺骨が高温で焼かれていたためDNAを検出できなかったと結果を発表している。なぜ吉井講師だけが、遺骨はめぐみさんとは違うと断定できたのか。吉井は科学者としてやってはいけない領域に踏み込んだのではないかと『ネイチャー』は問題提起した。

本来なら日本のメディアも、すぐに本人に聞き取りして検証すべきだった。でもできなくなった。なぜならこの直後に彼は科警研に転職した。国家公務員となったから守秘義務が優先される。以降の吉井は沈黙する。私立大学講師として普通ならありえない栄転だ。

こうした事態を受けて『ネイチャー』三月一七日号は強い論調で、確定的でない鑑定結果は日本政府にとって不愉快かもしれないが、その科学性を真摯に受け止めるべきである、という内容の社説を掲げている。

もう一度補足するが、そもそも日本人を拉致したのは北朝鮮だ。責められることは当たり前。ただし、歴史的と称された日朝平壌宣言以降に、日本政府と北朝鮮政府のあいだでどのような経緯があって拉致問題解決の道筋は遠のいたのか。そしてその事態になった最大の要因は、「悪の北朝鮮を許すな」「交渉などありえない」などの強硬な姿勢だったことくらいは、日本人が記憶すべき歴史のひとつだと思う。

柏市の市役所に立つ看板

もしもオウムによる地下鉄サリン事件が起きていなかったら、拉致問題が現在とは違う展開をしていた可能性はあると僕は思う。サリン事件後に駆動した危機意識と集団化は、オウムに続いて北朝鮮という敵を見つけて、徹底した憎悪と嫌悪の対象とした。ならば交渉などすべきではない。対話などありえない。

地下鉄サリン事件が起きたとき、僕は千葉県我孫子市に住んでいた。市役所の正面玄関の横には以前から、「人権はみなが持つもの守るもの」と記された大きな立て看板が置かれていた。でもある日、その横にほぼ同じ大きさで、「オウム（アレフ）信者の住民票は受理しません」と宣言する看板が設置された。

昔の写真を探したけれど見つからない。我孫子市に隣接した柏市で撮った一枚を代わりに掲載する。


（『生活と自治』二〇二〇年五月号）

賭け麻雀報道、問題の本質は

『週刊文春』がまたスクープだ。黒川弘務元東京高検検事長の賭け麻雀。しかもこの記事が出たタイミングは、検察庁法改悪を自民党があきらめた直後だった。もしもあきらめずに検察庁法改悪を強行採決していたら、記事のダメージは今の比ではなかったから、政権はさすがにもたなかったのでは、との見方がある。あるいはこの記事が出ることを知って、官邸は強行採決をあきらめたとの説もある。どちらにせよ官邸記者クラブにも入れない『週刊文春』の記事が、この国のメインストリームメディアの機能不全を補填していることは確かだ。

賭け麻雀そのものについては、僕は黒川元検事長をあまり強く責められない。というか、責められる立場ではない。だってこれまでの人生で、僕もさんざんやっている。

大学生の頃は、週に二回以上は卓を囲んでいたと思う。昼近くに大学に行って学食で安いランチを食べてから映画制作サークルのたまり場をのぞく。目的は面子探しだ。そこで男四人が揃えば、雀荘に直行する。

もちろん賭け麻雀だ。ただしレートは低い。数時間やって終わって動く金はせいぜい数百円か多くても千円前後。でも負けたら本当に悔しい。終わる頃には日も暮れていて、その足でバイトに行くか、バイトの予定がないときは近くの安い居酒屋に行って酒を飲む。

授業にはほぼ出ない。麻雀の面子が見つからない日には情報誌の『ぴあ』をチェックして、池袋駅東口にあった文芸坐や高田馬場のパール座などに足を運び、少し前に公開された映画を観る。ビデオもＤＶＤもないから、映画は映画館で観ることが前提だ。さらに貧乏であることも前提なので、基本的にロードショーは観ない。名画座なら封切館の半分以下の料金で二本か三本観ることができる。つまりほぼ半日は過ごせる。

とにかく貧乏だった。でも時間はけっこうあった。だから観たいと思う映画が見つからないときは、ジャズ喫茶に行ってマイルスやコルトレーンやミンガスなどを聴きながら、コーヒー一杯で何時間も過ごす。

そんな生活を、ほぼ毎日のように送っていた。でも大学卒業後は、就職はせずに基本的にはフリーランスで生きてきたから、以前のように面子が集まらず、いつのまにかすっかり麻雀からは遠ざかっていた。

年に一回、正月に学生時代のサークルの友人たちと集まり、昼は麻雀をやって夜は酒を飲むという行事が恒例化していた時期もあったけれど、一人が急死したこともあって、もう一〇年以上も前から集まっていない。

黒川元検事長と僕はほぼ同世代だ。だから大学時代、彼もきっと同じような時間を過ごしていたのだと思う。まあ彼は東大生だから、僕や僕の周囲ほど自堕落な日々だったとは思えないけれど、でも見ていた景色はきっと近かったはずだ。

特に彼の場合は、卒業後も常に（司法修習時代は別にして）大組織の一員だったわけで、面子探しにも苦労しなかっただろう。つまり麻雀はずっと、途切れることなく継続していたはずだ。

ゲームとして麻雀は確かに面白い。完成されていると思う。将棋やトランプの比ではない（あくまでも個人の感想です）。

学生時代のキャンパス周辺は雀荘だらけだったけれど、今はほぼ見つからない。もう一〇年以上、牌を握っていない。でももしも今、当時の気の合った友人が三人揃って、夜の予定まで数時間空いてしまい、さらにすぐ目の前に雀荘があるならば、四人は迷わずに雀荘に入るはずだ。やるのはいいけれど賭けることがダメだ。麻雀を知らない人からはそう言われそうだけど、賭けない麻雀はやりたくない。というかやる意味がない。どんなに低いレートでもいい。セットなのだ。

というわけで、賭け麻雀をやったことについては、僕は責める立場にない。検察ナンバー2の位置にあるのだから責められて当然との声もあるが、僕は強気になれない。どの口が言うかと自分で自分に言いたくなる。でも賭け麻雀は違法なのだから、賭け麻雀をやったことがない人に責められることは仕方がない。というか当然だ。まあこれについては、「悩ましい」が本音だ。

次の問題は時期。黒川元検事長が記者たちと麻雀卓を囲んでいた時期は五月初旬。つまり緊急事態宣言下だ。麻雀はまさしく三密状況で行われる。

だからこれも責められることは当然だ。それは前提に置きながらも、コロナ禍が始まってから三カ月近くが過ぎるけれど、この間におまえはしっかりと三密を避けて手を洗ってうがいをして、清く正しく過ごしてきたかと質問されれば、僕は思わず口ごもる。実は居酒屋に行ったことは数回あるし、ライブ演奏を聴きに行ったこともある。時おり手洗いは忘れる。やっぱり鬼の首を取ったようには責められない。

でも最後のひとつ、これだけはちゃんと書きたい。だって大問題だ。当日の黒川元検事長以外の面子は、産経新聞の社会部記者二名と朝日新聞の元検察担当記者（いまは経営企画室）だ。

これはダメ。完全にアウトだ。

ジャーナリズムの使命は何か。人々の知る権利を代行すること。弱者の小さな声を社会に伝えること。そして政治権力の暴走や腐敗を日々監視すること。まして検察庁は警察庁と並んで治安権力のトップ機構だ。つまりメディアにとっては最も重要な監視対象だ。

監視する側とされる側が、和気あいあいとマージャン卓を囲む。それはありえない。完全に一線を越えている。擁護できる要素はいっさいない。

一方の黒川元検事長も、組織内で面子をいくらでも見つけることができるはずだ。記者をわざわざ誘うべきではない。そこはこらえるべきだ。

しかも場所は産経新聞の記者の自宅で、黒川元検事長の送り迎えには新聞社が契約するハイヤーが使われている。金額は二万五〇〇〇円から三万円。けっこうな金額だが、これは明らかな便宜供与だ。

定年延長や検察庁法改悪の問題が大きくなる前から、沈黙し続ける黒川元検事長は何を考えているのだろうかとずっと思っていた。本音を聞きたいと思っていた。これは僕だけではなく、多くの人も同じだと思う。

百歩譲って黒川元検事長の本音を引き出すための手法として麻雀が使われたなら、少なくとも検察庁法改悪が話題になっていた時期に、記者は関係が悪化することを覚悟しながら記事を書くべきだった。紙面に載せるべきだった。でもそんな記事は見たことがない。

一九七一年、沖縄返還協定が日米間で締結された。でもこのとき、アメリカが支払うべき諸費用の一部を日本が肩代わりして支払うなどの密約が、日米政府のあいだで交わされていた。もちろん日本国民はこのことを知らない。明らかに佐藤栄作政権による国民への背信行為だ。

この時期のアメリカではペンタゴン・ペーパーズとウォーターゲート事件が立て続けに起きて、これをスクープしたニューヨークタイムズとワシントンポストは国民から強い支持を受け、国民への背信行為を明らかにされたニクソン大統領は任期を全うしないままに辞任した。つまりアメリカと日本で同じ時期に、政権による国民への背信行為が明らかになった。

でも日本の場合は、アメリカのように事態は進まなかった。密約の事実をつかんだ毎日新聞政治部の西山太吉記者がスクープしかけたとき、その情報は彼と不倫関係にあった外務省女性事務官から入手したものだと、政権側が先手を打って明らかにした。これを知った国民のほとんどは、政権の背信行為よりも記者と外務省職員のスキャンダルのほうに関心を示してスクープはうやむやになり、西山と外務省職員は国家公務員法（守秘義務）違反で有罪となって、佐藤栄作首相は辞任どころか沖縄返還にからめてノーベル平和賞を受賞した。ちなみにその後の自民党政権は今に至るまで、密約の存在を明確には認めていない。

二〇〇三年に琉球朝日放送が放送したドキュメンタリー番組「メディアの敗北」は、三〇年前に起きたこの問題とメディアのありかたをあらためて問う作品だ。日本のメディアが政治権力に敗けた過程を検証するために、ディレクターの土江真樹子はアメリカに飛んでワシントン・ポストのベン・ブラッドリー（ウォーターゲート事件当時は編集主幹）にインタビューする。密約の事実を西山記者は不倫関係にあった外務省女性事務官から入手した、と説明する土江に、ブラッドリーは「ブラボー」と称賛の声をあげた。ちなみにスピルバーグが監督した『ペンタゴン・ペーパーズ／最高機密文書』では、主役であるブラッドリーをトム・ハンクスが演じている。

ジャーナリズムは時として危うい橋を渡る。あるいは社会のルールや規範から逸脱する。でもそれも、政治権力を監視するという大義があるなら許される。ブラッドリーは西山記者を称賛したあとにそんなことを言った。

ではどこまでは許されるのか。どこからが許されないのか。そんな基準はない。一人ひとりが自分で決めるしかない。それがジャーナリズムだ。定型的な公式は作れない。補足せねばならないが、情報入手後の西山は、その情報を記事にする前に野党政治家にリークしたり、ニュースソースの女性事務官の存在を取り調べであっさり白状したりしている。これは記者としては大きな過失だ。

だから黒川元検事長と麻雀卓を囲んだ記者たちが、権力監視と情報入手（そして国民に伝えること）をひそかに狙っていたならば、金銭を賭けていたとか三密違反だとかの要素は、まったく許容範囲だと僕は思う。

でも（もう一度書くが）朝日も産経も、黒川元検事長の本音を記事化することは一度もなかった。もし『週刊文春』のスクープがなかったとしても、彼らが記事を書いていたとは思えない。ならば結論は明らかだ。明確にアウト。この二紙がこれからこの問題をどのように検証するのか（記者は他にもいると思う）、そこに注目したい。

（『創』二〇二〇年七月号）

福田村事件と「自粛警察」の共通点

初夏の夕暮れ。陽射しは強い。ようやく見つけた慰霊碑の前で、僕は目を閉じて手を合わせる。供えられた卒塔婆の数は九本。でも臨月の妊婦もいたから、被害者は一〇人いたともいえる。

関東地方を未曽有の大地震が直撃した一九二三年九月一日から数日間にわたり、朝鮮人が混乱に乗じて日本人を襲撃しているとか井戸に毒を投げ入れているなどのデマを信じた多くの日本人が、町や村で自警団を結成して、朝鮮人狩りを行った。このとき殺害された朝鮮人や中国人、社会主義者などの数は、少なく見積もっても六〇〇〇人に及ぶといわれている。

ただしここ千葉県東葛飾郡福田村（現野田市）で殺害された人たちは朝鮮人ではなく、香川県からこの地までやってきた行商の一行だった。総勢一五人。そのうち九人が、福田村と隣接する田中村（現柏市）の自警団や村人たちに殺害された。妊婦もいたし四歳と二歳の幼児もいた。彼らが殺害された理由は、讃岐弁が日本語のアクセントと違うと決めつけられたからだ。

でもこの事件は、現場となった千葉県だけではなく、被害者たちが暮らしていた香川県でも、長くタブーとされてきた。だからほとんどの人はこの事件を知らない。

加害者は沈黙する。それは世の常だ。ところがこの事件では、加害者の側だけではなく、被害者や遺族の側も沈黙した。

その理由は、彼らは被差別部落に暮らす人たちで、自分たちは差別される存在だと知っていたからだ。

新型コロナウイルスが蔓延する今、多くの市民を標的にする「自粛警察」が横行している。自粛がいつのまにか強制へとスライドする機序は、エティエンヌ・ド・ラ・ボエシが唱えた「自発的隷従」やエーリッヒ・フロムが提起した「自由からの逃走」そのものであり、国民による国民への暴力的な強制は「非国民」を摘発する「隣組」の思想への回帰であると同時に、デマを信じて被害者意識を燃料にしながら在日朝鮮人を殺戮した過去の歴史の再現でもある。

虐殺のメカニズムに透けて見える二重の差別。あまりに切ない。そして悔しい。事件後に二つの村の自警団メンバーなど八人が起訴されて有罪となったが、村では英雄と称えられて裁判の費用には村費が充てられ、検察官が彼らに悪意はないと新聞に語り（念を押すが弁護士ではない）、八人は昭和天皇即位の恩赦ですぐに釈放されている。

これが日本の近代。隠された史実。小池百合子都知事は就任翌年から、歴代都知事が続けてきた関東大震災における朝鮮人犠牲者追悼式典への追悼文の送付を止めている。さらにここ数年は、追悼式が行われているすぐ傍で、保守団体が「朝鮮人虐殺などなかった」とシュプレヒコールをあげることが恒例になっている。

宮崎駿の『風立ちぬ』やＮＨＫの連続テレビ小説「花子とアン」で関東大震災は描かれても、朝鮮人虐殺が描かれることはない。朝鮮人虐殺だけではなく、南京虐殺や朝鮮人慰安婦なども、日本では映画のテーマにならない。ナチスやホロコーストの映画が、ひとつのジャンルのように量産されているドイツとは対照的だ。朝鮮人虐殺や南京虐殺だけではない。関東軍が中国への侵略戦争を開始するために、南満州鉄道線路を自分たちで爆破しながら中国軍の攻撃だとした柳条湖事件や東条英機暗殺計画など、絶対に面白い映画になる題材はいくらでもあるのに、誰も手をつけようとしない。

理由は想像がつく。抗議が来る。しかも日本の観客は、こうした映画に大きな関心を示さない。でもそれは、日本の映画業界の末端にいる立場として、とても恥ずかしい。

加害の記憶を忘れてはいけない。不都合な歴史こそ直視すべきだ。だから僕は福田村事件を映画にする。ドキュメンタリーではない。劇映画だ。今はその準備を進めている。

（『生活と自治』二〇二〇年八月号）

笹の葉模様の弁当箱

今年（二〇二〇年）の八月六日、久しぶりに新幹線に乗った。行き先は広島。市民団体が主催するシンポジウム「ヒロシマの継承と連帯を考える」に、パネラーとして参加するためだ。コロナ禍とあって開催をめぐっては直前まで議論があったようだが、会場となった広島ＲＣＣ文化センターの大会議室はぎっしりと人で埋まった。予想以上の盛況に喜びながらも、クラスターになりかけているとスタッフたちは焦っていた。

呼ばれた僕は相変わらず危機意識が薄い。飲み会を避けるどころか六日の夜は、僕と同じようにパネラーの一人として参加していた（関西電力大飯原発三、四号機の運転差し止めを命じる判決を下した）樋口英明元裁判官や広島の友人たちを誘って、お好み焼き屋で痛飲した。もちろん広島風お好み焼きだ。たっぷりキャベツに焼きそばも入って重ね焼き。美味しかった。店を出てからさらに数軒はしごした。久しぶりの遠出ではしゃぎすぎたかもしれない。

二日酔い気味の翌朝、主催側スタッフの一人である竹田雅博の案内で、広島平和記念資料館の収蔵庫を訪ねた。資料館のスタッフが、空調の効いた保管室から取り出した遺品をテーブルの上に置いた。小さな弁当箱。強烈な熱線を浴びて、表面は真っ黒に焼け焦げている。

この弁当箱の持ち主は、案内してくれた竹田の実の兄で原爆投下時は旧広島二中の一年生だった雅郎だ。

熱線で焼け焦げた弁当箱

一二歳になったばかりの雅郎はこのとき、爆心地から五〇〇メートルの場所で、学徒動員による建物疎開の作業をしていたという。至近距離で炸裂する原子爆弾。光と熱線はすさまじかったはずだ。全身の皮膚はとろけ、垂れ下がる。気圧が急激に変わるので、目玉が落ちると聞いたこともある。もしも一命をとりとめても、初期放射線は身体の奥深くまで破壊する。
……無言で弁当箱を見つめる僕の横で、竹田が小さな声でつぶやいた。
「家に帰ってこない雅郎を捜し歩いた父が、原爆投下から二日後に、兄たちが作業していた場所で見つけました。特徴のある笹の葉の模様が刻まれていたので、兄の弁当箱だとわかったようです」
その後に、雅郎は同じように被爆した級友たちと一緒に近隣のお寺に運ばれていたことがわかるが、父親が弁当箱を見つけた同じ日に息を引き取っていた。おおぜいの遺体とともに焼かれたので、遺骨の行方はわからない。だからこの弁当箱が遺骨代わりになったという。

ただし弁当箱は、しばらくは箪笥の奥にひっそりとしまわれていて、兄の形見であることを竹田は知らなかった。

「二〇数年前に父は、この弁当箱を資料館に寄贈しました。それでようやく私も、この弁当箱の意味を知ることができました」

大火傷を負った一二歳の雅郎が最後に残した言葉は「天皇陛下万歳」だったと、手当てしながら看取った人が証言している。淡々とした口調で説明する竹田に、「お父さんはなぜ弁当箱についてて語らなかったのでしょうか」と僕は質問した。少し考えてから竹田は、「弁当箱だけではなく、雅郎についてもほとんど語りませんでした」と答えた。でも時おりひとりで、この弁当箱を取り出しては見つめていた。なぜこんな汚い弁当箱を見つめているのか、幼い竹田は不思議に思ったけれど、質問することに何となく抑制があったという。

資料館の外に出る。陽射しはまだ強い。建物や樹木の陰がくっきりと濃い。暑い。七五年前も同じように暑かったはずだ。コロナ禍のせいか平和公園を歩く人は少ない。まるでデ・キリコの画のように、時間がゆっくりと過ぎている。

「この時期にこんなに人がいないなんて初めてです」。竹田が小さくつぶやいた。

(『生活と自治』二〇二〇年一〇月号)

風に抗わない人たち

菅義偉自民党総裁が内閣総理大臣に指名されてから、二週間が過ぎた。この間のテレビはまさしく菅義偉ブーム。たたき上げ。秋田のイチゴ農家出身。絶対にぶれない。好物はパンケーキ。読売新聞によれば、政権発足時における菅内閣支持率は七四パーセント。これは歴代三位の記録だという。

そもそも安倍晋三首相が退陣を表明した八月二八日以降、安倍内閣への支持率は二〇ポイント前後急上昇している。その勢いが菅内閣の背中を押したのだろうか。

でもならば、健康上の問題とはいえ、退陣は自らに託された使命の放棄だ。しかも二回目。ゆっくり静養してくださいと労うくらいはあってもいい。でも少なくとも、退陣を表明することで支持率が上昇することの意味が僕にはわからない。そしてその安倍政権を後継すると自他ともに認める菅政権が、これほどに高評価を受ける理由もわからない。

言うまでもないけれど、それは情緒だ。安倍さんかわいそう。無念だよね。判官びいきという言葉が示すように、情緒はあって当たり前。でも少し度が過ぎないか。もう少し論理の足場があってもいいはずだと思うのだ。一極集中に付和雷同。ここにも論理はない。誰かが走る。つられてみんなも走る。メディアがこれを伝える。さらに多くの人が走る。

新型コロナのパンデミックが始まってから一〇カ月が過ぎた。決して未曽有の体験ではない。これまで人類はパンデミックを何度も体験してきている。

でも今とは時代状況はまったく違う。医療や科学は比較にならないほどに進化したし、特にこの半世紀で人類は、ネットやＡＩを獲得し、さらにメディアも圧倒的に進化した。いつか来た道かもしれないけれど、道の形状や景色はまったく違う。でも歩く人は変わらない。体験を記憶していないのではと思いたくなるほどに。赤信号、みんなで渡れば怖くない。このシニカルでブラックなアフォリズムは、信号や道路や自動車などない時代から、いやもっと昔の有史以前から、人類の本質を言い当てている。

九月の連休中、日本各地の観光地は大混雑で高速道路は大渋滞だった。多くの人が外に出る。行楽地はクラスターどころではない。テレビのニュースでマイクを向けられた男性が、ずっと我慢していたからねえ、とうれしそうに笑う。

連休後の感染率は上がる可能性が強い。あるいはすぐには上がらなくても、このまま下降するばかりとはとても思えない。だからあわてて自粛する。でもしばらくの自粛期間が過ぎれば、また政府が観光や消費を呼びかける。そのたびに人々は従順に動く。そのくりかえし。

つまり誰も自分で考えていない。論理がない。行動の規範は下される指示（要請）と周囲の動き。ひたすらこれに同調する。指示や要請と行動の接着剤が情緒だ。なぜおまえは従わない。場を乱すな。不謹慎にも程がある。みんなで動け。

政府の要請に他国のような強制力はない。でもこの国はほとんどの国民が従う。だから補償や給付という発想が貧困になる。周囲に誰もいないのにマスクを着用して歩かないと不安になる。相互監視の空気が強くて、全体と同じ動きをしない誰かを攻撃する。政府からの指示待ち傾向が強くて、感染数の増加と減少を指示とリンクしながらくりかえしている。これらの要素に共通するキーワードは、自発的隷従であり同調圧力であり無自覚な自粛や自主規制だ。

新型コロナによって社会は大きく変わったと多くの人やメディアは言うけれど、本質は何も変わっていない。いやむしろ負の属性が強固になっている。

（『新潟日報』二〇二〇年一〇月四日付朝刊）

一人、足りない

一〇月中旬、ＮＨＫ山口放送局の労働組合から勉強会を提案されて、久しぶりに山口市に行った。用意してもらった宿は、山口市内のほぼ中心に位置する湯田温泉にあるホテルニュータナカ。自民党の御用達ホテルらしい。確かに僕が泊まった夜も、自民党の県議連などの会合が二つ開催されていて、杉田水脈衆議院議員もその夜に宿泊していたらしいと後から聞いた。

勉強会では、過去の僕のテレビ作品である「放送禁止歌」を上映して、その後に参加者たちと質疑応答。なぜ日本の今のマスメディアはこれほどに信頼されなくなったのか、組織ジャーナリズムは政治権力とどのように距離をとるべきか、そんな論点でＮＨＫの制作現場で働く人たちと議論した。みんな真剣だった。組織の中で個はどのように機能すべきなのか。事件報道の際に実名と匿名はどのように使い分けるべきか。この国のメディアにおける政治権力監視は、なぜこれほどに萎縮しているのか。論点は尽きない。みんな悩んでいた。必死に考えていた。

一泊して翌日、新幹線に乗る前に山口県庁に寄った。一階の玄関ホールに三〇枚ほどのパネルが並んでいる。この展示のタイトルは「山口県の総理大臣展」。初代首相の伊藤博文から山縣有朋、桂太郎、寺内正毅、田中義一、岸信介、佐藤栄作、安倍晋三前首相まで、八人の写真とともに業績などを紹介している。特に安倍前首相については、大型パネル三枚を展示して、在任中の業績を一〇八枚の写真で紹介している。

　第一次安倍内閣が発足した二〇〇六年、そして第二次政権が発足した一二年にも、山口出身の八人の首相を紹介する展示会を、山口県は開催している。前首相の通算在職日数が最長になった昨年（二〇一九年）も、安倍前首相の等身大パネルをメインに展示を行っている。つまりほぼ恒例行事だ。

　でも実は、この展示には何かが欠けている。今回だけではない。ずっと欠けているらしい。ここであなたにクイズ。この先を読み進める前に写真を見てほしい。何が欠けているのでしょう？

山口県庁の玄関ホールの展示

　白状するが、僕はわからなかった。というか知らなかった。事前にＮＨＫの友人から教えられていたから、気づくことができた。

では正解です。パンパカパーン。ってバカか。何で躁状態なんだろう。どちらかといえば鬱になって当たり前なのに。

　山口県出身の首相は九人だ。つまりもう一人いる。二〇一〇年から民主党政権で首相を務めた菅直人衆議院議員は、山口県宇部市の出身だ。宇部市に生まれて宇部市内の小学校と中学校を卒業し、県立宇部高校へ進学している。父親の転勤に伴って高二のときに東京の高校に編入しているが、誰がどう考えても山口出身だ。でもこの展示からは常に外されている。

県の説明によれば、選挙区が東京都内という理由で外した、ということらしい。出身ってそういう意味だっけ？　ちなみに安倍前首相は確かに山口の選挙区選出だが、生まれも育ちも東京だ。新宿区で生まれ、小学校中学校高校大学と一貫して東京吉祥寺にある成蹊に通い、大学卒業後はアメリカに留学し、帰国後は神戸製鋼所に就職して東京や神戸、ニューヨークなどで勤務しているが、この間に山口県との接点はまったくない。山口との関わりは（父親である晋太郎から引き継いだ）選挙区だけだ。

僕が山口県民なら、郷土出身者として菅直人元首相が入らないことは絶対に不自然だと思うのだが、自民党会派が圧倒的多数である山口県議会は、そう考えないということらしい。いや県議会にも、これはやはり変だとか郷土出身とは選挙区のことじゃないなどと思っている議員がいないはずはない。でも口にしない。場を乱さない。長いものに巻かれろ。強いものに従え。

昨夜の勉強会でＮＨＫの制作者たちは、絶対にそうなってはならないと何度も発言していたことを思い出した。

（『生活と自治』二〇二〇年一二月号）

記録の余白3——

Black Lives Matterを他山の石にする

群れる生きものは多い。サンマにメダカ、スズメにムクドリ、ヒツジにトナカイ、まだまだたくさんいる。彼らの共通項は弱いこと。もしも単独で行動していたら、天敵に捕食されるリスクが高くなる。だからいつも脅えている。しかし単独ではなく群れることで、自分が捕食されるリスクを下げることができる（これを希釈効果という）。

つまり弱い生きものは群れる。単独では生きられない。

特にホモサピエンスは、弱いだけではなく、逃げる能力も乏しい。翼はない。二足歩行を選択したから走れば遅い。泳ぎを覚えなければ水に溺れる。天敵に最後の反撃をしようにも爪や牙はすっかり退化した。

だからこそ僕たちは、群れる本能がとても強い。

補足するが、群れる生きものであるからこそコミュニケーション能力を発達させたホモサピエンスは、言葉や文字によって情報の伝播や継承を可能にし、文明を構築し、現在の繁栄につながっている。つまり群れとは社会性。でも副作用がある。公園でハトに餌やりをしているとき、一羽が飛べば他のハトたちも一斉に飛び立つ光景を、あなたは何度も見たことがあるはずだ。

つまり群れ（集団）は同調圧力が強くなる。特に不安や恐怖を感じたとき、群れようとする動き（集団化）は加速して、全員が同じ動きをする傾向が強くなる。群れ全体で一つの生きもののように動くイワシやムクドリは鋭敏な感覚で周囲の動きを察知して、ほぼ一斉に同調することができる。しかし進化の過程で鋭敏な感覚を失って言葉を得たホモサピエンスは、集団化が始まると同時に、どのように動けばよいかを示す言葉を求め始める。つまり指示だ。全体止まれや右向け右。指示に従って一斉に動く。こうして集団は不安や恐怖を感じたとき、強い指示を発する独裁的なリーダーを求め始める。ちなみに指示が聞こえないときはどうするか。リーダーの心中を想像して、仮想の指示のもとに行動する。これが忖度だ。

一九九五年の地下鉄サリン事件をきっかけにギアをトップに上げた日本の集団化は、二〇〇一年のアメリカ同時多発テロを契機に（その後のＩＳの出現などを燃料にしながら）、世界規模に拡大した。キーワードはテロだ。この言葉を媒介に世界に拡散した不安と恐怖は、民族や信仰を紐帯とした集団化を促進し、強い言葉で指示を下す独裁的な政治家が、世界各国で続々と台頭し始めている。多くの人はこれを右傾化というが、これは（当時において最も民主的と言われたワイマール憲法下でナチスドイツ体制に移行したドイツのように）右傾化や全体主義化への前過程であり、正しい呼称は集団化だ。

新型コロナウイルスが世界中で猛威を振るい始めてから数カ月が過ぎた頃、アフリカ、中東、インドなどを中心にバッタが大量発生した。ここ七〇年で最大規模の発生という見方もある。群れとなったバッタは飛翔し、農作物などに大きな被害を与える。つまり蝗害《こうがい》だ。

このバッタの正式名称はサバクトビバッタ。彼らは通常は単独で暮らす。ところが干ばつなどで草が減ったとき、幼齢のバッタは残された草地を求めて集まり、個体の密度が高くなる。つまり集団（クラスター）化だ。このような環境で育ったバッタが生む次世代は、身体が一回り大きくなって翅《はね》も長くなり、食性が変わって性格も狂暴になる。これを相変異という。群れとなったサバクトビバッタは全体でひとつの生きもののように同じ動きを始め、草だけではなく他の虫や生きものを襲い、共食いも頻繁に行うようになる。

ただし水族館などで水槽に大量のイワシだけを入れても、実はあのような群れはできない。これは水族館スタッフに聞いた話だけど、イワシの水槽には必ず大きな（イワシにとっては自分たちの捕食者となる）魚も入れる。つまりセキュリティを刺激する。その瞬間に何千匹のイワシはひとつの群れとなる。これはホモサピエンスも同様だ。危機や不安を感じたとき、一人でいることが怖くなる。多くの人と連帯したくなる。集団の一部になりたくなる。

集団はひとつではない。つまり集団化と分断化は並行して起きる。そして集団は敵を探したくなる。なぜなら敵を可視化したとき、水槽の中のイワシのようにより強く連帯できるからだ。だから独裁者は自らへの支持を強化するために敵を探す。いなければ無理やりに作り出す。そして自衛を理由に攻撃する。大量破壊兵器を保持していると偽りの大義を捏造してイラクに侵攻したアメリカのように。東方への生存圏拡大と自国民保護を大義にポーランドに侵攻したナチスのように。五族協和と大東亜共栄圏を大義にアジアを侵略した大日本帝国のように。こうして人類の負の歴史はくりかえされてきた。

敵を探しながら同時に、集団は自分たちの中の異物を探し始める。なぜならば群れは均質性を求める。全体で同じ動きをすることが前提なのだ。このときに同じ動きをしない個体は、自分自身を危機に晒すだけではなく、群れ全体に悪影響を与える。だから排除や抹殺をしたくなる。このときの標的は自分たち（多数派）と違う存在。異なる因子は何でもよい。言葉や信仰。髪や目や皮膚の色。もちろん、動きが遅かったり同調する力が弱かったりする個体も標的だ。

こうして人は人を差別する。階層を作る。見下す。蔑視する。集団化への希求が高ければ高いほどこの傾向は強くなる。

白人警官の膝で頸部を地面に押しつけられて動けない黒人男性は、「I can't breathe」

「Please」と何度も訴えるが、白人警官はその体勢を変えない。やがて黒人男性は動かなくなる。

ネットに投稿されたジョージ・フロイド殺害の映像がBlack Lives Matter運動の発端だけど、でも（言うまでもなく）黒人差別とこれに抗する声は以前からあった。二〇一四年にはミズーリ州で、大学進学を控えた一八歳のマイケル・ブラウンが白人警察官によって射殺された。二〇一二年二月にはフロリダ州で、高校生だったトレイボン・マーティンが、やはり警官に射殺された。ともにティーンエイジャーだった二人は、もちろん武器など持っていない。黒人であるがゆえにこれほど不条理に殺害された。このときも抗議の声は、全米中に広がった。

一九七六年にボブ・ディランは、冤罪で終身刑判決を受けていた元ボクサーであるルービン・カーターの無実を訴える曲「ハリケーン」を発表し、その後にデンゼル・ワシントン主演で映画『ザ・ハリケーン』（監督はノーマン・ジュイソン）も制作された。マーティン・ルーサー・キング・ジュニア（キング牧師）が暗殺されたのは一九六八年。その三年前にはマルコム・リトル（マルコムX）も暗殺されている。

一九五五年、アラバマ州モンゴメリーで、市営バスの黒人席に座っていた黒人女性に、バスが混雑してきたことを理由に白人乗客に席を譲れと運転手が命じ、黒人女性はこれを断ったことで逮捕された。これがモンゴメリー・バス・ボイコット事件だ。キング牧師やマルコムXが牽引した公民権運動はここから始まる。

さらにさかのぼれば、黒人奴隷制度をめぐって南北戦争が勃発したのは一八六一年。白人至上主義のKKK（クー・クラックス・クラン）が出現したのはこの直後だ。アメリカ独立戦争が終結したのは一七八三年だが、黒人奴隷の存在や売買はそのはるか前から、移民してきた白人たちによって制度化されていた。

つまり黒人差別問題は、自由と平等（皮肉としか思えない）と博愛を理念とするアメリカという国家において、建国以前から現在までの歴史を貫く主要軸のひとつなのだ。

マイケル・ムーアは『ボウリング・フォー・コロンバイン』でアメリカ人が銃を手放せない理由について、黒人を長く差別し迫害してきたからこそ、その応報に脅えているのだと主張した。つまり銃を持つ人は勇敢なのではない。臆病なのだ。黒人だけではなく先住民（ネイティブ・アメリカン）に対しても、白人たちは侵略と殺戮をくりかえして土地を奪い、彼らの日常を破壊した。不安と恐怖は強い。だからこそ暴力的になる。

第二次世界大戦以降にアジアやアフリカや中東などで行われてきた戦争においても、アメリカは常に加害の側だ。自国の領土内では損害を受けないまま（唯一の例外は9・11同時多発テロ）、世界の警察を自称して、敵を探しては他国に武力で侵攻する。あまりに暴力的だ。だからこそ脅えている。戦争の大義をどうしても掲げられない場合にはCIAを使って反米政権を内側から壊す。見えない敵が怖いのだ。安心したいがゆえに強引に敵を可視化して攻撃をくりかえす。

一九二三年に日本で起きた朝鮮人虐殺も、構造はほぼ同じだ。この一三年前に日本は朝鮮を強引に併合した。二等国民三等国民などと呼称しながら欧米列強の植民地となっていたアジアを蔑視して、特に中国と朝鮮に対してはチャンコロ、チョンと嘲笑しながら解放したなどと公言し、土地を奪い労働力として酷使した。内心はその報復に脅えていたからこそ、井戸に毒を投げ込んでいるなどの流言飛語を疑いなく信じ込み、過剰なセキュリティ意識が発動した。

正式名称である「United States of America」が物語るように、アメリカは「United（統合された）」を誇りとする。でも現実はどうか。多民族多言語多宗教であるからこそ、Unite などされていない。9・11以降はムスリムへの差別や偏見が急激に増加した。国の始まりとともにあった黒人差別は今も続いている。世界中から移民が集まる国だ。ひとつにまとまることがどうしてもできない。つまり頻繁に集団化を起こしながら、集団化を持続できない国なのだ。だから不安が絶えない。だからこそマッチョを装う。「God Bless America」という世界一傲慢なフレーズを事あるごとに口走りながら、敵を探して攻撃する。United のアイコンである国旗や国歌を偏愛する。

9・11直後に渡米したとき、家々の戸口だけではなく、往来する車のボンネットにまで小さな星条旗が掲げられている光景に僕は辟易した。グラウンド・ゼロの周辺のビル群には、特大の星条旗がビルの壁面いっぱいに貼られていた。このときにテレビ番組の収録で対談した歴史学者のジョン・ダワーは、カメラが位置を変えているあいだに、大きな声では言えないがアメリカの本質は国粋主義だ、と僕の耳もとで囁いた。

集団はまとまろうとする。でも同時に、集団はまとまりの中に異物を見つけようともする。相反するベクトルが軋む。悶える。二〇世紀の女性解放運動を牽引したボーヴォワールは『第二の性』で、「人は女に生まれるのではない、女になるのだ」と主張した。この法則は国にも当てはまる。アメリカはその短い特異な歴史において、現在のアメリカになったのだ。「Unite」されていないからこそ、アメリカの集団化は持続しない。必ず反作用が働く。全米が熱狂したイラク侵攻は、ブッシュ政権の詐欺的手法に導かれた大きな間違いだった。戦後にワシントンポストやニューヨークタイムズなどほとんどのメディアは自分たちの非を認め、『リダクテッド　真実の価値』『バイス』『グリーン・ゾーン』『記者たち　衝撃と畏怖の真実』などブッシュ政権の嘘と欺瞞を正面から批判するハリウッド映画はヒットした。自由な表現と言論を何よりも優先する文化だから、一時的に始まった集団化はやがて破綻する。

つまりアメリカの復元力は強い。民主党と共和党という二大政党制が示すように、その振幅は大きいけれど、絶対に一色は持続しない。

むしろ集団化の弊害は、そもそも均質な（あるいは均質であると思い込んでいる）国に、より強く発生する。個の感覚よりも帰属する組織や共同体の規範やルールを優先する文化。組織と相性が良い国民性。空気（つまり場の雰囲気）に同調する傾向が強い民族。主語を一人称単数ではなく複数形や帰属する組織に変換することが日常の国。つまり日本だ。

特に地下鉄サリン事件以降、理解不能な犯罪と常軌を逸した報道に不安と恐怖を激しく刺激されたこの国のセキュリティ意識は急激に肥大し、集団化を進めながら見えない敵に脅え、善悪二元化が加速した。街には監視カメラやテロ警戒中などの掲示が増殖し、官公庁や大企業やメディア各社はセキュリティゲートやIDカードを新設して警備員を増やし、厳罰化が進行してセキュリティ関連企業は一気に業績を拡大した。

でも監視カメラが密集する空間で人は安心できるだろうか。その状況を想像してほしい。むしろ逆だ。刺激された不安と恐怖は、過剰なセキュリティで出口を失いながら増え続ける。やがて飽和したセキュリティ意識は国の外に溢れ出し、中国と韓国に北朝鮮など周辺国すべてが、いつか自分たちを攻撃する仮想敵国に見えてくる。ネットを土壌にしながら異物を排斥しようとする疑似的集団の振る舞いが、路上に溢れ出してヘイトスピーチとして顕著になったのもこの頃だ。北朝鮮が打ち上げた実験ミサイルが日本上空高度八〇〇キロを飛んだときも（ちなみに軌道上を周回する宇宙ステーションの軌道は高度四〇〇キロ前後だ）、政府は破片が落ちてきたら大変だとJアラートを発令してメディアも大騒ぎした。

古代中国で杞の国の人たちは、天が崩れ落ちてきはしないかと心配した。これが杞憂の語源。ならば今のこの状況はまさしく「日憂」だ。あいちトリエンナーレにおける「表現の不自由展」展示中止騒動やドキュメンタリー映画『主戦場』でインタビューに答えていた保守論客たちの抗議の声を受けて映画祭や映画館が上映を中止した問題も、権力の検閲や抑圧以前に、会場や映画祭や劇場を運営するスタッフたちの「万が一の事態が起きたら」とのフレーズが体現する過剰なセキュリティ意識がそもそもの端緒なのだ。不安と恐怖に耐えられない集団は、9・11後のアメリカが示すように、見えない（存在しない）敵を無理やりに可視化して、これを攻撃しようとする。

こうしてサイトカインストームが発動する。つまり過剰防衛。花粉症のメカニズムと同様に免疫細胞による誤爆が起き、身体は大きなダメージを受ける。新型コロナウイルスに感染した多くの重症患者にとって、最大の脅威となるのはウイルスそのものではなく、ウイルスに脅えた自らのセキュリティ・システムなのだ。

このプロセスに並行するように、集団内の異物への差別や迫害が始まる。さいたま市は新型コロナウイルスの感染防止策として、市内の幼稚園や保育園、放課後児童クラブに備蓄マスクを届けることを三月に広報したが、その配布対象から朝鮮学校を排除した（抗議を受けて後に撤回）。

「中国人お断り」の貼り紙を掲示した店舗が一気に増え、世界保健機関（WHO）はウイルスの呼称に国名や地名などを付けることは（差別を助長するとして）禁じるガイドラインを発表しているが、保守系メディアや政治家は新型コロナウイルスを「武漢肺炎」「武漢風邪」「武漢ウイルス」などと（あえて）呼称した。

在日外国人を攻撃するヘイトデモは一気に活性化し、愛知県でクルーズ船「ダイヤモンド・プリンセス号」のウイルス感染者を医療センターに受け入れた際、「外国人に税金を使うな」「中国人を追い返せ」といった抗議電話が相次いだことを、大村秀章知事が会見で明かしている。

こうして集団は差別と迫害をくりかえす。江戸期に鎖国を続けていたこの国は、明治になってから富国強兵と脱亜入欧をスローガンにした。富国強兵はともかくとして、脱亜入欧とは何か。頭に何かわいているのか。明らかにアジアを蔑視している。どの口が五族協和などと言えるのか。明治期に胚胎したアジアへの蔑視感情をいまだに意識の底に燻らせるこの国は、特に集団と親和性が高い国でもある。だからこそ差別が絶えない。特にアジアに対しては、いまだに上から目線だ。自らが個として脆弱だからこそ、他者を個として見ずに集団としてくくる傾向が強い。

時おり海外の研究者から、日本の部落差別について質問される。差別は今も世界中にあるが、ほとんどの根源は民族と宗教の差異だ。でも被差別部落に生まれた人たちは、その周囲に暮らす人たちと何が違うのか。宗教は同じ。民族も変わらない。言語も同じ。首をかしげる彼らに、生まれた区域が違うことを理由にした差別だと僕は説明する。その根源にあるのは神道に由来する穢れ意識。これほど経済力がある民主主義国家なのにどうかしている、と言われる。カーストと何が違うのか。何も違わない。吐息をついてから、どうかしている、と僕もつぶやく。部落差別だけではない。自民党保守派にシンボライズされる家父長制へのこだわりは今も色濃く残る。性的少数者（LGBTQ+）への偏見から今も脱け出せない。ジェンダーギャップ指数の順位は世界一四六カ国中一一六位（二〇二二年）。先進国の中では最低レベル。アジアにおいても韓国や中国、ASEAN諸国より低いのだ。

人が群れる生きものであるかぎり、差別意識は消えない。でも消えないその意識を、目を逸らさずに見つめることはできる。少し前のアメリカで、黒人の大統領など誰も想像すらできなかったはずだ。

Black Lives Matter を他山の石にする。見つめる。負の歴史を振り返る。被害性だけではなく加害性をしっかりと凝視する。その積み重ねで、少しずつではあるけれど前に進むことはできるはずだ。

（『現代思想』二〇二〇年一〇月臨時増刊号）

2021　上滑りすることば

2021年の主な出来事

1月
トランプ大統領の支持者らが連邦議会議事堂を一時占拠。計5人が死亡。ジョー・バイデン氏が第46代アメリカ大統領に就任。

2月
ミャンマー国軍がクーデター。アウンサンスーチー氏ら政権与党幹部を拘束し、全権掌握。
東京オリンピック・パラリンピック大会組織委員会の森喜朗会長が女性蔑視発言で辞任。
国内で新型コロナウイルスのワクチン接種開始。医療者から先行接種。

3月
東日本大震災の発生から10年。最後となる政府主催の追悼式典を開催。

5月
18、19歳への措置を厳罰化する改正少年法が成立。起訴されれば実名報道も可能に。

6月
森友問題で、赤木俊夫さんが改竄経緯をまとめた「赤木ファイル」を財務省が公開。

7月
静岡県熱海市伊豆山で大規模な土石流が発生。26人が死亡、1人が行方不明に。
広島高裁が「黒い雨」を浴びたと訴えた住民84人全員を被爆者と認定。政府は上告を断念。
1年延期された東京オリンピックが開幕。8月下旬にはパラリンピックが開幕。

8月
アフガニスタンでイスラム主義勢力タリバンが首都を掌握。米軍の撤退完了で「アメリカ史上最長の戦争」に終止符。

9月
菅首相、自民党総裁選への不出馬を表明。岸田文雄前政調会長が決選投票の末、新総裁に選出され、10月に第100代首相に選出。

10月
130超の国・地域が、法人税率を最低15％とし、デジタル課税を導入する国際課税ルールに最終合意。
衆院選が投開票。自民党が261議席を獲得。立憲民主党の枝野幸男代表が辞任。日本維新の会が第三党に躍進。

11月
変異株「オミクロン株」対応で、全世界からの外国人の新規入国停止。

12月
ドイツのメルケル首相が社会民主党（SPD）のショルツ氏を首相とする新たな連立政権発足を受け、政界を引退。
BS1スペシャル「河瀬直美が見つめた東京五輪」が放送。虚偽の字幕が問題となる。

「国民のために働く内閣」

街角で僕は立ち止まる。掲示されていたポスターが目についたのだ。ネットなどで見かけたことはあるが、現物を見るのはこれが初めてだ。しばらく見つめる。見つめながら考える。

顔かたちで人を判断してはいけない。それは当たり前のこと。僕だって人の外見や容貌をとやかく言える立場ではない。ごくごくまれにテレビに出るが、オンエアを観るたびに外に走り出してアラエッサッサーなどと絶叫しながらヒップホップダンスでも踊りたくなる（踊れないけれど）。だから顔かたちをどうこう言うつもりはない。でも品位とか深みなどの内面は表情に滲む。言葉にすればなんだろう。ヴァルター・ベンヤミン言うところのアウラ。オーラの語源。絵画や写真を複製するときに消えてしまう何か。無理に日本語にすれば雰囲気や気配。

という長めの前置きをしながら、あらためてポスターを見つめる。少し前は令和おじさんで、首相就任後はパンケーキおじさん。若い世代はかわいいと大はしゃぎ。ならば言わねば。そういうイメージ戦略を使うならば、同じようにイメージで叩かれる覚悟をしなければならない。ただしイメージだけで叩くつもりはない。イメージで叩かれたときのあなたの反応を批判する。

『週刊現代』など複数の雑誌によれば、毎日新聞のインタビューで自分の顔を「特高顔」と表現した辺見庸に対して、菅首相は「こいつはいったい誰だ」と激昂したという。

もしも「いったい誰だ」と言ったことが事実なら、映画『鬼滅の刃』の決め台詞である「全集中の呼吸」を国会答弁で受けを狙って使いながら（しかもほぼ滑った）、辺見庸という作家の名前

街角で掲示されていたポスター

を知らない自分のインテリジェンスを、まずは恥じなくてはならない。そのうえで補足するが、顔かたちだけで辺見は特高顔と形容したわけではない。表情。目つき。声。話しかた。そして会見における記者への対応。国会における野党議員の質問に対しての答えかた。そうした要素すべてが集積したイメージだ。

顔かたちはともかく、菅内閣のキャッチフレーズとして高らかに宣言されている「国民のために働く内閣」についても、大きな違和感がある。いや違和感ではない。だって微妙じゃないのだ。明らかに論理がおかしい。今回の内閣が国民のために働くことが売りならば、安倍内閣も含めてこれまでの自民党内閣は、いったい誰のために働いていたのだろう。民主主義国家における議員制内閣は国民に奉仕することが前提ではなかったのか。そしてなぜこんな当たり前のことを、あなたは胸を張って誇らしそうに宣言できるのか。

もちろん、このコピーを想起したのは、おそらくあなたではない。ブレーンか側近か広告代理店の誰かの提案だろう。でもあなたは了承した。どうかしている。これなら「全集中呼吸内閣」のほうがよほどマシだ。

普通なら働くはずの抑制や後ろめたさがほとんどない。この姿勢というか底の浅さは、就任した直後の九月に菅首相が、日本学術会議が推薦した会員候補一〇五人のうち六人を任命しなかった問題にも同様に働いている。

任命しなかった理由について国会やメディアで説明を求められた菅首相は、「総合的・俯瞰的な判断」とのフレーズばかりをくりかえして、具体的な説明をいっさいしていない。ならば推理するしかない。拒否された六人は、安倍政権下で安保法制や特定秘密保護法などに異議を唱えたことが共通している。つまり政権に批判的な学者ばかりなのだ。それを狙い撃ちにしたのか。ならばそれは政治権力によるアカデミズムへの露骨な介入だ。

この指摘に対して菅首相は、「それはまったく当たらない」「多様性を重視した」などと答えた。ほとんど子どもの言い訳だ。だって拒否された六人には女性が一人含まれているし、東京慈恵会医科大学や立命館大学など、現会員で一人しか所属していないような私立大学の学者も含まれている。つまり彼らの任命を拒否するならば、逆に多様性が狭められてしまう。矛盾だらけ。調べてわかる矛盾ではない。聞いた瞬間に誰もがわかる矛盾だ。なぜこれほど言葉にためらいがないのか。後ろめたさが働かないのか。

そもそもなぜ、こうした問題になることが自明なのに、任命を拒否したのかがわからない。問題にならないと思っていたのなら国民を舐めすぎているし、問題になってもすぐに忘れると思っているのなら、国民をさらに舐めている。

全集中の呼吸と国民のために働く内閣と任命拒否問題は、すべて抑制や後ろめたさがないことが共通している。煩悶がない。含羞もない。理性も思考もない。でも現実には、そんな人が今のこの国の政治リーダーなのだ。

（『生活と自治』二〇二一年一月号）

コロナ後の世界は成熟しているか

原因不明の肺炎が蔓延しかけていると中国当局がＷＨＯに報告したのは二〇一九年一二月三一日。それから一年が過ぎた。でも最初の段階で、新型コロナウイルスについて僕は（意識のどこかで）軽視していたと思う。そもそもウイルスの脅威を深刻に捉えていなかっただけではなく、一年以上も事態が続くとも思っていなかった。

もちろん、すぐに事態は収束するだろうなどと明確に考えていたわけではない。あくまでも意識のどこか。なんとなく。でも間違いなく事態を甘く捉えていた。今になってみるとそれがわかる。

自分にとって都合の悪い情報から目を逸らす。ただし無自覚だ。だから都合の悪い情報があったことを記憶しない。自分がリスクを過小評価していることに気づけない。つまり正常性バイアスだ。具体的な根拠は何もないのに、事態が大きく悪化することはないはずだと思い込んでしまう。

もちろん逆もある。例えば北朝鮮の弾道ミサイルに対するＪアラートのような過剰な危機意識の発動。これもろくなことにならない。刺激された不安と恐怖は集団化の点火剤となって、サイトカインストームが始動する。

とにかく冷静な観察と論理的な考察が重要だ。そのうえでひとつだけ自己弁護。コロナ禍の初期に正常性バイアスが働いていたことは事実だが、そもそも僕はセキュリティ意識が薄いのだ。

ところが人一倍臆病だ。何よりも怖いのは幽霊と高いところ。お化け屋敷は今も苦手だし、五階以上のビルに上がったときには、なるべく窓には近づかないようにしている。

臆病だけどセキュリティ意識が薄い。矛盾している。でもこの矛盾を統括する言葉がある。

鈍感なのだ。

認めよう。僕は鈍い。胸を張って宣言できる。だからテレビ時代に、タブーに抵触するとして多くの同業者たちが触れなかった「小人プロレス」や「動物実験」や「放送禁止歌」を題材にしたドキュメンタリーを制作できた。志が高かったからではなく、勇気があったわけでもない。鈍いからだ。しかも深く物事を考えない。直感で行動してしまう。

振り返れば子ども時代から、予期せぬ災いが起きたとき、あまり深刻に考えなかったと思う。最後には大人が何とかしてくれる。なぜなら大人は経験も豊かだし、知性も判断力もある。力だって強いし思慮だって深いはずだ。どこかでそう思っていた。

でも今はもう、大人が万能ではないことを知っている。小学生の頃は中学生が、中学生の頃は高校生が、高校生の頃は大学生が、大学生の頃は社会人が成熟した大人だと思っていたけれど、還暦を過ぎた今は、いくら齢を重ねても内面はほとんど変わらないことを知ってしまった。場数は踏んだから少しはずるくなったかもしれないけれど、逆に言えばそれだけだ。いまだに思慮は浅いし、刹那的で抑制ができない。そして鈍い。あとでそうだったのかと気づくことばかりだ。つまり中身は子ども時代とほとんど変わっていない。

いやいや自分はしっかりと成熟していると思っている人には申し訳ないが、多くの人はそうなのだろう。実のところ人は成熟しない。三つ子の魂百まで。この慣用句を今だからこそ実感している。人は自分がいつかは成熟すると幻想しながら齢を重ねるけれど、実のところ内面は子どもの頃とほぼ変わっていない。でももしかしたら、個人ではなく社会全体の集合的無意識が、何かのきっかけで成長する瞬間があるのかもしれない。

アーサー・C・クラークは『幼年期の終わり』で、宇宙から飛来した高度知的生命体を触媒にすることで、幼年期のままだった人類が次の段階に進化する物語を提示した。もちろんこれはサイエンス・フィクション。でも実際にそういうものかもしれないと思うのだ。

何が転機になるかわからない。僕の場合はやはり、オウムの信者たちを撮影する過程でテレビ番組制作会社を解雇され、組織や会社などの後ろ盾を失って一人になったことが大きい。強制的に視点を変えられて、初めて見る景色に驚いた。成長という言葉を使うことにはためらいがあるが、自分の内側で何かが変わったという意識は確かにある。

人類の歴史は感染症との闘いの歴史でもある。一〇〇年に一度とのフレーズが示すように、かつてはスペイン風邪（インフルエンザ）があった。でもこの一〇〇年の世界の変化は、それ以前の時代とは変化の速度がまったく違う。ならばコロナ以降の世界は、まったく違う光景を僕たちに見せてくれるかもしれない。

（『新潟日報』二〇二一年一月一〇日付朝刊）

『311』から一〇年

ドキュメンタリー仲間の綿井健陽から「現地に行かないか」と連絡をもらったのは、東日本大震災が起きてから一週間くらいが過ぎた頃だった。この時期の僕は、ほぼ終日家の中にいた。早朝から夜中までテレビをつけっぱなしにして、被災者たちの苛烈で悲惨な状況に涙ぐんだり吐息をついたりしていた。

彼らと僕とは何が違うのか。住んでいた場所だけだ。高速を車で飛ばせば数時間の距離なのに。あまりに理不尽だ。

補足しなくてはならないが、言語や民族や宗教が違っても、あるいは遠い異国であろうとも、こうした災害は(言うまでもなく)すべて理不尽だ。助けを求めるか細い声に、絶望のあまり口の端から洩れた小さな吐息に、僕たちは絶対に無感覚であってはならない。その思いを常に想像しなくてはならない。

でも福島の場合は、あまりに距離が近すぎた。テレビの画面を一日中見ながら、僕は重度の鬱状態になっていた。どこへも行きたくない。何もしたくない。ただメソメソしていた。現地に行くなどありえない。綿井の提案を、僕は即答で断った。

でも電話を切ってから一時間ほど考えて、やっぱりゆくよ、と綿井に電話した。僕自身はもちろん家族も含めて、地震や津波で被害は受けていない。電気も普通に使えるし、夜は暖かい布団にくるまって眠っている。つまり非当事者なのだ。それなのに感覚だけが当事者になっている。

映画『311』の一場面

やはりこれは違う。非当事者には非当事者の役割がある。当事者ではないからこそ、できることはあるはずだと考えたのだ。

その後にプロデューサーの安岡卓治とドキュメンタリー監督の松林要樹も加わり、四人のドキュメンタリストはワゴン車に同乗して東北に向かった。それぞれが撮影した映像は、数カ月後に『311』というタイトルで映画になった。

震災直後に家で泣いていた僕の感覚を言葉にすればサバイバーズギルト。生き残ったがゆえの罪責感。自分の生は誰かの犠牲によって成り立っている。福島の人たちの生活を奪った福島第一原発は首都圏に電力を供給するために稼働していた。この時点で日本の原発の数は世界第三位。一位のアメリカは国土が圧倒的に大きいし二位のフランスにはほぼ地震がない。これほど小さくて地震ばかり起きる国で、五四基の原発はやっぱり常軌を逸していた。

警告を発している人はたくさんいた。でも自分は疑問の声をあげなかった。沈黙することで、この国の原発政策に加担してきた。津波で多くの人が亡くなった。自分は何の被害も受けていない。だからこそ後ろめたい。生きることは誰かを加害すること。これに気づく。悔しい。そして申し訳ない。

未来のエネルギーと称された原発によって国土は汚染された。自分の過ちに気づいた人は少なくない。ならばこれを機会にこの国は変わる。これからはダウンサイジング。資源のない小さな国だ。だから身の丈に合わせる。この国は戦後ずっと、経済繁栄と利便性ばかりを追い求めてきた。原発はその象徴だ。でも本当の幸福は違う方向にある。そんな国家にきっと変わる。

一時はそう思った。多くの人も思ったはずだ。でも結果としてこの国は、サバイバーズギルトを持続できなかった。震災後に政権は民主党から自民党へと戻り、事故後にはすべて休止していた原発の再稼働が始まり、アベノミクスをキーワードに過去の栄光を礼讃する傾向が強くなり、東京オリンピック・パラリンピックの再度の招致に歓喜した。

そして今、経済優先の現政権はコロナ対策に失敗続き。だからあらためて一〇年前の自分の感覚を思い出す。なぜ同じことをくりかえすのかと吐息をつきながら。

（『生活と自治』二〇二一年三月号）

この国に染みついたジェンダー意識

女性蔑視発言で東京オリンピック・パラリンピック実行委員会の会長を辞任した森喜朗元首相が、今度は自民党議員のパーティの挨拶で、議員事務所に勤める女性スタッフに言及しながら「女性と言うには、あまりにもお歳」と発言した。

年長者に対して申し訳ない言葉を使うが、つくづくバカだ。女性は歳をとったら女性でなくなるのか。あなたも相当なお歳のはずだけど、男性は違うのか。歳をとって女性でなくなった人は何になるのか。一国の総理大臣を体験した人なのだから、この程度の質問には答えてほしい。

なぜこれほどに同じ過ちをくりかえすのか。何が問題なのか理解していないからだ。差別的な思想と思考が身のうちに染みついている。理由は簡単。ただし本人に差別との意識はない。女性を蔑視しているとの気持ちもない。自然なのだ。女性は大好きだし素晴らしい存在だと自分は思っているとの意識だろう。

要するに無自覚なのだ。だから何度もくりかえす。何度も誰かを傷つける。

首相時代に彼は、神道政治連盟国会議員懇談会の冒頭の挨拶で、「日本の国、まさに天皇を中心としている神の国であるぞということを国民の皆さんにしっかりと承知していただく」と発言して、これも問題になった。当然だろう。民主主義の根幹である国民主権という概念を、国のトップが真っ向から否定しているのだから。

ちなみに古事記の神々を信奉することを理念とする神道政治連盟は、改憲や天皇男系維持を支持して教育勅語を賛美する保守団体だ。現在（二〇二一年四月時点）の会長は安倍晋三前首相。二〇二〇年一二月二二日時点で所属している議員数はおよそ三〇〇人で、数人だけ無所属はいるけれど、あとはすべて自民党。もちろん菅現首相もメンバーだ。

誰もが一度や二度は読んだことがあるはずの『古事記』には、冒頭で以下のような記述がある。神々から授かった矛を、イザナギとイザナミは海に入れた。矛の先から滴り落ちた海水が島になり、そこに降りた二人は天の御柱を立てた。イザナギがイザナミに「あなたの身体はどのようになっていますか」と質問し、「一カ所だけ欠けているところがあります」とイザナミは答える。「私も一カ所だけ余っているところがあります」とイザナギは言って、二人は神々から指示された儀式を行う。天の御柱の周りを互いに反対方向に回って出会い、イザナミが「まあなんていい男かしら」と声をかけ、イザナギが「なんて美しい女性だろう」と返し、余ったところと欠けたところを合わせて儀式は終了した。その後に二人は最初の子どもである水蛭子《ひるこ》を授かるが、これを葦船に乗せて海に流してしまう（『日本書紀』には成長しても脚が立たなかったという記述がある）。次に生まれた淡島も（古事記では説明されていないが）、どこかしら不具があったようだ。

悩んだ二人は神々に相談して（そもそもここまでの記述も優生思想をそのまま肯定している）、「先に女が声をかけたからだ」との神託を受ける。儀式をやり直して二人は多くの島を産み、日本列島ができあがる。ちなみにイザナギの娘の一人がアマテラスであり、その五世孫が初代天皇とされる神武天皇だ。

女性が先に声をかけてはいけない理由は何か。森元首相なら「話が長くなるから」と言うのかもしれないが、神道の基盤にある穢れ思想との関係は想像できる。だから女性は（神事でもある）大相撲の土俵に上がれない。ここに儒教的家族観も重なり、多くの自民党議員が夫婦別姓や男女共同参画に反対し、同性婚も頑なに認めない。

日本のジェンダーギャップ指数は世界一五六カ国中一二〇位。なぜこれほどに遅れたのか。国会を闊歩《かっぽ》する議員たちは、立ち止まって胸に手を当てて考えてほしい。もちろん彼らを支持する人たちも。

（『新潟日報』二〇二一年四月四日付朝刊）

死刑をめぐる世論の現在地

三月一三日、日本弁護士連合会が主催して国際法曹連盟と国際刑法学会日本部会が共催し、駐日欧州連合代表部が後援する国際シンポジウム「刑事司法の未来を展望する」に参加した。会場は日比谷国際ビルのコンファレンススクエア。依頼が届いた昨年(二〇二〇年)の段階では京都大学時計台ホールが予定されていたが、さすがに緊急事態宣言下の現状では断念せざるを得ず、会場を替えて配信をメインに無観客で行われることになった。

海外からの参加者も基本的にはZoomだが、(僕も含めて)日本人参加者や発言者は、新型コロナ対策が施された収録会場に、できるかぎりはリアルタイムで参加した。

Donald R. Rothwell オーストラリア国立大学法学部教授の基調講演で始まった第二部は、国内の与野党国会議員からのメッセージへと続いた。具体的な顔ぶれは、河村建夫(自民)、山口那津男(公明)、福山哲郎(立憲)。もう現職議員ではないが、谷垣禎一元法相も発言した。ほとんどがZoomなどオンラインの参加だが、福山議員は実際に来場して僕の隣の席に座り、自分のスピーチが終わった後も他の議員の発言やシンポジウムまで熱心に耳を傾けていた。

かつて亀井静香(当時は死刑廃止議連会長)にインタビューしたとき、自分は警察官僚出身だから隠された冤罪がいかに多いかを知っている、と彼は何度も言った。だから俺は、死刑は廃止すべきだと主張する。でも俺はともかく、普通の議員なら死刑廃止を口にするメリットは何もない。それどころか次の選挙で落ちてしまうかもしれない。本音では死刑を廃止すべきと思っていても、議員たちはなかなか言えないんだ。だから俺が言う。死刑は廃止すべきです。亀井とは何度か会ったけれど、この主張は一貫していた。

でもこのシンポジウムに参加した国会議員たちは、（ニュアンスの強弱に差はあるけれど）死刑制度は廃止すべき、との意見を明確に表明した。特に印象深かったのは山口公明党代表で、「個人的に」と前置きはしながらも、死刑は廃止すべきであると思っている、と何度も断言した。

その後に世界の法学者や弁護士などが参加したパネルディスカッションが行われ、死刑制度を廃止できない日本の現状について活発に意見が交換された。それなりに死刑制度や現状についてはは知っているつもりだったけれど、この日のディスカッションやシンポジウムで初めて知ったことも多い。

今年一月、中央アジアのカザフスタンが、昨年（二〇二〇年）九月に署名した死刑廃止条約を批准したと発表した。つまり正規の死刑廃止国への宣言だ。これによって、旧ソ連諸国で現在も死刑制度を残すのは、独裁国家として知られるベラルーシとタジキスタンの二カ国だけになった。ウクライナもリトアニアもトルクメニスタンもキルギスもエストニアもすでに廃止している。二〇年以上執行していないロシアは実質的な廃止国だ。

ＯＥＣＤ加盟三七カ国のうち、死刑制度を存置している国は韓国とアメリカ、そして日本だけだ。ただし韓国は（ロシアと同様に）実質的な廃止国であり、アメリカは五〇州のうち二三州ですでに廃止され、三州は執行停止の状況だ。

さらに、死刑廃止を公約に掲げたバイデン大統領が連邦政府の死刑廃止を実施する見通しは高い。つまり、今もなお国家統合の意志として死刑を執行しているＯＥＣＤ加盟国は日本だけだ。

一〇年ほど前になるが、二〇〇九年三月に死刑を廃止したニューメキシコ州のビル・リチャードソン知事（当時）と話したとき、民主党員でありながら自分は強固な死刑存置派だったとリチャードソンは言った。でも知事になってから冤罪がいかに多いかを知り、どんなに改善を重ねても誤判を防ぐことはできないと考えて、廃止の署名に踏みきりました。そう説明した後にリチャードソンは、「日本はこのままでは世界で唯一の死刑存置国になりますよ」といたずらっぽく笑ってからウィンクした。もちろん半分はジョークだろう。でもならば、半分は本気ということになる。

アムネスティ・インターナショナルによれば、二〇一九年時点で死刑を廃止した国と、制度はあっても過去一〇年間に執行がない実質的な廃止国は合わせて一四二カ国だ。これに対して死刑存置国は日本を含む五六カ国だが、近年は執行数が減少していて、昨年一年で死刑を執行したのは（日本を含む）二〇カ国だけだ。ちなみにデータを公開しない中国は死刑大国と言われているが、近年は大幅に執行数が減少しているとみられている。死刑廃止は確かに世界の潮流だ。しかし日本の内閣府世論調査では、死刑を支持する人は四回連続（五年おきだから一五年）で八〇パーセントを超えている。

ただし最新の調査では、支持する人たちのうち「将来も死刑を廃止しない」に賛同した人は三四パーセントだが、「（状況が変われば）将来的には廃止してもよい」に三九・九パーセントが賛同した。データを子細に点検すれば、特にこの数年で雲行きが微妙に変わっていることがわかる。

死刑制度についての世界の現状と潮流を知ることは大前提だ。特に日本は、死刑制度についての情報が国民レベルで共有されているとはとても言い難い。だからこそ明治六年に太政官布告で決められた処刑方法である絞首刑が、今も変わらず採用されている。

同じ存置国でも、情報を徹底して公開するアメリカはずっと悶え続けている。死刑囚に苦痛を与えている可能性があるとして絞首刑は廃止され、電気椅子や薬物注射など処刑方法は変遷している。さらに最近では、薬品メーカーが人を殺すことに使ってほしくないと提供を拒むことも頻発し、電気椅子は死ぬ瞬間に苦痛を与えているから使用すべきではないとの世論も高まり、もろもろの課題がクリアできなければ執行できないとしてモラトリアム（一時執行停止）の状態にある州も多い。

アメリカは悶えている。情報が公開されるからだ。執行の際に被害者遺族や加害者家族を立ち会わせることは前提だ。さらに死刑を維持するすべての州で、メディアの立ち会いは義務となっている。

日本は悶えない。悩まない。情報が公開されないからだ。メディアはもちろん、被害者遺族や加害者の家族さえも、執行については事前に知らされない。執行される本人すら、自分が処刑されることを知るのは当日の朝だ。文字どおりのブラックボックス。情報はほとんど流通しないから、多くの日本国民は世界の四分の三が死刑を廃止していることすら知らない。

でも世界の現状や潮流を死刑廃止の理由にするならば、僕は違和感を表明する。現状を知ることは重要だが、これに無理に合わせる必要はない。もしも世界で唯一の存置国になったとしても、そこに信念があるのなら、胸を張って執行を続ければいい。

ただし条件がある。死刑が必要であるとの理由をしっかりと国が明示し、国民が情報を共有することだ。

かつて僕は死刑制度について、平均的なこの国の人たちと同様に、深くは考えていなかった。人を殺した罰として自分が殺される。犯罪を抑止するためにもこの制度は必要なのだ、と何となく思っていた。

でもオウムの死刑囚六人に面会したことが、死刑について考え始めるきっかけになった。なぜなら六人は（個性の違いはもちろんあるが）とても誠実で優しい男たちで、自分の罪を深く悔いていた。そんな彼らを殺さねばならない理由は何か。殺したことを理由に殺す。それがわからなくなったのだ。

それから死刑制度についての取材を重ねた。多くの死刑囚を抱きしめて見送った教誨師に話を聞いた。何度も死刑囚を担当した弁護士。処刑に立ち会った元検察官。死刑を求める被害者遺族。死刑を求めない被害者遺族。死刑囚の家族。できるだけ多くの人に会った。オウム以外の死刑囚にも面会した。考えた。悩んだ。煩悶した。その帰結が二〇〇八年に上梓した『死刑』（朝日出版社、後に角川文庫）だ。でも煩悶は終わらない。その後もずっと考え続けている。

この国には死刑が必要であるとの理由がしっかりと共有されているのなら、たとえ最後の存置国になったとしても死刑制度を手放すべきではない。でも僕は、死刑制度をめぐる多くの人に会い、日本だけではなく海外の刑務所や裁判所なども取材したけれど、死刑が必要であるとの理由をいまだに見つけることができずにいる。ただし廃止すべき理由は、ずっと変わらない。

どんな状況であっても、人は抵抗できない人を殺すべきではない。

これに対抗できる論理に、僕はまだ出会えていない。これだけ探したのに。ならば結論は明らかだ。もしもキッチンでセントバーナード犬を発見できないのなら、セントバーナード犬は冷蔵庫の裏か食器棚の隙間に隠れているのではなく、キッチンにはいないのだ。

「無抵抗の人を殺すべきではない」と言う僕に、死刑を支持するこの国の八割の人たちは、「そのルールを破ったからこそ殺されるのだ」と反論するだろう。「ルールを破った個人への報復として国家や社会がルールを破っていいはずはない」と言い返せば、「犯罪抑止のためにも死刑は必要だ」と言われるかもしれない。

もしも死刑制度に犯罪抑止効果があるのなら、死刑を廃止した国の治安は悪化することになる。でもそんな事例はほとんどない。逆に最近は死刑になることを目的に、犯罪を起こす事例が増えている。

この説明に対して死刑を支持する人たちは、「遺族の無念の思いはどう晴らせばいいのか」と訊いてくるはずだ。過去に何度も体験している。そのとき僕は、「犯罪者にも家族はいる」と答えた。「遺族の無念の思いを理由に遺族を増やすのですか」

これに対しては「犯罪者の家族と被害者の家族を一緒にするな」と反論された。ならば最後に僕はこう言おう。「家族に何の罪も落ち度もないことは、被害者も加害者も同じです。さらに、被害者遺族の感情を量刑の理由にするのなら、被害者が天涯孤独で遺族がいない場合にはどうなりますか。加害者の罰は軽くてよいということになるのですか」

ならば命の価値が、知人や家族の数の多寡で変わることになる。孤独な独居老人の命の価値は、たくさん家族がいて社交的な人の命よりも軽い、ということになる。つまり、近代司法の最重要なテーゼである罪刑法定主義が崩壊する。

まあ現実にはここまで議論する前に、死刑を支持する人は怒り狂ってどこかに行ってしまうだろう。

無観客ではあったけれど、僕にとっては有意義なシンポジウムだった。だからこそ三年前に処刑されたオウム信者たちのことを思うと今も悔しい。林泰男や中川智正には、面会を続けるうちに友人のような感覚が芽生えていた。広瀬健一は本当に生真面目な男だった。岡崎一明は最初の面会で自分の犯罪について語りながら涙ぐんだ。運動の時間には爪切りをしていますと早川紀代秀は言った。何もすることがないんです。新実智光は面会の最初と最後に、必ず直立不動でお辞儀をしてくれた。

一人ひとりの顔を思い出す。悔しい。こういう書きかたをすると、森はオウムとの距離が取れていないとかなんとか言う人はきっと現れる。かまわない。彼らはオウムという組織ではない。一人ひとりの人間だ。距離をとるつもりはない。友人たちだった。きっとこれからもずっと、この悔しさは消えないと思う。

（『創』二〇二一年五月号）

僕たちは傍観者ではいられない

東京都豊島区大塚。車一台がやっと通れる折戸通りに「シネマハウス大塚」がオープンしたのは二〇一八年春。五六席の小さな映画館だ。

そのウェブサイトには、以下のような記述がある。

運営に携わるのは、世界中の若者が反乱の声をあげたあの1968年に都内の同じ高校で、芝居に映画にそしてデモにと、十代の青春を共にした仲間です。

この「仲間」の一人が、『FAKE』のプロデューサーの橋本佳子だ。それもあって僕にとっては、縁のある映画館だ。過去には僕の映画だけではなく、テレビ時代の作品の特集上映も行われている。「仲間」のもう一人は、長くテレビ業界で働き、「報道ステーション」のプロデューサーだった時期もある後藤和夫だ。その後藤が監督した映画『傍観者あるいは偶然のテロリスト』が四月に上映され、上映後のトークに呼ばれた。

客席には映画とテレビ業界の友人や先輩がたくさんいる。マイクを手に、後藤とこの映画のテーマについて話した。ジャーナリストやクリエイターは問題に対して傍観者であるべきなのか。あるいは介入や参加をすべきなのか。そもそも傍観者でいられるのか。

つまりサルトルが半世紀も前に提唱したアンガージュマン。あるいは村上春樹的な語彙を使えばコミットメント。客席にいる友人や先輩たちにもマイクを渡した。決して大きな会場ではないから、観客も含めてみんなで議論するという状況になった。

特に第二次安倍政権以降、一強独裁的な政治権力によって、この国のシステムや法制度は軋みながら大きく変わってきた。沈黙は絶対にできない。声をあげるべきだ。でもどのように声をあげるのか。ジャーナリストやクリエイターならば、報道や作品で声をあげるべきだ。それ以上の手法で問題に関わるべきではない。なぜなら決して当事者にはなれないのだから。

この論理にはある程度の説得性はある。でもある程度だ。例えばミャンマーやガザ地区のように目の前で多くの人たちが殺害されている状況で、ジャーナリストやクリエイターは何をなすべきなのか。分をわきまえた活動だけでいいのか。救いを求める人たちに手を差し伸べ、加害する側には怒りの声をぶつけるべきではないのか。

　いろいろな意見が出た。僕の結論から書けば、もしもその場にいるのなら、介入や参加をすべきと思っている。いや介入や参加のレベルではない。その瞬間に僕たちは当事者なのだ。傍観者でいられるはずがない。

　思いだすのは、世界的な報道写真家であるジェームズ・ナクトウェイを被写体にした映画『戦場のフォトグラファー　ジェームズ・ナクトウェイの世界』だ。インドネシアの虐殺現場で写真を撮っていたナクトウェイは、一人の男を追い詰めて殺害しようとする群衆に対して、カメラを放り出して土下座し男のために命乞いする。撮ることを優先すべきか救うべきか。同じ写真家であるケビン・カーターが「ハゲワシと少女」で提示したジレンマだが、結論はとっくに出ている。

　しかしこの国は、政治や社会へのコミットや発言を冷笑や嘲笑する傾向が強い。特にネットでその傾向が加速している。だから一般の人たちだけではなく、多くの俳優やミュージシャンも政治的な発言はしない。

　僕たちは撮る。あるいは書く。でもテレビなら時間の制限があるし、新聞や書籍なら文字数の制限がある。すべてを伝えることはできない。ましてフリーランスは発表の場が乏しい。だから言いたい。伝えたい。でもこの国はそうした行為を、中立公正原則を踏み外したとして批判する場合が多い。明らかに本末転倒だ。最後に後藤がマイクを握った。


テレビマン時代に私は、第二次インティファーダで紛争が続くパレスチナに何度も足を運んで取材と撮影を続けました。現役の頃はこの問題を、テレビでもっと大きく扱いたいとずっと思っていた。でも多くの日本人はパレスチナ問題に関心がないし視聴率にも貢献しないと、いつも周囲から反対されていました。悔しかった。もっと知ってほしい。気づいてほしい。
だからこの映画を作ったのです。

イエス・キリストが信じていた宗教は何か。こう質問されたとき、正解を言える日本人は少ない。キリスト教と答える人は半分以上だろう。正解はユダヤ教。イエスが父と呼ぶ神は、ユダヤ教で唯一神とされるヤハウェだ。キリスト教はイエスが処刑されたあとに、弟子たちが広めた宗教だ。

なぜイエスは処刑されなくてはならなかったのか。もしもキリスト教の信者にそう質問すれば、メシア（救世主）であるイエスは、人類をその罪から救うために身代わりとして磔《はりつけ》になったのだと答えるはずだ。ただしこれは教義だ。史実としては、形骸化したユダヤ教旧体制をイエスが批判したために、ユダヤ教司祭や律法学者から憎悪されたから。つまりキリスト教を信仰する人たちにとって、ユダヤ人はイエスを殺害した民族ということになる（実のところイエスもユダヤ人なのだが）。

多くの人が読んでいるシェイクスピアの「ヴェニスの商人」に登場する金貸しシャイロックは、冷酷で強欲なユダヤ人のステレオタイプそのままだ。あるいは「屋根の上のバイオリン弾き」でウクライナの村から追放されるテヴィエ一家もユダヤ人だ。

だからこそナチスの多くの強制収容所がソ連軍や連合国軍によって解放されてホロコーストの実態が明らかになったとき、キリスト教を信奉する西側世界の人たちは驚愕しながら萎縮した。なぜならナチスだけではなく自分たちも、何世紀にもわたってユダヤ人を差別し、迫害してきた加害者であるからだ。

第二次大戦後にユダヤ人は、ヘブライ語聖書（旧約聖書）に記された約束の土地に自分たちの国を建設した。ホロコーストによって刺激された強い被害者意識は過剰な攻撃性へと転化して、その地に以前から居住していたパレスチナの民を差別して迫害した。虐殺もあった。しかし国際社会は黙認する。国連によるパレスチナ分割決議にイスラエルは従わない。でも西側世界は、イスラエルに対して強い主張はしない。

当然ながらアラブ世界は怒る。中東戦争が何度も起きるが、アメリカの庇護を受けているイスラエルは近代兵器を駆使して圧倒的な軍事力で勝利し続ける。核兵器を保有していることは公然の事実だが、アメリカを含めてこれをとがめる国もない。

だからこそアラブ各国はイスラエルと同時にアメリカを仮想敵と見なし、アルカイダは二〇〇一年にアメリカを攻撃する。

つまりイエスの処刑が今につながっている。

一五年ほど前、ヨルダンのパレスチナ難民キャンプに行った。難民キャンプとはいっても、もう五〇年以上も前に故郷の地を追われてここに住み着いた人たちだ。ほぼ町と言っていい。キャンプではパレスチナ人一家の家に泊まった。この家にはほぼ同世代の五人の兄弟が暮らしていた（母親や姉もいるが、あまり家の奥から出てこない）。夕食後はキャンプの表通り（と言っても昭和初期の日本の地方都市のような雰囲気だが）を兄弟と一緒に歩いて、水煙草を吸ったりカフェでトランプに興じたりした。

夜遅くなって家に戻ってから、ＰＣに保存されていたイスラエル・パレスチナ紛争の映像を見せられた。爆撃で四散した多くの人の遺体。イスラエル兵士に銃撃される女や子ども。もちろんモザイクなどない。観終えて言葉がない僕に、兄弟たちは「日本人はこの問題についてどう思っているのか」と質問した。僕は正直に答えた。多くの人は関心を持っていない。メディアもあまり積極的には報道しない。

僕の説明にうなずきながら、一人が言った。味方になってくれとは言わない。でもせめて知ってほしい。この地で何が起きているのか。私たちはなぜ故郷にいないのか。せめて知ってほしい。そのあとに考えてほしい。

泊まった翌朝、家の前の道路に小さなテーブルを置いて兄弟たちと甘いコーヒーを飲む。通りすがりの男たちが話しかけてくる。アラブの男はおしゃべりだ。兄弟の一人が、昨夜僕のために作ったという木彫りの置物をプレゼントしてくれた。PEACEと文字が彫りこまれたその置物は、今も家の玄関に置いてある。

世界の今の紛争と混沌の要因として、イスラエル・パレスチナ問題の影響は大きい。ユダヤ人が加害されたホロコーストやナチスの映画は、サスペンスやホラーなど多くのジャンルのひとつといえるほどに毎年量産されるが、そのユダヤ人が加害する側となった現在進行形の問題に対しては、少なくともハリウッドは拮抗できていない。イスラエルを批判する映画はとても少ない。ただし『テルアビブ・オン・ファイア』や『オマールの壁』など、イスラエルやパレスチナのフィルムメーカーたちが作る佳作は少なくない。他にもアヴィ・モグラビなどイスラエル国民でありながら、自国のパレスチナ政策に対して作品で強く異議を唱える映画監督も少なくない。日本でも若松孝二、足立正生、広河隆一、古居みずえ、土井敏邦など多くの監督たちが、やはりイスラエルを批判する作品を発表している。

『傍観者あるいは偶然のテロリスト』は、その系譜の最新作に位置する。シネコンでは絶対に上映されない映画だろう。でも今も日本のどこかで上映されているかもしれない。機会があれば観てほしい。目撃してほしい。私は傍観者でよいのかとの後藤の問いは、イスラエルとハマスが激しい戦闘状態に陥った（でも死者の数が示すようにまったくの非対称だ）現在だからこそ、きっとあなたにも突き刺さるはずだ。

（『創』二〇二一年七月号）

言葉の劣化は政治の劣化

毎年六月、政権の重要課題や翌年度予算編成の方向性を示す「骨太の方針」を政府は発表する。正式名称は「経済財政運営と改革の基本方針」。でもこれでは堅苦しいしわかりづらい。だから小泉政権以降、「骨太の方針」と言い換えている。

皮肉を込めて言えば、とても文学的な表現だ。政治にはなじまない。わかりやすくてキャッチーならば何でもいいのか。特に安倍政権以降、キャッチフレーズを多用する傾向は加速した。思いつくままに以下に挙げる。

美しい国づくり内閣
危機突破内閣
アベノミクス

地球儀を俯瞰する外交
日本を、取り戻す。
悪夢のような民主党政権
日本の明日を切り拓く。
この国を、守り抜く。

ちなみに「美しい国づくり内閣」は第一次安倍内閣のキャッチフレーズで、「危機突破内閣」は第二次安倍内閣。そういえば「仕事人内閣」とか「全員野球内閣」とか、まさかふざけてないよねと言いたくなるようなフレーズもあった。

要するにきわめて広告代理店的な発想だ。キャッチフレーズだけではなく肝いりの法案についても安倍政権は、例えば「共謀罪」は「テロ等準備罪」で「国家機密法」は「秘密保護法」などと言い換えながら成立させている。

特に「秘密」はどうかと思う。少なくとも国家や法制度に馴染む言葉ではない。なんとなく隠微で官能的な気配がある。それは秘密よ。お願いもう言わないで。まるで昭和の歌謡曲だ。

安倍政権を引き継いだ菅政権もそれは変わらない。いやもっと露骨になっている。政権発足時のキャッチフレーズは「国民のために働く内閣」。これは重言じゃないのか。頭痛が痛い。馬から落馬する。国語教師は怒るべきだ。社会科の教師もあきれるべきだ。国民のために働くと言われたら誰だって、ならば今までの政権は誰のために働いていたのか、と言いたくなるはずだ。

コロナ禍で非常事態宣言解除を発表したときも菅首相は、冒頭から「空前絶後」とか「オンリーワン」とか「次なるステージ」とか「夢」とか「感動」などの言葉を連発した。ほとんどJ

ポップだ。踊りながら記者会見すればいい。スピーチライターが書いていることは承知しているが、チェックくらいはできるはずだ。言葉がどんどん軽くなって上滑りが加速している。だから人の気持ちに届かない。でもそれでは政治は成り立たない。

招致が決まった頃の東京オリンピックの大義は「復興」だった。でもコロナ禍が始まって安倍前首相は、開催する大義を「コロナに打ち勝った証し」に代えた。菅首相も就任後しばらくはこれを引き継いでいたが、さすがにコロナ対策の大きな遅れが明らかになった今年（二〇二一年）一月のダボス会議では、「人類が新型コロナウイルスに打ち勝った証しとして、また世界の団結の象徴として」開催すると述べ、四月の訪米でバイデン大統領と会談したときは、とうとう「打ち勝った証し」が消えて、「世界の団結の象徴として東京オリンピック・パラリンピックの開催を実現する」と表明した。

ころころと理念が変わる。ならばそれは理念ではない。慣用句だ。過去形ではない。現在進行形だ。六月二日に首相官邸で行われたぶら下がり会見で東京オリンピック・パラリンピックにこだわる理由を質問された菅首相は、「（平和を世界に発信するための）安心安全の対策をしっかり講じた上で、そこはやっていきたい」と答えている。

質問と答えがまったく噛み合っていない。さらにいつのまにか「世界の団結」も消えて、最後に残されたのは「安心安全」だ。

でもそれは大義とは違う。もちろん理念でもない。ナチスがプロパガンダに利用した一九三六年のベルリン大会や、ソ連がアフガニスタンに武力侵攻したことへの抗議として日本も含めて五〇カ国が不参加を表明した一九八〇年のモスクワ大会を挙げるまでもなく、オリンピック開催と平和の発信は決してイコールではない。

国会でも野党議員から、なぜリスクを冒してまで開催するのか、とこだわる理由を何度訊ねられても、壊れたテープレコーダーのように「国民の命と健康を守り、安全・安心な大会が実現できるように全力を尽くす」とくりかえしている。大義を言わない。理由を述べない。おそらく言えないのだろう。

政治は言葉だ。それが劣化すれば政治も劣化する。僕たちは今、その典型的な事例を目撃し続けている。

（『生活と自治』二〇二一年八月号）

現代の「市中引き回し」

今年（二〇二一年）六月、東京都立川市のホテルで男女が刺されて、男性は重傷で女性が殺害される事件が起きた。犯人は一九歳の無職少年。そしてこのとき、教えている大学で多くの学生から、「なぜ加害者の少年の名前は隠されているのに、被害者である女性の名前は公開されるのか。バランスが変です。少年の名前も報道すべきではないですか」などと質問された。

少年の名前や顔写真など特定できる情報を報道しない理由は、高い可塑性を持つ少年から更生の機会を奪うべきではないとの精神を掲げる少年法により、過剰な報道が抑制されているからだ。規定の年齢に多少違いはあるが、少年法は世界中の近代司法国家が共有するスタンダードだ。

僕は学生に答える。加害者と被害者はシーソーに乗っているわけではない。片方を下げても片方は上がらない。なぜバランスなどと考えるのか。どちらも上げればよいだけの話だ。立川の事件の報道で考えるべきは、加害者の少年の名前を晒せ、ではなく、被害者の名前や顔写真を報道することの意味だ。加害者はともかくとして、被害者の名前や写真を多くの人に伝える理由は何か。それは本当に必要なのか。

事件について補足する。報道によれば、逮捕された少年は取り調べで、「インターネットで人を殺す動画やグロテスクな動画を見て刺激を受け、女性と無理心中する様子を撮影しようと思った」と供述したという。被害者となった派遣型風俗店の女性従業員とは面識がなかったが、「風俗業をやっている人間はいなくていい」とも供述している。つまりフェミサイド（女性や少女などを狙った犯罪）の可能性がある。ちなみに日本は、（そもそも殺人事件は少ないが）被害者の女性比率が世界で最も高い国のひとつだ。

以下に朝日新聞（二〇二一年六月二三日）の記事の一部を引用する。

少年は東京都の西部にあるあきる野市で生まれ育ち、両親と暮らしていた。家族や同級生によると、中学を卒業するまで、周囲には「どこにでもいる、普通の少年」と映っていた。

母親は朝日新聞の取材に、「小学生の頃はたくさんの友達を家に呼んで遊んでいた」と話した。好物は焼きそばパンで、買って帰ると必ず「ありがとう」とお礼を言った。「思いやりがある」と母親は思っていた。

中学で同級生だった会社員の男性（19）も「優しく、家族思い」との印象が強い。

反抗期で両親を悪く言う友人も多いなか、少年は母親について「よく話をする」「大好きなんだよ」と繰り返した。サッカー部の後輩（18）はランニング中のかけ声が小さくなりがちだった入部直後、「声出しな」「一緒だから恥ずかしくないよ」と声をかけられた。「あたたかい先輩だった」と振り返る。

違う側面が見え始めたのは、都立高校に進学した年の秋。同じクラスだった男性会社員（19）によると、理由は分からなかったが、学校を休むようになった。SNSに同級生の名を書き、「死ぬ」「失明する」「がんになる」などと添えることもあった。このころ「いじめられていたようだ」と母親は言うが、同級生や学校は否定した。

翌年の夏には通信制高校に移り、昨年3月に卒業した。老人ホームや金属加工工場で働き、1人で趣味のバイクやゲームを楽しんでいたという。

少なくとも中学や高校時代、後の殺人に結びつくような気配や要素は欠片もない。だからあらためて思う。悪は悪の形などしていない。人は環境によっていかようにも変わる。ハンナ・アーレントの語彙を借りれば「凡庸な悪」。親鸞のフレーズを使えば「さるべき業縁のもよおせば、いかなるふるまいもすべし（そうなるべき縁がもよおすならば、人はどのような振る舞いでもしてしまう）」。つまり入れ替え可能。アイヒマンは僕であり、あなたでもある。

であるならば、実名や顔写真やプライバシーを明かすことに、どのような意味があるのか。これを見たがる人たちは何を求めているのか。この国は江戸時代に刑罰の一環として、罪人の市中引き回しを行っていた。有名な犯罪者では鼠小僧や八百屋お七も、一日がかりで市中引き回しが行われてから処刑されている。つまり見せしめ。あるいは見世物。そして今は町奉行ではなくメディアが、その役割を果たしている。

今回の話はここでは終わらない。他者に対しては実名を求める日本人の多くは、自分自身は匿名であることを好む。ツイッターの匿名率は圧倒的だ。おそらく世界一。自分は隠されているから言葉が攻撃的になる。隠れて石を投げる。標的とする誰かを名指しで罵倒し、時には死の淵にまで追い詰める。

つまりこの国の多くの人は、自分自身は名前を出さずに集団の一部になりながら、特定の誰かについては名前や顔写真を公開することを迫り、「死ね」とか「消えろ」などと罵声を浴びせることが世界で最も好きなのだ、ということになる。多数派による暴力。要するにいじめだ。

……書きながら鬱になってきた。きっとあなたも読みながら鬱になったと思う。でも知らなければ。知ってほしい。これはこの国のまぎれもない一断面だ。

(『生活と自治』二〇二一年九月号)

加害者家族の人権を護る

七月一六日、久しぶりにＮＨＫ西口玄関に行った。待っていたのは報道局社会番組部の古関和章ディレクター。二時間後にオンエアが始まる「クローズアップ現代＋」のゲスト出演だ。

この日のタイトルは「和歌山カレー事件23年・闇に追われる子供たち」。控室で待っていた旗手啓介プロデューサーと井上裕貴キャスターに保里小百合キャスターも交えて打ち合わせ。ちなみに社会番組部チーフ・プロデューサーの旗手は、二〇一六年に放送されたNHKスペシャル「ある文民警察官の死」のディレクターであると同時に、二〇一八年に刊行された『告白あるPKO隊員の死・23年目の真実』（講談社）の著者でもある。打ち合わせ後半には、昨年（二〇二〇年）一一月にオンエアされた「こもりびと」プロジェクトのプロデューサーである松本卓臣も加わった。井上、保里とはこの日が初対面だったが、他の三人とは久しぶりだ。

一九九八年七月に起きた和歌山毒物カレー事件。夏祭りで六七人が急性中毒の症状を示し、小学生を含む四人が死亡して、社会は大きく震撼した。この事件の特徴はとにかく報道が過熱したこと。この三年前に起きたオウム真理教による地下鉄サリン事件の記憶はまだ生々しい。社会とメディアが毒物という言葉に過剰反応したことも確かだ。オウムのときほどではないけれど、とてつもない数のメディアが、容疑者として疑われた林家の周囲に何カ月にもわたって集結した。メディアスクラムだ。

捜査当局の当初の見立ては青酸化合物による中毒だった。実際に司法解剖した遺体からは青酸化合物が検出されている。ところがその後にヒ素が遺体やカレーの残りなどから検出され、青酸化合物についてはいつのまにか（なぜか）消えた。

一九九八年一〇月四日、知人男性に対する殺人未遂と保険金詐欺の容疑で、元保険外交員だった林眞須美が、別の詐欺および同未遂容疑をかけられた元シロアリ駆除業者の夫である林健治とともに逮捕された。別件逮捕だ。その後に眞須美は健治らに対する殺人未遂容疑などで再逮捕されたが、被害者とされた健治ともうひとりの男性は自分の意志でヒ素と知りながら飲んだと主張して、眞須美の殺人未遂を否定している。しかし同年一二月九日、カレー鍋に亜ヒ酸を混入した殺人と殺人未遂の容疑で、眞須美は再逮捕された。

死刑確定は二〇〇九年五月一九日。でも眞須美自身はずっと自分の関わりを否定していて動機は解明されておらず、さらに彼女が犯人であることを明確に示す直接的な証拠はいっさいない。状況証拠だけなのだ。

唯一の物証だったヒ素についても、再審弁護団に依頼された京都大学の河合潤教授によって、林宅で発見されたヒ素と現場で発見された紙コップに付着していたヒ素が同一であるとする鑑定結果に大きな過誤があることが明らかになり、最初に鑑定した東京理科大学の中井泉教授もこれを認めている。

つまり冤罪である可能性はきわめて高い。

ただし僕は、眞須美がシロであると主張するつもりはない。だってそう断言するだけの裏付けを持っていない。でも近代司法の大原則である無罪推定と検察側の立証責任を、この捜査と裁判は明らかに踏み外している。本来なら無罪判決を下されるべきだった。きわめて作為的にひとつの方向に誘導されて死刑判決が下された、ということは強調しておきたい。

ちなみに二〇一二年、和歌山カレー事件を担当していた和歌山県警科捜研の主任研究員が、変死事件など六事件の鑑定で証拠を偽造したとして書類送検されたことが明らかになっている。

事件から二三年が過ぎた今年（二〇二一年）六月、眞須美死刑囚の長女が四歳の娘とともに入水自殺した。同じ日に一六歳の娘も家で死亡していて、警察は生き残った夫への取り調べを続けている。

長女の自殺について、メインストリームメディアの扱いは、どちらかといえば淡泊だった。でもその理由はわかる。長女は一般市民だ。しかも自殺の理由や動機もまだ明らかではない。

だからこの日の「クローズアップ現代＋」も、長女の自殺そのものにフォーカスしていない。ただし二五年前に起きた事件によって子どもたちの人生が大きく負の影響を受けたことは事実であり、それは決してこの事件に限ったことではなく、今の日本社会で加害者の家族がどのような状況に置かれているのか、がこの日のテーマになった。

出演を打診された二週間ほど前に、古関からはそう説明されていた。とても大事な論点だ。加害者家族はブラックボックスに置かれている。もちろんその最大の理由は、彼ら自身がメディアなどにフォーカスされることを望まないからだ。さらにメディア側も、加害者家族に対しての熱量は低い。

その傾向は特にテレビに顕著だ。なぜなら加害者家族を撮ることは、加害者側との（ある意味での）共闘関係を示してしまうので、視聴者から激しい抗議が来ることを予感しているからだろう。

その帰結として加害者家族は社会から疎外される。多くの場合、居住していた家から引っ越すことを余儀なくされる。さらに家族は離散する。林家の場合は、空き家になった家の塀は醜悪な落書きで埋め尽くされ、やがて放火されて全焼し、今も更地のままだ。

勤めていた会社や学校にはいられなくなる。名前を変える人も多い。でもメディアは見つける。さらにここ一〇年ほどは、ネットが彼らを追跡する。就職や進学も思うようにできなくなる。追い詰められて自殺する人も少なくない。

番組の中で僕は、「一〇年ほど前に現職の閣僚が、加害者家族も市中引き回しにしろ、と発言しました。その発言にも驚いたけれど、その後に多くの人がこの閣僚の発言に賛同したと聞いて二度びっくりしました」とコメントした。尺がほとんどないので、詳細は語れなかった。

発言した閣僚は鴻池祥肇防災担当相。このときは政府の青少年育成推進本部副本部長も務めていた。放送後に調べたら二〇〇三年だった。一八年前だ。少年犯罪への対策が話し合われた閣僚懇談会後の記者会見で、一二歳少年が加害者となった長崎市の幼稚園児誘拐殺人事件などに触れながら、「親なんか市中引き回しの上、打ち首にすればいいんだ」と発言している。

いかにも日本的だ。つまり人格を個として認めない。自民党議員の多くが抱く古典的な家族観にも根差しているのかもしれない。

放送終了後、ネット用に井上キャスターと会話を続け、この日の収録はすべて終了した。これまでのクロ現出演の際は、必ずNHK近くの居酒屋に武田真一キャスター（国谷裕子さんの時代もあった）やスタッフたちと移動して反省会の時間になるのだけど、さすがに今は無理だ。旗手や松本、古関らともっと話したかったけれど、この日はあきらめた。

あらためて思うが、加害者家族についてメディアは触れたがらない。加害者を擁護するのかとの意味不明な抗議が来るからだ。

決して杞憂ではない。実際に抗議が来る。ネットで炎上する。僕も何度も経験がある。でもクロ現は火中の栗を拾う。それがジャーナリズムだからというようにあっさりと。

NHKに関してはいろいろ言いたいことはあるけれど、現場のスタッフたちの志は高い。さりげない。でも強い。考えている。悩んでいる。いろいろ言いたい対象は、NHKの経営陣であり上層部だ。現場については応援したい。そしてその一員として参加できたことが嬉しい。

（『創』二〇二一年九月号）

削ぎ落とされる言葉の機微

世界的な気候変動によって、近年は大雨や台風などの災害がとても多い。あるいは交通事故の瞬間、ビルの崩落など、一昔前であればその場にいなかった人が目にすることは絶対にできなかった瞬間を、スマホやドライブレコーダー、SNSの普及によって、ニュースなどで普通に見ることができるようになった。

多くの人はその瞬間、「ヤバイ」と声を上げる。子どもや若年層だけではなく年配層も、男性も女性も、惨状を目の前にしてスマホを掲げながら、異口同音に「ヤバイ」。他の言葉を聞くことはほとんどない。

「ヤバイ」の語源は江戸時代の隠語。言葉そのものは決して新しいわけではない。ただし意味や使いかたは変化した。国語辞典の多くは「ヤバイ」を、①「危ない」「都合が悪い」「良くない」などと語源どおりのニュアンスで解説しながら、②「すごい」「非常に興味を引くさま」「のめり込みそうな心境」なども付記している。苦しいときや不快なときだけではなく、嬉しいときや楽しいときにも使える。

要するに記号にするなら「！」。感嘆符なのだ。絵文字に近いかも。だから使いやすい。「ヤバイ」と同様に感嘆符的な言葉は、「マジ」「ウザイ」「キモイ」などがある。「マジヤバイ」とか「ウザキモイ」とか組み合わせもある。

もちろん、言葉は時代によって変わる。今どき「それがし」とか「近う寄れ」などと言う人がいたら個性的のレベルではない。

でもなあ、「ヤバイ」「キモイ」「ウザイ」などの言葉は、意味が広義なだけに単純化されやすい。今風と言えば今風だけど、言葉を仕事のひとつにしているだけに、ディテールが抜けて表現が痩せることがどうしても気になってしまう。

同様に、最近の政治家たちの常套句についても違和感がある。例えば「一丁目一番地」というフレーズ。意味は最優先事項や最重要課題。政治の世界で頻繁に使われるようになったのは一九九〇年代らしいが、これはずっと苦手だ。耳にするたびに恥ずかしくなる。

他には「遺憾である」とか「いかがなものか」。怒りや否定の意味があるようで薄い。あえてオブラートで包んでいる。でも半透明なオブラートだから中身が見える。目的は包むことではなく包んでいますよとのニュアンスをアピールするため。とても狡い。言葉が命である政治家が多用すべきフレーズではない。

二〇一七年一月、「共謀罪」の成立要件を改める「テロ等準備罪」をどのような団体に適用するのかをめぐって安倍首相は、そもそも罪を犯すことを目的とする集団でなければならない、と一月に答弁し、二月にはオウム真理教は当初は宗教法人だったが犯罪集団に一変したので適用対象となると答弁した。この二つの答弁の矛盾について四月一九日に民進党の山尾志桜里議員（当時）は、「そもそも」は「最初から」という意味であるから一月の答弁に従えばオウム真理教は適用の対象外になるのではないかと質問し、これに対して安倍首相は、（質問事前通告があったから）そもそもの意味を辞書で念のために調べてみたが「基本的に」という意味もあると答弁した。書くまでもないけれど、「最初から」と「基本的に」は意味がまったく違う。しかも共謀罪の適用対象の範囲を決める重要な議論だ。どの辞書に「基本的に」と載っているのかと質問されても、安倍首相は答えない。

日本の主な国語辞典を以下に列挙する。『広辞苑』『日本語大辞典』『大辞林』『日本国語大辞典』『大辞泉』『新潮国語辞典』『角川国語辞典』『旺文社国語辞典』『三省堂国語辞典』『岩波国語辞典』『講談社国語辞典』『新明解国語辞典』『角川新国語辞典』『新解国語辞典』『現代国語例解辞典』『新潮現代国語辞典』『三省堂現代新国語辞典』『福武国語辞典』『集英社国語辞典』『学研現代新国語辞典』『精選国語辞典』『角川必携国語辞典』『明鏡国語辞典』『類語大辞典』『小学館日本語新辞典』『ベネッセ表現読解国語辞典』。

これだけチェックしたけれど、「そもそも」の意味として「基本的に」を記載している辞書はひとつもない。ならば首相は国会で嘘を言ったのか。そう追及された安倍政権は、三省堂の辞書に「そもそも」の意味のひとつとして「どだい」が記載されているから、「そもそも」は「基本的に」と同義であると閣議決定した。つまり政権が言葉の意味を変えた。

一九四九年に刊行されたディストピア小説『一九八四年』でジョージ・オーウェルは、「ビッグ・ブラザー」が支配する独裁国家オセアニアを想定した。この国で使われる言語体系「ニュースピーク」は、語彙を徹底的に少なくしたうえに、文法を極限まで単純化した言語だ。正義、道徳、民主主義、宗教、自由、蜂起などの言葉は廃棄された。「good（良い）」は思想的に正統を意味してビッグ・ブラザーを称えるときに使われる言葉に限定され、「bad（悪い）」は「ungood（アングッド）」に言い換えられたので、「ビッグ・ブラザーは悪い」と表現することができない。語彙が少ないから比喩もできない。さらに言葉の意味を政治権力は都合よく変える。

だから人の意識が変わる。表現も痩せる。国家体制への批判や揶揄や抗議も、その語彙がないのだから発想すら不可能だ。

こうして複雑な思考ができなくなったオセアニア国民は、政治権力に羊のように隷従する。言葉は重要だ。大本営は軍の戦果を大幅に水増しして損害はほぼ伝えず、「全滅」は「玉砕」、「敗退」は「転進」に言い換えた。大本営だけではない。戦後日本は「敗戦」を「終戦」に、安倍政権は「武器輸出」を「防衛装備移転」に言い換えた。「攻撃型空母」は「多用途運用護衛艦」で「徴用工」は「労働者」、「安全保障法制」は「平和安全法制」で米軍ヘリの「墜落」は「不時着」、「カジノ法」は「統合型リゾート実施法」で公文書の情報公開を阻む法律は「機密保護法」から「特定秘密保護法」へと変わった。

そもそも（この使いかたは正しい）今回問題となった「テロ等準備罪」は、ずっと「共謀罪」と呼称されて何度も廃案になっていた。内容は何も変わっていないのに名称を変えただけでいきなり成立した。こうして社会が変わる。政治権力の言葉の修正や言い換えに、僕たちはもっと鋭敏でなければならないはずだ。

冷戦下で書かれた『一九八四年』は、反ファシズム、反共産主義をテーマにしているとよく言われる。確かにそのニュアンスは強い。でもこの作品の射程にあるのはファシズムや共産主義だけではない。なぜなら絶対的な独裁者であるビッグ・ブラザーを、オーウェルは最後まで実体化させないのだ。一度も登場しない。その描写は常に、ポスターなどの印刷物か、市民へのマインドコントロールと監視のために各家庭や街中に設置された双方向テレビジョン「テレスクリーン」だけに限定されている。すべて二次情報なのだ。

つまり、実在しない権力に支配される人々を、オーウェルは暗示している。エティエンヌ・ド・ラ・ボエシの語彙を借りれば「自発的隷従」。エーリッヒ・フロムなら「自由からの逃走」。

森達也の作品ならば「放送禁止歌」。

……三つ目は余計か。でもテーマは共通している。本来は自由なのに自ら自由を手放す。空気のような権力に従属する。そして気づかない。とても示唆的だ。ファシズムや共産主義だけではなく、今のこの国に暮らしている僕たちにとっても、決して他人事じゃないはずだ。

（『新潟日報』二〇二一年一〇月二日付朝刊）

七〇年目の名誉回復

岐阜県西部の垂井町にある明泉寺を訪ねたのは六年前。山門前に据えられた大きな石柱には、「戦争は罪悪である　竹中彰元師之寺」と刻まれている。

一八六七年に生まれた竹中彰元は、父の跡を継いで一七歳で真宗大谷派の名刹である明泉寺の住職となった。一八九四年に日清戦争が始まって日露戦争は一九〇四年。この時期の彰元は大谷派教団の特命布教使に任命されて、全国的な活動に従事していた。つまり教団内ではエリートだ。

盧溝橋事件が起きて日中戦争が本格化した一九三七年九月、明泉寺がある村からも五人の若者が出征することになった。その見送りに四〇〇人の村人とともに参加した彰元は、「戦争は罪悪であると同時に人類に対する敵であるから止めた方がよい」と発言した。

ちなみに日本が施設した南満州鉄道が中国国民軍に爆破されたとして関東軍が軍事行動を拡大

した柳条湖事件は、盧溝橋事件の六年前に起きている。暴支膺懲《ぼうしようちょう》（横暴な中国を懲らしめよ）というスローガンを大きな見出しで掲げた新聞を読みながら、日本国民は激高した。中国はけしからん。懲らしめるしかない。多くの人はそう思った。でもこの爆破事件は関東軍の謀略だった。自分たちで鉄道を爆破して、中国軍の仕業であると関東軍は発表したのだ。

戦後に明らかになったこの事実を当時の彰元が知るはずはないが、「戦争は罪悪である」と彰元は断言した。僕には想像するしかないけれど、当時の村落共同体における住職の位置は、（笠智衆が演じた『男はつらいよ』の御前様が典型だけど）村人たちのまとめ役であると同時に、崇敬の対象でもあったはずだ。その住職の突然の乱心に村人たちは困惑し、そして猛反発したことは想像に難くない。「非国民」や「耄碌してからに」との声が彰元に浴びせられたとの記録がある。

しかし彰元は屈しない。それから一カ月弱が過ぎた一〇月一〇日、法要で集まった六人の僧侶の前で彰元は、「このたびの事変について、他人はどのように考えるか知らぬが、自分は（日本の）侵略だと考える。いたずらに自国と他国の命を奪うことは、大乗的立場から見てもよろしくない。戦争は最大の罪悪だ」と再び自分の考えを滔々と述べた。

一人の僧侶が通報し、逮捕された彰元は禁固四カ月の刑を受け、さらに大谷派宗門は彰元の布教使資格を剥奪して、その僧侶身分を最下位とした。

ちなみに彰元の裁判が行われていたこの時期、中国では南京大虐殺が起きている。今からでも反省の意を示せと忠告する面会者に対して、「私はあくまで真の仏教の精神で言っている。決して頭を下げる気持ちはない」と彰元は言ったという。

敗戦から二カ月後に病の床に就いた彰元は、「戦争に負けておじいさんの言うとおりになったね」と孫に言われてにっこりとうなずいてから、一九四五年一〇月二一日に逝去した。

二〇〇七年一〇月一九日、真宗大谷派主催の「復権顕彰大会」が明泉寺で開催され、宗務総長から処分を取り消す「宗派声明」が出され、処分から七〇年目に彰元はようやく名誉回復を果たした。

日本でいちばん信者数が多い浄土真宗は、国策に擦り寄りすぎた過ちをこれまで何度もくりかえしている。かつてその一派が一向宗と呼ばれていた時代には、織田信長や上杉謙信など戦国大名と激しく争った戦闘的な側面もある。部落差別やハンセン病差別に対しては、前世や過去の行いを理由にした因果的応報論を根拠に国の差別に加担した（だから次の生では救われると説いたとの側面はある）。

明泉寺には記念碑が立てられていた。

七〇年前の戦争については、これを「聖戦」と呼称しながら、従軍布教使を戦地に積極的に送って軍に協力し、親鸞が残した文書から天皇やその臣下を厳しく批判する箇所を削除したりしている。

でも今の真宗は過去の過ちを隠さない。過ちの過程を検証して大きな声で反省する。ネトウヨや保守の視点からすれば自虐史観そのものだ。彰元を称える式典は、近年は本山も含めて何度も行われており、僕が明泉寺に呼ばれた会もその一環だ。

人は集団に埋没して大きな過ちを犯す。ある意味で仕方がない。人はそのように生まれついている。なぜなら集団の影響を受けるから。

さるべき業縁のもよおせば、いかなるふるまいもすべし。

親鸞が『歎異抄』に残したこのフレーズを現代語に訳せば、「そうなるべき縁がもよおすならば、どのような振る舞いでもしてしまう」。この「縁のもよおし」を僕は「環境設定」と訳す。その環境の最も大きな要素は、自分が帰属する集団だ。「どのような振る舞い」については、この前段で「人を千人殺す」との記述がある。

過激だ。決して開き直りではない。もちろん自虐ではないし自己正当化でもない。文脈的には「いかなるふるまいもすべし」の主語に親鸞は、「一般的な人」ではなく明らかに「自分」を当てはめている。私は千人殺すよ。これがこの人の凄みだ。アドルフ・アイヒマンの法廷を傍聴して「凡庸な悪」を想起したハンナ・アーレントより七〇〇年も前に、この思想に到達していた。

アーレントは組織に従属して思考を停めたことがアイヒマンの罪であると断罪したが、もしも親鸞がアイヒマン法廷の傍聴席にいたならば、愚かで弱くて罪を犯すから人間なんだと言うだろう。それは一般の誰かではない。自分なのだ。アーレントは「凡庸」という言葉で入れ替え可能であることを示唆したが、親鸞はもっとラディカルで深いかもしれない。

この規格外の宗祖は今の浄土真宗を見つめながら、いろいろ回り道したけれどとりあえずはそれでよし、ときっとうなずいているはずだ。

（『生活と自治』二〇二一年一一月号）

未解決の学術会議問題

一〇月二日夜、渋谷のロフトヘブンで行われたトークライブ「あれから1年、私たちの自由は?そして社会は?」にスタッフとして参加した。

司会は佐藤学東京大学名誉教授、登壇者は加藤陽子東京大学教授、田中優子法政大学元総長、広渡清吾日本学術会議元会長、そして小説家の温又柔だ。

タイトルの「あれから1年」が示すように、発足間もない菅政権が日本学術会議の会員候補六人の任命を拒否していたことが、昨年(二〇二〇年)一〇月一日に発覚した。

ならばこの一年で、問題の解明はどのように進展したのか。そもそもこの問題の本質は何なのか。何をどのように考えるべきなのか。結局は何もわからない。ほとんど進展していない。一時はあれほど熱く議論されていたはずなのに、状況は騒動が始まった頃と見事なくらいに何も変わっていない。

この九月三〇日、梶田隆章日本学術会議会長は「残念ながら、一年を経過し現時点でも問題の解決も説明もなされぬ状況が続いている」「この状況を解決できるのは、任命権者である首相だけ」と述べて、岸田文雄首相とこの問題について話したいとの意向を発表した。でも岸田首相からレスポンスはない。事態は変わらない。何も動いていない。

あらためて問題を整理する。昨年一〇月一日、学術会議が推薦する会員候補一〇五人のうち、安倍政権が進めてきた安保法制や「共謀罪」法、改憲の動きなどに批判的な言動をしてきた人文・社会科学の分野の研究者六人が任命拒否されていたことが発覚した。

拒否の理由を求める学術会議に対して、菅首相は「総合的、俯瞰的に判断した」「説明できることとできないことがある」などと最初は強気だったが、やがて、「六人のうち五人は名前も知らなかった」と論旨をずらしながら（でもこの方向にずらす意味がよくわからない）、「既得権益、前例主義を打破したい」などと焦点もずらし、「現在の会員が自分の後任を指名することも可能。推薦された方をそのまま任命してきた前例を踏襲してよいのか考えてきた」などと言い始めた。

どこにずらしているのか自分でわかっているのだろうか。何よりもこれは事実と違う。そんな前例主義など存在しない。ところが学術会議事務局が「後任指名は不可能」と反論すれば、今度は何も答えない。

要するに議論にならない。リングに上がったふりをするだけで上がらない。そして意味不明のことばかりを言う。

ところがネットでは、こうした菅首相の迷走するばかりの強気を背景に、様々なフェイク情報が氾濫した。例えば橋下徹元大阪府知事は、アメリカやイギリスの学者団体には税金が投入されていないとして、「学問の自由や独立を叫ぶ前に、まずは金の面で自立しろ」とツイートした。これもまったくの事実誤認。米英のアカデミーの運営資金のかなりの割合は公的資金だ。

フジテレビの平井文夫上席解説委員は出演した番組で、日本学術会議OBは日本学士院会員になって死ぬまで二五〇万円の年金をもらえる、と発言した。これもまったくの虚偽。岸田政権で幹事長に指名された甘利明議員は任命拒否が発覚する二カ月前に、日本学術会議は中国の「千人計画」に積極的に協力しながら軍事研究を支援している、という趣旨のブログを公開していて、この時期に内閣官房参与だった高橋洋一嘉悦大教授や作家の門田隆将がＳＮＳで拡散した。もちろんこれも虚偽。甘利議員はその後に、「積極的に協力」と記していたブログを「間接的に協力しているように映ります」と書き換えている。しかしネットでは今も、「（学術会議は）反日組織だ」「共産党に支配されている」「既得権益化している」「解体すべき」などの書き込みがあふれている。

この景色には既視感がある。安倍政権においても、いやもっと前から、何度もくりかえされてきた。

およそ二〇年前、『Ａ』や『Ａ２』を撮っていた時期、被写体にしていたオウム信者が逮捕される状況に何度も直面した。

でもその容疑は、自分が居住していないマンションの敷地内に侵入したから不法侵入、図書館から借りた本の返却が遅れて窃盗容疑、職質に応じないことで警官から暴行されて公務執行妨害罪で逮捕など、ほとんどの場合は強引を超えて違法な検挙や逮捕であり（しかしメディアと国民はこれを強く支持していた）、結局のところ嫌疑なしとして不起訴になることがほとんどだった。

口座開設を断った銀行員を「右翼の街宣車を回す」などと脅したとして、野田成人元オウム幹部が逮捕されたのは二〇〇〇年。このとき各メディアは大きく報道したが、結局は事件性がなかったとして不起訴になっている（そもそもオウム関係者の銀行口座は開設しないとの銀行の姿勢が問題視されるべきだと僕は思う）。

でもメディアは、野田が逮捕されたときは大きなニュースにするが（一部のスポーツ紙では一面大見出しだった）、不起訴になったことはほぼ伝えなかった。

こうして危機意識が高揚する。入口から詰め込まれるが出口はない。ほとんどフォアグラだ。

だから飽和する。高揚するばかりのオウムに対する危機意識を背景に、特定の組織を対象とする（つまり憲法違反）団体規制法（無差別大量殺人行為を行った団体の規制に関する法律）は一九九九年に成立し、長くリストラを噂されていた公安調査庁は監督官庁として息を吹き返した。

補足するが、メディアが不起訴を大きく伝えない理由は、一にも二にも社会が関心を示さないからだ。権力の意向を忖度したわけではない。

でも結果としては同じだ。こうして社会は少しずつ形を変える。一年前に僕も含めて多くの映画関係者は、いくらなんでもと任命拒否問題について声をあげたけれど、ほぼ同じ時期に映画関係者だけではなく多くの個人や団体が、抗議の声明を発表している。これはまずいと思ったのか菅首相は、強気の姿勢から一転して問題を争点化することを避け始めた。説明できないからだ。とはいえ今さら任命しますとも言えない。だから言葉が意味不明になる。発足時には歴代三位でスタートした菅内閣の支持率が大きく下降した要因のひとつは、間違いなくこの問題の影響だったと思う。

とはいえ「結果ＯＫ」にはもちろんならない。六人はいまだ任命されていない。この問題が示すように、アカデミズムを軽視しながら支配しようとする姿勢は、安倍政権以降ずっと持続している。だからこそアメリカ国籍を取得してからノーベル物理学賞を受賞した真鍋淑郎プリンストン大学上席研究員が示すように、近年の頭脳流出が起きる。

この日のトークライブは白熱した。パネラーたちの発言もとてもストレートだった。最初に報道を聞いたとき「何もわからず覚悟もないままに（菅首相は）任命拒否したのだろう」と思ったと語ったのは田中優子元法大総長だ。「日本学術会議がどんな組織であるかも知らず、学術会報を読んだこともなく、学問そのものがなんであるかを考えたこともなく理解しないままに拒否したから、今も説明できないのだろうと思う」

本質はこれに尽きる、と僕も思う。深い判断や決意があったわけではない。でもそのレベルが大きな影響を与える。

温又柔は「日本は私が今思っているような自由な国ではない。不自由な国になりつつある」と切迫した思いを語り、「提出された四枚の名簿には候補者の名前しか書かれていない。つまり調べないとどのような業績でどのような分野なのかわからない」と説明を始めたのは、任命拒否された六人のうちの一人でもある加藤陽子東大教授だ。拒否された六人のうち五人の名前は最初の一枚に記載されていて、安倍政権を強く批判してきた松宮孝明立命館大学教授だけが四枚目だったと加藤教授は説明した。つまり完全な狙い撃ち。誰かが政権に批判的な学者をリストアップした。菅首相はそれをそのまま発表した。田中元総長が言うように、深い洞察や考えがあっての決断とはやっぱり思えない。そのレベルでアカデミズムに手を突っ込まないでくれ。表現やメディアやジャーナリズムにも介入しないでくれ。もしも喧嘩を売ってくるなら闘う。でもこのレベルでは喧嘩にならない。あなたたちの本分は政治だ。外交に社会福祉に教育無償化。アジェンダは他にも無数にあるはずだ。頼むからそちらに専念してくれ。こんな幼稚なレベルで口を出さないでくれ。

会場が最も沸いたのは、ドイツ法を専門にする広渡清吾元会長が、「忖度」のドイツ語訳について発言したときだった。先取的服従。フランスのエティエンヌ・ド・ラ・ボエシの語彙ならば自発的隷従。いずれにしてもイディオムだ。ひとつの言葉で「忖度」を表す外国語は少ない。後日に大学で中国から来た留学生に聞いたけれど、彼らも中国語で忖度を的確に表す一つの言葉はないです、と返答した。

この日の会場には、毎日放送の斉加尚代ディレクターが撮影クルーとともに来ていた。今のテレビドキュメンタリー業界で、最も注目すべきディレクターの一人だ。彼女が演出した「バッシング」や「教育と愛国」は一人でも多くの人に観てほしい。絶対に度肝を抜かれる。そして彼女と番組をしっかりとサポートする毎日放送もすごい。会場で斉加に聞いたけれど、「教育と愛国」は映画化が決まったという。ならばもっと多くの人に届く。

九月に行われた総裁選の討論会で、岸田首相は任命拒否問題について、「すでに行われた人事をひっくり返すことは考えていない。学術会議自体のありようが議論されている。それも踏まえて次の人事はしっかり考えていく」と述べている。やっぱり焦点がずれている。その意味では前政権と前々政権を踏襲している。

懸念は社会がこの問題に飽きること。関心を失うこと。僕は飽きない。特にこの問題については、機会があれば提起し続ける。

（『創』二〇二一年一二月号）

記録の余白４――

人は無抵抗の人を絶対に殺すべきではない

面会室のスペースは畳にすれば二枚ほど。中央を透明なアクリル板で区切られていて、こちら側にはパイプ椅子が三つ置かれている。腰を下ろすと同時にアクリル板の向こう側の扉が開いた。年配の刑務官とともに入室してきた植松聖は、立ち上がりかけた僕と視線が合うと同時に小さく頭を下げた。

写真や報道からは何となく手足が長くて大柄な男をイメージしていたけれど、現れた植松は思っていたよりもずっと小柄だった。右手の小指には包帯が厚ぼったく巻かれている。初公判のときに噛み切ろうとした小指だ。

「森さん。初めまして」と先に言ったのは植松だった。「お忙しいのにありがとうございます」と礼の言葉が続いた。立ち上がった僕も、「面会を了解してくれてありがとうございます」と頭を下げた。

この段階で植松は死刑囚ではない。でも死刑判決が出ることはほぼ既定事項だ。死刑囚は狂暴で冷酷。多くの人はそう思っている。そう思うほうが善と悪をすっきりと二分できて楽なのだ。そしてメディアは、社会の潜在的欲望に合わせて報道する。わかりやすい事例はオウム報道だ。当時のオウム信者について、多くのメディアは狂暴で冷酷で危険な集団であるという前提を置きながら報道した。

地下鉄サリン事件後にオウム施設に入ってテレビドキュメンタリーの撮影を始めた僕は、普通以上に穏やかで優しく善良な信者たちを目撃した。多くの施設を訪ねたけれど例外は一人もいない。ただし、その穏やかで優しく善良な人たちの集団が、不特定多数の人たちを殺害しようとしたことも確かな事実だ。

だからこそ邪悪で狂暴だからサリンを撒いたという単純な構図に事件を押し込めるのでは

なく、これほどに善良な人たちがこれほどに凶悪な事件を起こした理由とメカニズムを、社会とメディアは考察しなくてはならない。そんなことを考えながら撮影を続けていたとき、この時期に所属していた番組制作会社の制作部長に呼び出され、何度かの議論の末に撮影中止を言い渡された。

こうしてテレビドキュメンタリーとして撮影が始まった『A』は、オウムを徹底した悪として描こうとしていないとの理由でテレビから排除されて、撮影が終わるころには（消去法で）自主制作映画になっていた。

オウムだけではない。その後も僕は、多くの死刑囚に会ったけれど、いま目の前にいる植松も含めて、冷酷で凶暴だと感じた人は一人もいない。でも同時に、そんな人たちが人を殺《あや》めたことも確かだ。だから混乱する。善悪の基準がわからなくなる。善悪二元が体現するわかりやすい構図に押し込めたくなる。

テレビでは今、日本の高校生たちがロシア大使館の前に集まって抗議の声をあげている、とのニュースを伝えている。ＳＮＳにアップされたロシア軍ヘリが撃墜される動画には、何十万の日本人が「いいね」を押したりリツイートしたりしている。

まずは大前提を書く。一方的に武力侵攻を始めたロシアに理はない。世界中から批判されて当然だ。今すぐにでも撤退すべきだ。でもならば、遠く離れた日本に暮らす僕たちにとって、ヘリに乗っていたロシア軍兵士が殺害されることは「いいね」なのか。その兵士にも父や母はいた。妻や子がいたかもしれない。一人ひとりは変わらない。その想像力が消えている。ロシアやウクライナだけではない。ルワンダやクメール・ルージュの虐殺、文化大革命や旧ソ連の大粛清、南京虐殺や関東大震災時の在日朝鮮人虐殺、ハンナ・アーレントによって凡庸な悪と規定されたアイヒマンが体現するホロコーストも含めて、ほとんどの戦争や虐殺は、閉ざされた組織内で自衛意識が高まることでメカニズムが発動する。

ヒトは群れる生きものだ。一人では生きられない。まずは家族。そしてご近所や村や町、学校に会社、様々な共同体に帰属する。群れは同質性を求める。つまり同調圧力。同じ肌や目の色。同じ言語。同じ宗教。同じイズム。多数派に合わない少数派は迫害される。これが群れの副作用だ。そして国家を基盤とするナショナリズムは、社会に数多く存在する群れの最終形態だ。強い不安や恐怖に晒されたとき、今も昔もヒトは集団化を発動する。

ジョン・レノンが国なんか存在しない世界を想像しようと歌ってから四〇年以上が過ぎて、ネットを媒介にしたグローバリゼーションはこれほどに進展した。EU域内では通貨は統一されて出入国も自由にできるし、ウイルスの脅威の前には国境など何の意味もないと世界中の人たちが実感したはずなのに、国境を前提とした争いは今も世界中で続いている。一七世紀に誕生した主権国家の枠組みは今も変わらない。いやむしろ激化している。国家の集団化は現在進行形だ。

こうして人は善良で優しいままで人を殺す。戦争や虐殺だけではない。もちろん、だからといって罪は軽減できない。法に背いた人に対しては、司法の手続きは規定どおりに行われるべきだ。でも悪を断罪しながらも安易な善悪二元化に身を任せるのではなく、人は優しく善良なままで人を殺すことができるという事実を、しっかりと認識しなくてはならない。これを認めることはつらい。なぜなら自分と犯罪者の境界が曖昧になるからだ。でもそれは現実だ。

面会時間が終わる頃、小指の具合はどうかと（同席していた）編集者から質問された植松は、ふいに右手の小指にキャップのように被せていた包帯を外した。欠損した小指の根元が現れた。傷口は赤黒く変色している。同時に横で会話を筆記していた刑務官が立ち上がり、植松の右手を強く掴んだ。

すべては一瞬だった。刑務官に右手を掴まれた植松は、予期していたのか抵抗するような素振りはまったく見せないまま、左手で外したばかりの包帯（のキャップ）を、右手の小指の欠損の上に素早く戻す。それを目視した刑務官は、掴んだ植松の右手を放して椅子に戻る。二人とも無言だ。まるで儀式のように。

初公判で起訴内容を認めたあと、「皆さまに深くおわびします」と発言して頭を下げると同時に、植松は右手の小指の第二関節から上を噛み切ろうとした。この日のテレビニュースや翌日の新聞などでは、識者や被害者家族など多くの人が、裁判遅延や心神喪失を強調するためのパフォーマンスだとして植松を批判した。つまり小指を噛み切ろうとするほどに精神が錯乱している演技をした、との解釈だ。

パフォーマンスならばオーディエンスが必要だ。ところが刑務官たちに手足を拘束されて法廷から拘置所に戻された植松は、すぐに小指の傷口を治療されたが翌朝六時に、今度は小指の第二ではなく第一関節から上を噛みちぎっている。ここにオーディエンスはいない。たった一人だ。ただし部屋は独房だが二四時間体制の監視カメラが設置されているから、不審な動きをすればすぐに刑務官たちが駆けつけてくる。前日に手当てを受けた包帯やガーゼなどを外す仕草を始めてから噛みちぎるまでには、長くても数分で終えなければならない。

第二から第一関節に箇所を変更した理由を植松は、第二関節が予想以上に硬くて噛み切れなかったので第一関節にしたとメディア関係者に答えている。初志は曲げない。とにかく何が何でも噛みちぎる。その強い意図を感じる。

それほどに小指を噛み切らねばならなかった理由を植松は、謝罪の意味を表したかったから、と複数のメディア関係者に説明している。もちろんこの理由は、(多くの人が言うように)あまりにも自分本位で的外れだと僕も思う。それは前提にしながらも、指を数分で噛みちぎる自分を、あなたは想像できるだろうか。僕は想像した。とてもじゃないが無理だ。皮膚や薄い肉に歯を立てることくらいはできたとしても、骨に当たって歯が止まる。そこで深呼吸して、思いきり顎に力を入れて骨をゴリゴリと噛み砕く。……やっぱり無理だ。骨まで歯が届く前に、痛さで悶絶して試みを放棄していると思う。でも植松は実行した。歯だけで指の先を噛みちぎった。これを意志の強さだけで説明できるだろうか。過剰すぎる。強さではない。何かが逸脱している。あるいは欠落している。

この時期(から今に至るまで)の植松は、事件当時の被告人は心神喪失状態で責任能力はなかったと主張する弁護団に対して激しく反発し、自分には責任能力はあると何度も明言していた。方針を変えない弁護団を解任しようとしたこともあった。つまり精神錯乱を装うために小指を噛み切るというパフォーマンスを演じた、との解釈には、相当に無理がある。

しかし(死刑逃れのパフォーマンスなどの見方が示すように)社会とメディアはこの視点を回避する。多くの記事を読んだが、事実関係以上には踏み込まないという姿勢はほぼ共通していた。だから司法も同調する。植松は正常であることが前提なのだ。

死刑にするために。

二〇〇六年一二月二五日、七七歳と七五歳の老人を含む四人の死刑囚が処刑された。なぜクリスマスに執行したかといえば、執行ゼロの年という実績を残さないためだったと言われている。確かに年度末の道路工事の多さなどを引き合いに出すまでもなく、日本の官公庁は実績ゼロの年を残すことを嫌がる。翌年に予算を削られる可能性があるからだろう。

人の命はU字溝やアスファルトとは違う。確かに死刑囚ではあるけれど、そんな事情で執行されてよいのだろうか。執行された四人のうち三人は再審請求を続けていた。でも執行はすべてを断ち切った。その後も長勢甚遠法相（当時）は執行命令書に署名を続け、在任中に一〇名が処刑されている。

一九九一年からの五年間と二〇〇一年からの五年間を比べれば、地方裁判所の死刑判決は三倍に増加した。厳罰化を求める世相が刑事司法を変えつつある。ターニングポイントは一九九五年に発生した地下鉄サリン事件だ。だから執行が追いつかない。

この厳罰化の前提にあるものは、治安が悪化しているとの共通認識だ。確かにメディアは、凶悪な事件が増えていると強調する。政治家も二言目には治安悪化への憂慮を口にする。

でもそれは事実ではない。

戦後の統計において殺人事件が最も多かったのは一九五〇年から五五年にかけての五年間で、ここ数年はこの時期の半分以下の件数で推移している。つまり治安は悪化していない。いや悪化していないどころか、殺人事件件数はほぼ毎年、前年より減少している。

現在の日本において人が不慮に死ぬ年間の統計は、交通事故が一二〇〇〇人で水難事故による死者は年間一〇〇〇人あまり、そして殺人事件の被害者数は三〇〇人台だ。つまり殺人事件の被害にあう確率よりも、水難事故によって死ぬ確率のほうがはるかに高いのだ。でもほとんどの人はそうは思っていない（たぶんあなたも）。

データを見ればすぐにわかること。でも多くのメディアは危機や不安を煽る。そのほうが視聴率や部数が伸びるから。その帰結として厳罰意識が高まり、死刑判決は急激に増加する。

クリスマスに処刑された藤波芳夫は、長く車椅子の生活だった。その彼が絞首台に吊るされる光景を想像してほしい。その藤波が残した遺書には、以下の記述があった。

「今日（の処刑）は私一人であってほしいと願っております」

でも藤波の願いは、そのときもその後もかなえられていない。二〇一八年にはオウム死刑囚一三人が、二回にわたって処刑された。

一九人の障害者を無益な命と一方的に断定して殺害した植松聖に対して、多くの人は優生思想だと激しく断罪した。その植松を処刑するとの判決は、面会後すぐに確定した。つまり彼は、生きる価値がないと判断した人を殺した罪で、生きる価値がないと社会から判断されて処刑されるのだ。ならば死刑制度は優生思想と何が違うのか。でもこの矛盾に自覚的な人は少ない。

僕は多くの死刑囚と会ってきた。すでに処刑された人もたくさんいる。生きる価値がない。会話しながらそう思った人はひとりもいない。彼らは合法的に殺された。その意味が時おりわからなくなる。確かに人はみな死ぬ。病気や事故や寿命で。でも彼らは死んだのではない。殺されたのだ。それも合法的に。この意味がわからなくなる。

でもこれだけは言える。僕たちは今、そのシステムを下支えする国民のひとりなのだ。


（『市民の意見』No.190、二〇二二年四月八日）

2022　ゆらぐ正義

2022年の主な出来事

2月
ロシア軍がウクライナ各地の軍事施設を空爆、全面的な侵攻を開始。
「あさま山荘事件」から50年。

3月
「電力需給逼迫警報」を政府が初めて発出。

4月
北海道・知床沖で子ども2人を含む26人が乗った観光船が行方不明に。
円相場が20年ぶりとなる1ドル＝131円台まで下落。

5月
沖縄の日本復帰50年。

6月
改正刑法が成立。「拘禁刑」が新設され、侮辱罪が厳罰化された。
「こども家庭庁」設置関連法とAV出演被害防止救済法が成立。

7月
奈良市で参院選の街頭演説中だった安倍晋三元首相が銃撃され、死亡。
参院選で争われた125議席の過半数を自民党が単独で確保し大勝。

8月
ペロシ・アメリカ下院議長が台湾を訪問。台湾をめぐって米中関係が緊迫。
東京地検特捜部が東京オリンピック・パラリンピック組織委員会元理事の高橋治之氏を受託収賄容疑で逮捕。
岸田首相が原発新増設を検討すると表明。原則40年の運転期間の延長も検討。

9月
安倍元首相の国葬が挙行。首相経験者の国葬は吉田茂氏以来戦後2人目。

10月
北朝鮮が弾道ミサイルを発射し、日本上空を通過。北海道、青森県にJアラートが発令。
32年ぶりに一時1ドル＝151円台を付けるなど、急速な円安が進行。
韓国ソウルの繁華街で、ハロウィーンを前に集まった群衆が折り重なるように倒れ、雑踏事故が発生。

11月
アメリカ中間選挙、与党民主党は上院の多数派を維持するも、野党共和党が4年ぶりに下院の過半数を奪還。
文科省が旧統一教会に宗教法人法に基づく「質問権」を、創設後初めて行使。

12月
岸田首相が防衛費の財源確保のため増税の検討を表明。2027年度に向け1兆円強を見込む。
岸田政権、安全保障関連三文書を改定し、防衛費の増額や「敵基地攻撃能力（反撃能力）」の保有を宣言。

身震いするテレビの自画像

新宿紀伊國屋ホール。小走りにステージに現れたコメディアンの松元ヒロが、ライトを浴びながら大きく手を広げる。沸き上がる大きな拍手。客席はぎっしりと満席。でもヒロさんはステージでいつも、最初から最後まで徹底して一人だ。

何をきっかけにヒロさんのライブに通うようになったのか。それほど昔のはずはないけれど、どうしても思い出せない。とにかくいつのまにか観始めた。そして今は、東京で公演があるときはほぼ欠かさずに通うようになった。

スタンダップコメディを身上とするヒロさんのネタは、基本的には政治と社会への風刺だ。その軸足は常に弱くて少なくて小さな存在。そして標的は強くて大きくて数の力で押し通す存在。風刺の切っ先は鋭い。でもベースはユーモアとペーソス。大笑いしながら（僕も含めて）観客は、時おり吐息をつく。笑っている場合じゃないんだよなあと嘆息する。でも次の瞬間にまた大爆笑。

ヒロさんをテレビで見ることはまずない。その理由が僕にはわからない。正確に言えば、わかるけれどわかりたくない。理由のひとつは現政権に批判的なギャグが多いから。あるいは現行憲法への支持を主張するから。自分の思想信条をギャグに転化しながら明確に呈示するから。

……書きながらやっぱりわからない。でもこれだけは言える。政治的で社会的なスタンスを明確にすることをテレビ（だけではなく日本のメディア）は嫌う。その理由もやっぱりわからない。中立公正原則に反していると思われるからだろうか。でも欧米では、政府や社会秩序を毒舌たっぷりに批判したレニー・ブルースを筆頭に多くのスタンダップコメディアンが、昔も今も当たり前のようにテレビに出演して毒を吐いている。

ワクチンも含めてすべての薬は、量を間違えれば身体に害をなす。つまり毒なのだ。だから薬効がある。表現も同様だ。微量の毒を持つからこそ人の心を抉る。深く突き通す。強い共感を引き起こす。でもあいちトリエンナーレで騒動になった「表現の不自由展」が端的に示すように、この毒に自分たちは耐えられないと思い込む人が多くなった。こうして自主規制と自粛が加速する。ならば「ゲルニカ」は国連本部に飾られるべきではなかった。丸木位里と俊が描いた「水俣の図」や「原爆の図」は封印されなければならない。石牟礼道子の『苦海浄土』やストウ夫人の『アンクル・トムの小屋』も、読みながら苦しくなるから発禁だ。

毒が中和された表現など、まさしく「毒にも薬にもならない」存在だ。

日本のテレビは毒を排除するフィルターとして機能してきた。過去形ではない。現在進行形だ。その帰結として日本は、（特に選挙報道が典型だが）メディアも含めて社会全体が政治的に沈黙することで、デモクラシーを実現しようとしている。欧米は逆だ。メディアそのものも含めて多くの人が、積極的に政治的な発言をして議論することで、デモクラシーを実現しようとする。より成熟したデモクラシーを実現するのはどちらなのか。ここに書くまでもないだろう。かつて対談したとき（『FAKEな日本』、角川文庫）、ヒロさんはこんなことを僕に言った。

「（前略）タブーといわれることをみんなが恐れて触れなければ、やっぱりタブーは肥大しますよね。でも多くの人は言えない。タブーですから。だから僕が言う。それによって気づく人はきっといる。所詮はお笑いですが、だから逆に強いんですよね」

多数派が形成する欺瞞の安定。見て見ないふりの表層的な調和。松元ヒロはそこに笑いの刃を突き立てる。メディアによって不可視の領域に置かれた要素を露呈する。だからこそ日本のテレビは、リスクヘッジやコンプライアンス、ガバナンスなどの言葉を潤滑油に使いながら、彼を敬遠する。不可視にする。

舞台はいつも大入り。しかしテレビで会うことはできない。その唯一無二のポジションを、こうしてヒロさんは獲得した。

テレビに出演できない松元ヒロを被写体にしたドキュメンタリーをテレビ局が作る。明らかな論理矛盾だ。その番組「テレビで会えない芸人」は昨年（二〇二一年）観た。それが再編集されて映画になった。観終えて唸る。明らかにテレビ版とは違う。何が加えられたのか。それはこの作品を作ったテレビマンたちの歯ぎしりだ。

制作は鹿児島テレビ。でも映画版では、東海テレビの阿武野勝彦がプロデューサーとしてクレジットされている。普通はありえない。監督は四元良隆と牧祐樹。以下は阿武野が書いた『さよならテレビ　ドキュメンタリーを撮るということ』（平凡社新書）からの引用だ。

異物を取り除き、均質化を求め続けてきた私たちの社会。戦後、ひたすら清潔を追い求め、無臭化、無菌化に突き進んできた。（中略）不祥事を起こしたり、批判されることを恐れ、「安心・安全」を仕事の上位概念に位置づけてしまったテレビ。自由に表現を繰り出す困難さが、日に日に進行している。

ヒロさんは強い男なのか。本作にその答えはある。情に脆い。おどおどと気弱な瞬間がある。奥さんに頭があがらない。でも強い。一人だからだ。組織人ではないからだ。だから寺山修司が残した以下のフレーズをここに貼りたくなる（まあ僕としては、このフレーズは前後を入れ替えても間違いではないと思うけれど）。

人は弱いから群れるのではない。群れるから弱くなるのだ。

描写される松元ヒロの過去と現在に、本番前の日常や佇まいに、今のテレビ業界の自責や焦燥、怒りや煩悶、そして覚悟が、身震いしながらしっかりと重ねられている。観終えて思う。これは松元ヒロを触媒にしたテレビの自画像ドキュメントなのだと。

（『テレビで会えない芸人』映画公式パンフレット）

高校演劇の現場からのSOS

福井市に暮らす玉村徹から、出版社経由で連絡をもらったのは二カ月前。以下にそのメールの書きだしを引用する。

突然お手紙を差し上げる失礼をお許しください。

森様が書かれた「放送禁止歌」を読ませていただいて、どうしてもお願いしたいことがあり、非礼を省みず書いております。

私は、県立福井農林高等学校で、演劇部の部活動指導員をしていたものです。今年の三月までは同校の教員として演劇部の顧問をしていましたが、定年退職して、新しい演劇部顧問をサポートするために一年だけ指導員をすることになったのです。

この9月に福井県の高校演劇部の県大会があり、本校演劇部は「明日のハナコ」を上演しました。

新型コロナウィルスが猛威を振るっておりましたので、客席に観客を入れられず、実質的には審査員三人だけの上演でした。しかし福井県では、地元ケーブルテレビがすべての学校の上演を収録しており、後日放映してくれることになっていました。


地方都市で行われた高校演劇部の上演。そして地元ケーブルテレビ局の放送。それは普通に終わるはずだった。ところが上演後に、誰も予期していなかったことが起きる。放送を予定していたケーブルテレビ局から、「福井農林高校の上演は、テレビで放送するには問題がある」との連絡が入る。問題となった箇所は以下の三つだった。

一、反原発の主張が述べられている。
二、北野武や前敦賀市長など、特定の個人の発言を引用している。
三、「かたわ」という差別用語が用いられている。

これを受けて、演劇部顧問会と教育委員会、さらに教育委員会の顧問弁護士などが協議を重ね、一〇月上旬に以下を決議した。

一、「明日のハナコ」は放送しない。
二、DVDなど映像はいっさい残さない。
三、脚本はすべて回収して生徒の目に触れないようにする。

この三点について協議の席で顧問弁護士は、「反原発は問題ではない」と述べながらも、「北野武や前敦賀市長は公人であるから、その引用が正確であれば問題ない」「差別用語はそれを使うだけで問題である。放映することは許されない」と断言したという。

そもそも「明日のハナコ」はどのようなストーリーなのか。ハナコたちはある高校の演劇部員だ。今度上演する劇の稽古をしている。その稽古風景がそのまま戯曲になっている。

つまり構成としてはメタだ。ハナコたちが稽古しているその戯曲の内容は、一九四八年の福井震災から始まって現在まで続く自分たちの歴史をたどるものだった。学校について、仕事について、戦争について、原発について、未来について、ハナコたちは稽古を通して考え、悩み、そして成長していく。

玉村が送ってきた僕へのメール本文に戻る。


問題となった差別用語は前敦賀市長の言葉を引用した部分に含まれていたものです。まったく許しがたいことではありますが、彼は原発推進の方針を主張するときにこの差別用語を用いたのです。

私たちはそれを批判的に描いたのです。それが差別になるのでしょうか。

もしかしたら差別用語は表向きの理由で、実は反原発の主張が気に入らなかったのかもしれません。顧問会議でも「ケーブルテレビも原発関連企業がスポンサーになっていることもあるだろうから、先生方も大人の判断をしてほしい」「県高等学校文化連盟も原発から補助金をもらっていますから」との発言があったそうです。（中略）

これで終わらせるわけにはいかないと思うのです。有志を募って「明日のハナコ」を再上演しようと考えています。多くの高校生・一般の人にも見てもらって、上演の後、お客さんたちと差別や原発について語り合う、そういう会を開催したい。

この一件には、今のこの国が内包する多くの問題の本質が、幾重にも濃密に重なっている。玉村からの依頼は、その上演の際にゲストとして来てもらえないか、との依頼だったが、あいにくその日は京都大学で、学術会議任命拒否問題についてのシンポジウムに参加することが（「放送禁止歌」も上映される）すでに決まっていた。

その後に玉村とは、何度かやりとりをした。実はこの誌面（『創』二〇二二年一月号）で書くことについてはためらいがあった。いちばんの懸念は、事を大きくすることで玉村や生徒たちが（ネットなどで）攻撃されることだ。そう懸念を口にする僕に玉村は、自分はもう覚悟していると答えた。生徒たちもすでに傷ついている。何よりもこんな状況で沈黙する大人たちの姿を、私は生徒に見せたくない。

そして数日前、玉村たちはオンラインで署名収集ができるウェブサイト「Change.org」に、以下のタイトルで記事とメッセージをアップした。

福井の高校演劇から表現の自由を奪わないで！顧問会議は『明日のハナコ』の排除を撤回してください。

手紙の内容と少しだけ重複するが、以下に本文を引用する。


「ハナコ」にもう一度会いたい！

「ハナコ」というのは、「明日のハナコ」という劇の主人公の名前です。

この劇は今年9月の福井県高校演劇祭で、福井農林高校演劇部によって上演されましたが、その後、映像を残すことも、脚本を読むことも禁止され、マボロシの舞台にされてしまいました。

いったいなぜ、『ハナコ』は禁止されたのでしょうか。（中略）

上演した生徒たちは、「いわれなき批判がくるかもしれない」と聞かされて、不安な面持ちになりました。けれども、そのあと、それでも放映してほしいと言いました。悔しい、と泣いていました。自分たちが稽古してきた劇が放送してもらえないのは悔しいと。

玉村たち実行委員の目的は、放送しない、DVDを残さない、脚本はすべて回収するなどの決定を撤回させ、新たに上演活動を続けることだ。

今のところ、僕に何ができるのかわからない。でもできることはやる。言えることは言うつもりだ。

（『創』二〇二二年一月号）

こんな時代だからこそ

関東大震災時に朝鮮人虐殺が起きたとき、千葉県東葛飾郡福田村（現野田市）で一五人の行商人が村の自警団に襲撃されて九人が殺害された。九人の中には二人の幼児と臨月の妊婦もいたから、正確には一〇人と書くべきかもしれない。

関東大震災から一〇〇年目にあたる二〇二三年、この史実をモチーフにした映画を発表する予定で、今は準備を進めている。脚本はほぼできあがった。キャストも決まりつつある。制作のための資金集めはまだ充分ではないけれど、クラウドファンディングなどできることは何でもしようとスタッフたちとは話し合っている。

シナリオのリサーチのために、行商人たちの故郷の村があった香川県三豊市に行った。墓を探して手を合わせた。ただし福田村で殺害された人たちの遺骨はここにない。遺体の多くは利根川に流されてしまっている。

彼らが襲撃された理由は、讃岐弁が日本語のアクセントと違うと決めつけられたから。生き

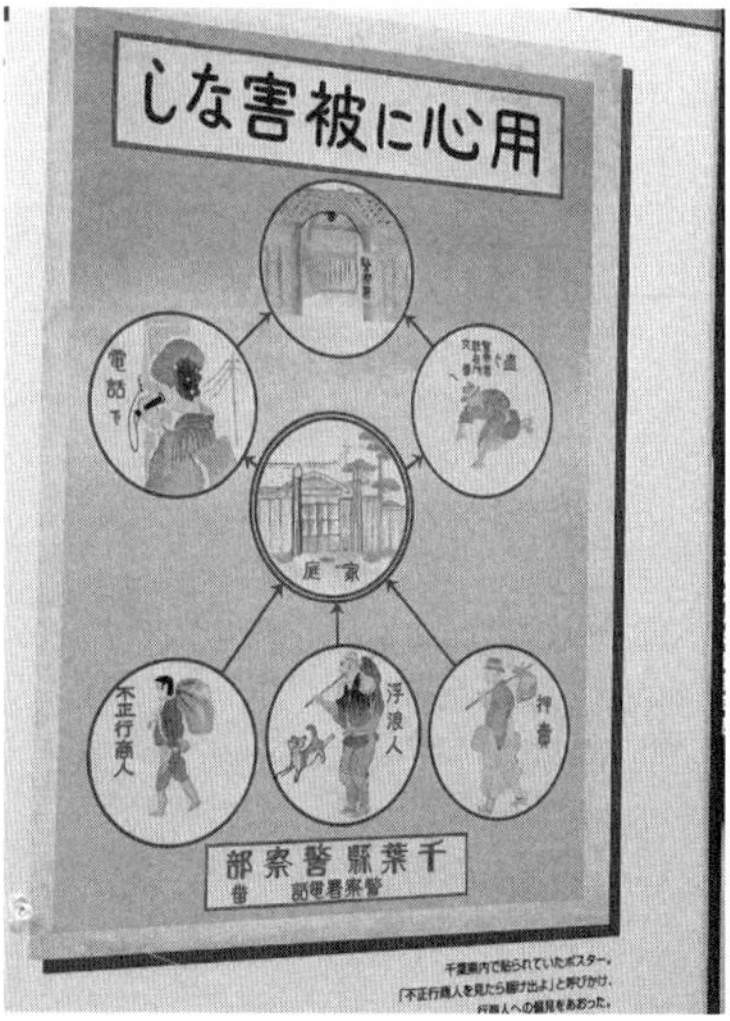

県警のポスターが行商人への偏見を煽った。

残った六人は村に帰った。でも被差別部落に暮らしていたためなのか、殺害された九人の遺族も含めて、抗議の声をあげる人はほとんどいなかった。つまり泣き寝入り。でもここ数年、この事件について記憶すべきとの声が少しずつ高まり、丸亀市にある香川人権研究所では、事件についての概要が展示されるようになった。

　大手新聞や政府が、朝鮮人が襲撃してくるなどとデマを拡散したことはすでに明らかになっているが、なぜ行商の鑑札を持っていたはずの彼らまで襲撃されたのか。その疑問へのヒントが研究所の壁に展示されていた。当時の千葉県一帯で県警によって貼られていたポスターだ。ここで用心する対象として例示されている不正行商人や浮浪人、そして押売りは、今の言葉にすれば不審者ということになるのだろう。

人は不安に弱い。セキュリティを求める。でも過剰なセキュリティには副作用がある。人を個として見つめることができなくなり、集団として見るようになるのだ。その最悪の帰結が虐殺や戦争だ。

　撮影はもうすぐ始まる。でも予算はまだまったく足りない。時代劇で群像劇。簡単に撮れる映画ではない。準備段階では、大手映画会社や大手企業を回って制作協力を打診したけれど、そのほとんどからは体よくあしらわれた。クラウドファンディングで予定していた予算の半分近くを集めることはできたけれど、言い換えればまだ半分足りない。

断られた理由は想像がつく。朝鮮人虐殺と部落差別。この国の二つのタブーがテーマなのだ。しかも今のこの国は、自分たちの過ちや加害を認めることを嫌がる。つまり動員も見込めない。さらに、もしも制作協力や出資などすれば、反日映画に協力したとして公開後に多くのクレームや批判を浴びせられる可能性は高い。

幸いなことに撮影直前になって、いくつか出資先は見つかった。こんな時代だからこそ、この映画に協力したいと言ってくれた人もいる。

感謝しかない。その思いに応えます。負の記憶を映画にする。ただし啓蒙的で教条的な作品にするつもりはない。だって映画の基本はエンタメだ。強い強度とメッセージを内包するエンターテインメント。絶対に形にする。

（『生活と自治』二〇二二年二月号）

ＮＨＫ字幕問題への違和感

テレビ・ディレクター時代、ＮＨＫの仕事は何本かやった。でも数は少ない。理由は単純。ＮＨＫは番組企画を採用する基準が厳しいのだ。つまりハードルが高い。特にＮＨＫスペシャルやＥＴＶ特集など硬派のドキュメンタリー系については、視聴率を優先する（その帰結としてバラエティ色が強くなってわかりやすさが求められる）民放とはかなり違う。

かつて下山事件をドキュメンタリーにしたいと考えてＮＨＫにプレゼンしたとき、二回目の打ち合わせに年配の男性が同席していた。片島紀男。占領下で起きた三鷹、松川、下山や帝銀事件などを生涯かけて調べ続け、多くのドキュメンタリーを作りながら複数の書籍まで発表してきたディレクターだ。このときにＮＨＫの層の厚さを実感した。片島が例外的な存在なのではない。原発問題をずっと追求してきた七沢潔や戦時下のメディア問題をテーマにしている渡辺考、ディレクターであると同時に彼らは研究者だ。他のジャンルにも専門家はたくさんいる。

そのときは片島の知識量にとにかく圧倒されて、出直してきますと言いながら席を立った。結果として下山事件をテレビドキュメンタリーにはできなかったが、片島との交流はその後も続き、この数年後に書籍として発表することができた。

……少し話が逸れた。ＮＨＫはとにかくハードルが高いということを言いたかったのだ。さらに、ようやく企画を通してロケと編集を終えても、その後に入念なプレビュー（局内試写）が何回も行われる。通常ならプレビューは一回で終わる民放とはこれも違う。しかも同席するプロデューサーが、最後に登場する本局のエグゼクティブ・プロデューサーに至るまで、少しずつ偉くなる。だから指示が毎回違う。なぜ一回でできないのかとあきれた。やっぱりこの時期にＮＨＫのドキュメンタリーを頻繁に撮っていた是枝裕和は、「あのプレビューの多さはディレクターを疲弊させて思いのままにコントロールするためだと思う」と冗談めかして笑っていた。

だからこそ、昨年（二〇二一年）一二月二六日に放送されたＢＳ１スペシャル「河瀬直美が見つめた東京五輪」の字幕問題は、どうしても腑に落ちない。

問題になった箇所は後半の五〇秒ほどのシーンだ。映画制作チームの一員である島田角栄が路上でハンディカメラを手にしながら年配の男性を取材・撮影していて、その様子をＮＨＫのカメラが撮っている。男性の顔にはモザイク。そのカットに「五輪反対デモに参加している」「実はお金をもらって動員されていると打ち明けた」とテロップが重なる。でもこの内容に合致するような男性のオン（実際の言葉）はない。以下はこのシーンにおける島田と男性のやりとり（オン）だ。

男性「デモは全部上の人がやるから。書いたやつを言ったあとに言うだけ」
島田「デモいつあるでって、どういう形で知らせがあるんですか」
男性「それは予定表をもらっているから。それを見て行くだけ」

これだけだ。「五輪反対」とか「お金をもらって」などの言葉は発していない。ならばこのカット以外の箇所でそう言ったのか。解釈としてはそれしかない。ところがその提示はない。前述したテロップだけだ。そもそもこのシーンはあまりに唐突だ。何らかの意図があって入れたのか。そう思いたくなる人が少なくないのも当然だ。

二〇一七年一月二日、東京メトロポリタンテレビジョンはレギュラー番組「ニュース女子」で、沖縄高江のヘリパッド建設工事に対する反対運動を行っている団体を現地取材した内容を放送したが、反対派には取材しないまま反対派の人たちは何らかの組織に雇われていて日当をもらっている可能性があるとか、反対派は機動隊に暴力を振るって救急車の救助も止めたなどと裏付け取材がないままに報道し、「（反対派は）テロリストみたい」「韓国人はいるわ、中国人はいるわ……なんでこんな奴らがと沖縄の人は怒り心頭」などと扇情的なナレーションまで加えた。

放送後に大きな問題になってＢＰＯ（放送倫理・番組向上機構）事案となり、取材の欠如や

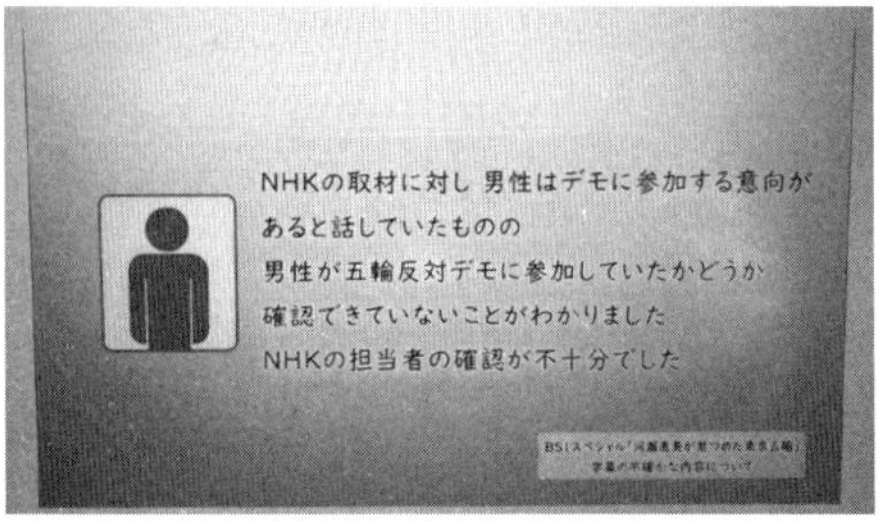

NHK 大阪が放送したおわび映像

裏付けの不備、侮蔑的表現のチェックを怠っているとしてBPOは、「重大な放送倫理違反があった」との意見を公表した。

この問題とBS1スペシャル「河瀬直美が見つめた東京五輪」の字幕問題は何が違うのか。「ニュース女子」ほどに露骨な敵視や侮蔑ではないが、取材の欠如や裏付けの不備というレベルでは変わらない。地上波ではなくBSとはいえ、年末の大型番組だ。プレビューは二重三重に行われていたはずだ。思想信条の違いやオリンピック賛成反対であるかどうかを問わず、もしもプレビューに参加したのなら、誰だってこのシーンには違和感を持つはずだ。

BS1スペシャル放送後、視聴者から複数の問い合わせがあって問題になりかけたことでNHKは当の男性に再取材したが、男性の記憶が曖昧でデモに参加した事実を確認することができなかったと発表した。この説明も腑に落ちない。五年前や一〇年前の話ではない。自分は五輪反対デモに参加したのかどうか、その記憶が曖昧になることなどあるだろうか。

一月九日にNHK大阪は二分間のおわびを放送した。でもそれがまたよくわからない。当該番組と同じように表現がおかしいのだ。

写真はその画面。「デモに参加する意向があると話していた」とあるが、それがオリンピックに反対するデモかどうかはこの説明ではわからないし、男性トイレのようなマークをここに入れる理由も不明だ。挑発されているのだろうかと思いたくなる。

補足するが、意図的な捏造とかやらせがあったとは僕は思っていない。だってあまりにお粗末すぎるのだ。問題化することは誰だって予想がつく。でもあまりに不明瞭な説明が続き、結果としては、捏造ややらせになってしまっている。

（『生活と自治』二〇二二年三月号）

複眼で見るロシアの武力侵攻

三月三一日、政府はロシア語の発音に基づく「キエフ」をウクライナ語の発音に基づく「キーウ」に変更することを決めた。直接的な理由は自民党議員たちから要望があったから。そして、多くのメディアはこれに倣って横並び。

現地語ではない言語で呼ばれる国や都市の呼称を「エクソニム（exonym）」という。イギリスやオランダ、ドイツやポルトガルなどの国名は、日本だけで通用する。そもそも日本はなぜジャパンなのか。これもエクソニムだ。

最近の変更例ではジョージア（グルジア）がある。これもロシアがらみだ。二〇〇八年に勃発した南オセチア紛争（ロシア・グルジア戦争）を機にロシアとの敵対関係が決定的となったグルジアは、日本を含めてロシア語の呼称「グルジア」を使用している各国に対して、英語名の「ジョージア（Georgia）」採用を要請している。

キエフをキーウに変えた日本政府は四月一日、日本に親族や知人がいないウクライナ避難民に一時滞在するホテルを提供しながら、生活費や医療費を支給して就労も認めるという支援策を発表し、五日には政府専用機が日本とウクライナを往復して、二〇人の避難民を受け入れた。

こうした動きそのものに異を唱えるつもりはない。ウクライナでは多くの市民が助けを求めている。できるかぎりは救出すべきだ。

でもエクソニムを変えることと同様に、政府専用機まで飛ばして避難民を受け入れることは極めて例外的だ。入管では今もアジアやアフリカ、中東などから来た人たちが、期限のない長期収容で苦しんでいる。仮放免されても就労は禁じられているから生活はままならない。というか生活できない。嫌なら国へ帰れという意思表示だ。冷酷という言葉すらかすむ。名古屋出入国在留管理局に収容中のスリランカ国籍の女性ラトナヤケ・リヤナゲ・ウィシュマ・サンダマリが、自身の体調不良を訴え続けていたにもかかわらず、適切な治療を施されないまま亡くなったことは記憶に新しい。

生活費や医療費を支給して就労も認めるというウクライナ難民たちへの支援策に比べれば、なぜこれほどに違うのか。あまりに露骨だ。

ロシアの武力侵攻について、理は一分もない。ただしこれまでの経緯について振り返れば、親ロシア政権が崩壊した二〇一四年のマイダン革命の際にはウクライナの軍や警察が市民に対して激しい弾圧と暴力を与えたことは確かだし、軍事衝突の停止を目指して結ばれたミンスク合意はいまだに履行されていない。ネオナチ的な勢力は実際にウクライナ政治に大きな影響力を持っていたし、冷戦崩壊後にアメリカ（ＣＩＡ）がウクライナに対して、親米的な政権が勢力を持つための謀略工作を仕掛けてきたことも事実だ。

ちなみにこれはアメリカの常套手段であり、その最大の成功例は、戦後から現在まで一貫して属国のように（もはや「ように」じゃなくてそのものかも）親米的な姿勢を保ち続ける日本だ。

これまでの経緯を子細に検討すれば、ロシア（というかプーチン）が苛立つ理由も、ある程度はわかる。とはいえある程度だ。いきなりの武力侵攻は絶対に肯定できない。おそらくプーチンはウクライナを舐めていた。キーウはすぐに陥落してゼレンスキー政権は国外に逃亡すると考えていたのだろう。だからこそ被害は最小限で終わると思っていた。これほどに頑張るとは予想していなかったが、プーチンとしてはここであきらめることはできない。それは自身の政治生命の終わりを意味する。

でもならばプーチンに言いたい。あなたの政治生命などどうでもいい。少なくともそれは、多くの人の命とは等価ではない。長くあなたはロシアを支配してきた。もう充分のはずだ。早くいなくなれ。

侵攻開始から一九日が過ぎた三月一五日、国連はウクライナ民間人一八三四人がこの戦争で死傷した、と発表した。でもアメリカがイラクに武力侵攻した戦争では、少なく見積もっても一〇万人以上のイラク民間人が殺害されている。殺された子どもは数千人。ところが当時、イラク国民の被害の詳細は大きくは報道されなかった。だからイラクが大量破壊兵器を保持しているとの虚偽の理由で侵攻したブッシュ政権に対する批判は、今のプーチンへの批判ほどには高まらなかった。国連でロシアや中国、フランスやドイツなどがアメリカの武力進攻に反対したとき、イギリスと並んでブッシュ政権の侵攻を「テロとの戦い」と称して全面的に応援したのは小泉政権だ。

もう一度書く。ウクライナの避難民を受け入れることは正しい。プーチンとロシアを徹底的に批判することも正しい。でもならば、なぜアラブやアフリカ世界から助けを求めてきた人たちに対して、この国はこれほどに非情なのか。アメリカの虚偽と欺瞞と残虐な過ちに対しては、なぜ強く批判しなかったのか。

ＳＮＳにアップされたロシア軍ヘリが撃墜される動画に、何十万の日本人が「いいね」を押す。ヘリに乗っていた兵士にも父や母はいた。妻や子がいたかもしれない。彼の死は自業自得なのか。ロシア兵は民間人を殺戮した。それは確かに国際人道法違反だ。でもならば、国民に対して徹底抗戦を呼びかけながら火炎瓶を作ることを奨励し、一八歳から六〇歳までの男子に対して出国を禁じる国家総動員令に署名したゼレンスキーは肯定できるのか。彼らが手にする武器は、アメリカや西側諸国から送られている兵器だ。

しつこいことは承知で再度書く。非はロシアにある。それは大前提。でもそれを理由に世界が思考停止するのなら、これほど怖いことはない。

（『新潟日報』二〇二二年四月一六日付朝刊）

都合の悪い歴史を知ること

あなたは「済州島4・3事件」と聞いて、何のことかすぐにわかるだろうか。決めつけて申し訳ないけれど、あの事件のことか、とすぐにわかる人は、決して多くないと思う。

戦争が終わった一九四五年、日本が植民地支配していた朝鮮半島は、アメリカとソ連によって南北に分割占領された。その二年後に済州島で、南北統一を訴える市民デモに対して警察が発砲し、六人が殺害された。これが一連の事件の発端だ。

済州島の左翼勢力を警戒したアメリカ軍政庁は、警察官と右翼団体を済州島に送り込むことを李承晩政権に指示し、そこに軍隊も加わり、四八年四月三日、左派勢力の武装蜂起を機に弾圧を開始した。これが「済州島4・3事件」の始まりだ。

エスカレートした虐殺は七年に及び、軍や警察の銃口は政治的な運動に何の関わりもない一般市民にも向けられ、済州島の村は七〇パーセント以上が焼き尽くされた。殺害された人の数は三万人から八万人と推定され、島の人口は数分の一に激減した。

恐怖にかられて島を脱出した人たちの多くは、距離的に近い日本を目指した。だから今も在日韓国・朝鮮人は、済州島にルーツを置く人が少なくない。

統制された当時のメディアは事実を伝えることができず、事件は共産主義者の暴動とされて遺族や関係者は沈黙し、やはり軍隊が自国民を殺害した光州事件、保導連盟事件と並んで、4・3事件は韓国ではずっとタブーとされてきた。

しかし金大中政権のもとで二〇〇〇年に4・3真相究明特別法が制定され、〇三年に盧武鉉大統領が済州島民に公式に謝罪し、一二年には4・3事件を正面からとらえた映画『チスル』が公開され、文在寅大統領は一八年四月三日の追悼式に出席して、「国家権力が民衆に加えた暴力の真実をきちんと明らかにし、犠牲となった方たちの名誉を回復します」と宣言した。

二〇〇八年にオープンした「済州4・3平和公園」を訪ねたのは数年前。数えきれないほどの墓石が並ぶ墓苑に行った。いくつかの惨劇の現場を歩いた。自分たちは負の歴史とどのように対峙すべきか。少なくとも目をそむけるべきではない。そんなことを考えた。

この六月二〇日、日暮里で行われた「済州島4・3抗争74周年追悼講演とコンサートの集い」に僕は招待された。三〇〇人ほどの観客の多くは家族や親類を虐殺されて済州島から逃げてきた在日朝鮮・韓国人一世の子どもや孫たちだ。ステージで挨拶を求められて、都合の悪い歴史を知るために映画を作ります、と僕は発言した。でもこの映画は大手映画会社や企業からの協力を得ることはできません。だからご支援よろしくお願いします。

挨拶を終えてから、クラウドファンディングに協力するよと多くの人から声をかけられた。二部は在日二世シンガーであるパク・ポーのライブ。実はパク・ポーは、僕の最初の映画『A』のテーマ曲「峠」を作詞作曲したシンガーだ。会うのは数年ぶり。

何だか同じところをぐるぐると回っている。ふとそう思う。前に進んでいない。でも仕方がない。だって日本社会そのものが前に進んでいないのだ。ならば同じ場所から同じ言葉をあげるしかない。ひとりだけ違う場所に行っても仕方がない。そう自分を慰める。

アンコールの演奏では多くの人が踊り出した。そんな光景を眺めながら、前に進むために負の歴史から目をそむけるべきではない、あらためてそう実感した。

（『生活と自治』二〇二二年八月号）

連合赤軍、五〇年後の記憶

気がつけば新型コロナ関連のニュースを見たり記事を読んだりする時間が圧倒的に少なくなった。いや新型コロナだけではない。市民が軍や警察と闘うミャンマーや香港の情勢も、いつのまにか報道の最前線からはすっかり後退している。旧知のテレビディレクターに聞いたけれど、ロシア・ウクライナ戦争は、今もまだ視聴率をとるという。だから、後退しかけているけれど消えることはない。悲惨なのはミャンマーだ。まったく視聴率をとれない。だからニュースもほとんど消えた。

ある意味で仕方がない。人の興味や関心は移り気だ。そしてテレビや新聞などマスメディアは市場原理で動く。つまり社会の興味や関心が反映される。大量の情報が消費される時代になったからこそ、情報の賞味期限は急激に短くなっている。

かつて報道や情報系の番組のディレクターを務めていた頃、放送翌日には前日の視聴率が、折れ線グラフとなって壁に貼り出されていた。業界では「毎分」と呼ぶ。一分ごとの視聴率がこれでわかる。

だから視聴者がどの話題に関心を示し、どの話題に飽き始めているのか、とても明確に判断できる。視聴率が振るわない話題からは早々と撤退し、前日に高い視聴率をとった話題なら、まだしばらくは続く。視聴者から対価をとらずにスポンサー料だけでまかなうテレビにとって、売り上げに直結する視聴率は何よりも重要だ。

だから（もう一回書くけれど）ある意味で仕方がない。でもそれが良いとは決して思っていない。なぜならメディアには、市場原理だけではなくジャーナリズムの原理もあるはずだ。香港もミャンマーも、あるいはシリアやアフガニスタンにパレスチナも、問題は今も続いている。何も解決されていない。最初の衝撃が過ぎた今こそ大切な時期のはずなのに、ほぼ世界の関心からは取り残されている。

ウクライナ市民の犠牲者数は四〇〇〇人とも五〇〇〇人とも言われているが、すでに四〇万人近い命が犠牲になっているイエメン内戦については（現在進行形なのに）、これを知る日本人はとても少ない。理由は単純。ほぼ報道されないからだ。

メディアが報じなければ不可視になる。多くの人は気づかない。知らない。だから記憶すらされない。

もちろん、人はすべてを記憶することなどできない。忘れることは大事な機能だ。もしも忘却することができなければ、人は後悔や悔恨、恨みや悲しみや憎しみで押しつぶされてしまうかもしれない。

でも最低限は記憶すべきだ。過去の失敗や挫折、あるいは失恋。その記憶はつらい。惨めで卑劣だった自分を思い起こすこともつらい。できることなら忘れたい。なかったことにしたい。でももしも、自分にとって都合の悪いことはすべて忘れて成功体験ばかりを記憶する人がいるならば、とても傲慢で鼻持ちならない性格になるはずだ。

負の歴史を記憶して煩悶し続けることで、人は成長する。同じ過ちをくりかえさなくなる。社会や国も同じだ。都合の悪い歴史は忘却して、過ちや加害を塗り替えて、「すごい国と言われた」とか「気高い国日本」などと成功体験ばかりを記憶するならば、とても嫌な社会や国になるだろう。

六月一九日、目黒区の公共ホールで、五〇年前に起きた連合赤軍による一連の事件をテーマとするシンポジウムが開催された。

コロナ禍前にはほぼ毎年行われていたこの催しに、僕はできるかぎりは参加してきた。今年の参加者は、当事者として元革命左派の岩田平治と雪野建作の二人が登壇し、パネラーは雨宮処凛と山本直樹と森達也だ。

さらにパトリシア・スタインホフとピオ・デミリアがオンラインで参加して、第二部では現役の大学生三人も参加した。司会は金廣志（元赤軍派）と椎野礼仁（元戦旗派）だ。

ほぼ毎年参加していた鈴木邦男が体調悪化でいないことが寂しい。その存在の大きさをあらためて実感する。さらに今年は、毎年参加していた赤軍派の植垣康博も体調不良で欠席となった。他にも体調が悪い人は多い。でも危惧していた動員は、広いホールの六割くらいは埋まっていたから、まあまあと言えるのかもしれない。

個々の発言に触れる紙幅はないが、連合赤軍とほぼ同じ時代に存在していたイタリアの「赤い旅団」やドイツの「バーダー・マインホフ・グルッペ（ドイツ赤軍派）」に言及したピオの発言は、日本の司法のありかたを考えるうえでも、とても興味深かった。

様々なテロや誘拐・殺害事件などで人を殺害したこの二つの組織は、連合赤軍と同じように所属していたメンバーのほとんどは捕えられたが、今では（物故者を別にして）みな社会復帰している。二〇世紀を代表する哲学者のアントニオ・ネグリも、かつて赤い旅団と関係があったことは、ピオによればイタリアでは公然の事実だという。

そうした歴史と事実関係に触れながら、日本の刑罰はまるで報復です、とピオは言った。つまり理性ではなく感情。なぜ過ちを犯した彼らを社会資本にしないのか。語らせないのか。話を聞かないのか。

ピオが誰を指しているかは明らかだ。連合赤軍のメンバーであさま山荘の立てこもり犯でもある坂口弘の現在は確定死刑囚で、吉野雅邦は無期懲役囚だ。逮捕されてから二人の肉声は、（坂口は何冊かの本を上梓しているが）社会に届いていない。

連合赤軍事件、特に山岳ベース事件については、赤軍派のリーダーの位置にいた森恒夫は公判前に自殺し、革命左派のリーダーだった永田洋子は確定死刑囚のまま獄中で病死した。語れる人はもう多くない。

坂口も吉野も、これから七〇代終盤を迎える。僕は彼らの声を聞きたい。世界同時革命を本当に信じたのか。なぜ同志たちで殺し合ったのか。リンチ殺害を敗北死という言い換えで本当に納得できたのか。なぜ止められなかったのか。聞きたいことはたくさんある。「連合赤軍事件の全体像を残す会」は、これまで多くの当事者たちの発言を残してきた。でも山岳ベース事件の原因や動機、メカニズムについては、一人ひとりの視点は微妙に違う。当然だ。一人ひとりに視点がある。一人ひとりに解釈がある。だからこそ全体像を構築するためにも、補助線は一本でも多く必要だ。特に革命左派において永田に次ぐナンバー2の位置にいた坂口の視点は、全体像を残すうえでとても重要なものとなるはずだ。

同じことはオウム真理教の事件についても言える。なぜ実行犯たちはサリンを撒いたのか。これについては、側近や実行犯たちの証言でほぼ明らかになっている。教祖に命じられたから。ならば教祖である麻原彰晃は、なぜ教団絶頂期にサリン散布を指示したのか。本気でクーデターが成功すると思っていたのか。その後に何をするつもりだったのか。何を間違えたのか。事件後にどう思ったのか。

公判途中で沈黙してしまったからこそ、そうした要素はほぼ明らかになっていない。推測はいくつかあるが、決して社会で共有できていない。

シンポジウムにオンラインでハワイから参加したパトリシア・スタインホフは、サリン事件の翌年に『連合赤軍とオウム真理教　日本社会を語る』というタイトルの対談本を上梓している（伊東良徳との共著、彩流社）。彼女だけではなく、この二つの事件を関連付けて語る人は少なくない。

確かに、組織が暴走するメカニズムなど、二つの事件に類似点は多い。でもオウム真理教を対象に映画を撮って、拘置所で実行犯たちに何度も面会して本も書き、北朝鮮に行ってよど号メンバーたちと徹夜で議論して、植垣など山岳ベース事件の実行犯たちと何度も事件について話している僕の視点は少し違う。

オウムの事件を考えるとき、信仰の負の側面は重要な因子だ。赤軍派の場合には、信仰に代わってイデオロギーが嵌《はま》るが、この二つは似て非なるものだ。向きが違う。

さらにオウムの場合は、麻原がほぼ盲目だったことも、事件を解明するうえでは見過ごせない要素だ。目が見えないからテレビや新聞を利用できない麻原に代わって、村井秀夫や井上嘉浩など側近たちがメディアとなった。ここで市場原理が働く。側近たちはグルという市場が強く反応する情報を麻原に供給し続けた。自衛隊がオウムを攻撃するという情報があります。米軍が施設の上でサリンを撒こうとしています。フリーメイソンがスパイを送り込んできました。そうした情報を供給され続けた教祖は、社会はそこまで私たちに牙を剥くのかと危機意識を高揚させる。

……そんなことを思いながら登壇した第二部までを終え、第三部で僕は観客席に座る。登壇した宮島ヨハナ（国際基督教大学）と中村眞大（明治学院大学）、安達晴野（早稲田大学）の発言は素晴らしかった。三部の流れは、彼ら三人から当事者である岩田と雪野への質疑応答で展開したが、孫ほどの年齢の彼らの質問に、岩田と雪野がたじたじとなる（と感じた）場面も何度かあった。

日本社会も捨てたもんじゃない。司会の金が最後の締めで言った。ある意味で常套句だ。でも僕もそう感じていた。

シンポジウムが終わってから、この会も今年で終わりかもしれない、と言った椎野に、まだ続けるべきです、と僕は言った。本音だ。連合赤軍の事件はまだ何も解明されていない。あるいは社会に共有できていない。シンポジウム直前の五月二八日、日本赤軍元最高幹部だった重信房子が出所した。さらに五月三〇日、レバノンの首都ベイルートの墓地で、岡本公三が赤軍派メンバーたちの墓に花を手向けたことが、映像とともにテレビで報道された。

補助線はまだまだ増える。もっともっと全体を明らかにしたい。声をあげ続けるべきだ。確かに負の記憶はつらい。自らが誰かを殺した加害者であると同時に殺されかけた記憶を持つ彼らからすれば、忘れたいと思うことは当然だ。

でも彼らは沈黙しない。声をあげ続ける。過ちを記憶するために。失敗のメカニズムを明らかにするために。だからこそ市場となる社会は、関心を持ち続けるべきだ。

それはこの時代に生きる僕たちの責務なのだから。

（『創』二〇二二年八月号）

元首相襲撃はテロなのか

僕は原稿を書いていた。テーマは長く続いた安倍政権についての考察。よりによってそのタイミングで、たまたまスイッチを入れたテレビのニュース番組で、安倍元首相が銃撃されたとの一報を知った。

ただしこのとき僕は、おそらくは軽傷だろうと思っていた。ならば安倍元首相や自民党を支持する人たちは、さらに勢いづくだろう。

都議選の投開票を翌日に控えた二〇一七年七月一日、安倍首相（当時）は秋葉原で自民党の街宣車の上にいた。この選挙で最初で最後の首相による街頭演説だ。この時期の安倍首相は、お友だちや支援者に便宜を図ったのではないかとの疑惑の目を向けられた森友・加計問題で窮地にいた。ここまで街頭演説を避けてきたのは、野次を避けたかったからだろう。

しかしさすがに選挙戦最終日に街頭演説を回避はできない。安倍が到着すると秋葉原の駅前広場に「安倍辞めろ！」の声が起こり、これに合わせて揺れる横断幕を指さしながら、マイクを手にした安倍は言った。

「こんな人たちに負けるわけにはいかない」

日の丸の小旗を振りながら支持者たちは、安倍元首相の言葉に一斉に賛同の声を上げた。総理大臣が国民を敵と味方に二分するかのような発言をすることなどありえないと正論を唱えることは可能だけど、安倍元首相と支持者からすれば、この瞬間に敵が明確に可視化されたわけだ。

銃撃されたとの報道があったとき、僕はてっきり、狙撃した男は「こんな人たち」の一人なのだろうと思っていた。他に思いつけなかった。ならばまた同じことが起きるかもしれない。しかも選挙直前という最悪のタイミングだ。二〇一七年の「こんな人たちに負けるわけにはいかない」はさすがに大きく批判されて、都議選で自民は過去最低の三八議席を大きく下回る二三議席となったけれど、今回の安倍元首相は一方的な被害者だ。ならば追い風になることはあっても、逆風になることはないはずだ。

　速報から三〇分ほどが過ぎた頃、テレビ画面に「心肺停止」のテロップが映し出され始めた。おそらく軽傷だろうと何の根拠もなく思い込んでいた僕は、テレビの前で言葉がない。無理に言葉にすれば茫然自失。何かの間違いじゃないのか。現実感がまったくない。僕は彼からすれば「こんな人たち」の一人だけど、でもこの展開はありえない。

　死亡したとＮＨＫが報じたのは午後五時四〇分前後。ふと気づけば、スタジオに着席するＮＨＫのアナウンサーたちは、いつのまにか黒いスーツとネクタイ姿に変わっている。茫然自失しながらも、これはありえないだろ、と思わず僕はつぶやいていた。元首相ではあっても、現在の彼は一介の衆議院議員だ。非常事態であるからこそ、メディアは原則やルールを守るべきだ。

　このあたりからテレビは一斉に、安倍元首相の生前の業績を伝え始めた。憲法改正が安倍元総理の夢でした、とアナウンスしたテレビ局もあった。動機については特定の宗教団体への恨みだったと容疑者が供述していることは、すでに明らかになっている。ならば狙撃犯は「こんな人たち」ではなかったのだ。タイミングが選挙期間中と重なった理由も、街頭演説で近づきやすいからというだけのようだ。ところが各局のコメンテーターやアナウンサー、あるいはマイクを向けられた政治家たちの多くは、「民主主義への挑戦」「言論の自由へのテロ」などのフレーズを当然のように使っている。これは本当に驚いたけれど、「弔い合戦のつもりで投票に行きましょう」

と若いアナウンサーが呼びかけた番組もあった。

それから一週間が過ぎた。今日のNHKのニュースでも容疑者の動機について、「宗教団体と安倍首相が近しい関係にあると思い込み」とアナウンスしている。「思い込み」というフレーズが示すことは、事実は違うということだ。でも違わない。命を奪うことは論外としても、近しい関係にあったことは事実なのだ。「思い込み」というフレーズは使うべきではない。

もちろんその程度のことは、メディア関係者の多くは知っている。でも「思い込み」に代わる言葉を思いつけない。「宗教団体と安倍首相が近しい関係にあると知り」とアナウンスすべきとは思っても（これがいちばん正確だ）、この段階では自民党や支持者からすさまじい抗議が来ることは目に見えている。

旧統一教会が母体である国際勝共連合が日本にできたとき、安倍元首相の祖父である岸信介元首相は、積極的にこれを支援した。反共だけではなく改憲や儒教的価値観に裏打ちされた家族観、夫婦別姓への反発や反ジェンダー思想など、自民党と旧統一教会の思想的傾向はきわめて近い。特に第二次安倍政権においては急激に距離を縮め、安倍元首相以外にも多くの議員が、旧統一教会関連の行事やパーティに積極的に出席している。

自戒を込めて書くけれど、僕ですらその程度は知っていた。むかつくなあとは思っていたけれど、多くのメディア関係者が知っていることなのにニュースにならないのだから、これが大きなニュースバリューを持つとは思っていなかった。つまり状況に馴致されていた。これは他のメディア関係者も同様だろう。そしておそらくは、安倍元首相も含めて自民党の議員たちも。

ならばきっと、本来なら取材して報道しなければならないことなのに、周知のことと多くの人が思い込んで放置されていることは他にもある。これは今回の重要な教訓だ。

それともうひとつ。結果としてメディアと一部の政治家は、この殺人事件を政治的な目的があるかのようにフレームアップしている。つまりテロの捏造だ。しかも選挙直前。テロという文脈で消費される事件。喚起された不安と恐怖は二元化を促進し、新たな「こんな人たち」を見つけだして、攻撃しようとする。なぜなら敵を探したい彼らにとって、攻撃は最大の防御なのだから。

こうして日本の変化は加速する。国葬など絶対にありえない。

（『生活と自治』二〇二二年九月号）

「美しい国」の由来

一九九八年に逝去した世界基督教統一神霊協会（統一教会）の日本における初代会長である久保木修己の遺稿集『美しい国 日本の使命』が、教会の関連出版社である世界日報社から刊行されたのは二〇〇四年。そしてこの二年後に安倍元首相は、ベストセラーとなった『美しい国へ』を文藝春秋から刊行している。

つまり、安倍元首相の代名詞的なフレーズである「美しい国」のオリジナルは、久保木だった可能性が高い。ちなみに久保木は、反共主義を掲げる国際勝共連合の日本における初代会長でもあった。

一九五四年に韓国で設立された統一教会は、その一〇年後に日本でも宗教法人として認可され、本部教会を安倍元首相の祖父である岸信介元首相の自宅の横に設立した。岸内閣の時代に首相公邸だった建物が使われたようだ。

儒教的家族観を重視しながら共産主義を強く否定する教会の教義は、信仰よりも政治的な右派思想に近い側面を持っていた。国際勝共連合の日本における名誉会長は、戦前は右翼活動家で戦後は大物フィクサーと称された笹川良一だ。その笹川とともにA級戦犯として巣鴨プリズンに収監されていた岸もまた、教会の教義に強く共鳴した。

この時代に教会の会合などに出席した岸は、「隣り合わせで住んでおりました。笹川君が統一教会に共鳴して運動強化を念願し、（中略）久保木君のお説教は非常に頼もしく私は考えたのです」などと挨拶している。また久保木は久保木で、「岸先生に懇意にしていただいたことが、勝共運動を飛躍させる大きなきっかけになった」と著書『愛天愛国愛人　母性国家日本のゆくえ』（世界日報社）で振り返っている。

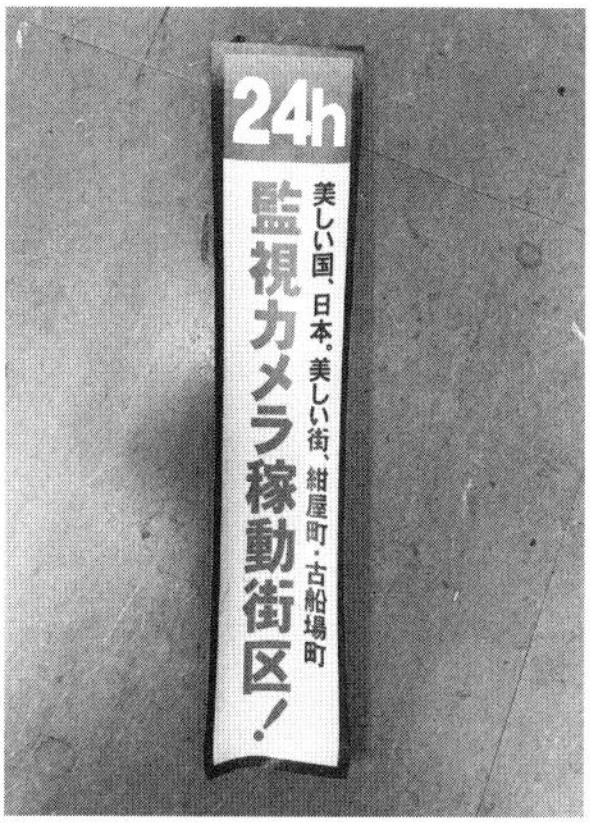

撮影・竹川大介

「美しい国」の「国」を「僕」や「私」に置き換えてみてほしい。とても鼻持ちならないフレーズになるはずだ。でもこのフレーズを、久保木も安倍元首相も、決してアイロニーやメタファーとしては使っていない。本気なのだ。そこで思考が停まる。だからこそ「美しい」と「監視カメラ」が共存できる。その矛盾やほころびに気づかない。

第二次岸田内閣が発表されたが、旧統一教会と関係があった閣僚が続出しているとメディアは伝えている。関係を切れないのではなく、儒教的家族観や反ジェンダーや対米従属に反共右派思想など今の自民党のアイデンティティが、もしも関係を切ったらなくなってしまうのだ。

「美しい国」のオリジナルは知らなかったが、安倍元首相だけではなく自民党が旧統一教会と浅からぬ関係を持っていたことは、(僕も含めて)メディア関係者の多くは知っていた。でも問題視しなかった。王様は裸で歩いているのに誰もそれを指摘しない。美しいお召しものだねえとかやっぱり庶民とはセンスが違うよねなどととぼけたことを言っている。でも場や空気に馴致できない子どもが「王様は裸だよ」と言ったことではっと気づく。

そんな童話を思い出す。

(『生活と自治』二〇二二年一〇月号)

福田村の夕焼け

一九二三年に起きた関東大震災直後、千葉県福田村(現野田市)で起きた虐殺を題材とした劇映画『福田村事件』の京都・滋賀ロケが、九月後半に終了した。

ただしクランクアップ(撮影終了)ではない。九月に入ってからは台風に悩まされた。予期せぬ事故もあり、結果として二シーンを撮り残した。

でも撮影の延長はできない。もしも潤沢な予算があるならば、撮影予備日をたっぷり確保しておくが、この映画はとにかくぎりぎりなのだ。二シーンについては、後日に追撮と決定した。幸いなことに公開は一年後。つまり関東大震災発生から一〇〇年が過ぎる二〇二三年九月の予定だ。時間だけはたっぷりある。

ラッキーだったことはもうひとつ。スタッフ・キャストを含めて一〇〇人以上の人たちが集結する撮影現場で、新型コロナ発症がまったくなかったことだ。

クランクイン（撮影開始）した八月中旬、日本はコロナの第七波に襲われていた。実は僕も七月下旬に陽性となった。ロケハンや打ち合わせで頻繁に顔を合わせていたプロデューサーやメインスタッフたちの多くも、ほぼ同じ時期に陽性となって、今さらだけど感染力の強さを実感した。だからこそ撮影中に誰かが発症することを、実のところ覚悟していた。その場合はどうするか。一人や二人の発症で収まるとは思えない。そうなれば撮影中断となるのか。もしもそうなったら、新たに再開するだけの余裕はない。ならば制作中止。つまり完成をあきらめるのか。

撮影中のコロナ感染発生のシミュレーションを何度も行ったが、規模や時期がまったく想定できない。実際の事態に対処するしかないのだ。

その意味では悲愴なクランクインだった。その日の撮影が終わってからのスタッフ・キャストたちが集う会食も原則禁止。コミュニケーション不足にも悩まされた。

でもロケが終了するその日まで、コロナ感染者は一人も出なかった。いやそれは正確ではないか。一人だけ発熱したスタッフがいたけれど、プロデューサーは彼にホテルの部屋にこもることを厳命した。三日後に彼は回復した。コロナだったのか風邪だったのかただの疲労だったのかはわからない。肝を冷やしたのはそのときだけ。これはミラクルです。クランクアップ直前に助監督の一人がつぶやいた。

襲撃された行商団一五人のうち、殺害されたのは九人だ。実直で勤勉な人たちで、九人のうち三人は年端もゆかない子どもだった。

そして虐殺に加担したのは、やっぱり善良で勤勉な村人たちだった。邪悪で凶暴で冷血な人など一人もいない。

でも不安や恐怖が刺激されて危機意識が高まったとき、人は人を殺す。最初は抵抗があったかもしれない。でも始まってしまったら、その環境に自分を馴致してしまう。つまり無自覚に自分を壊すのだ。

ちなみに軍隊は、過酷な訓練で壊れてしまって指導教官を撃ち殺して自害するアメリカ海兵隊初年兵を描いたスタンリー・キューブリックの映画『フルメタル・ジャケット』が示すように、あらかじめ兵を壊す。だからこそベトナム戦争やイラク戦争後のアメリカで、元兵士の社会復帰は大きな問題になった。マーティン・スコセッシが監督した『タクシードライバー』や『ディア・ハンター』（マイケル・チミノ監督）、『ランボー』（テッド・コッチェフ監督）や『帰郷』（ハル・アシュビー監督）はすべてベトナム戦争で、そしてクリント・イーストウッドが監督した『アメリカン・スナイパー』と『グラン・トリノ』は、それぞれイラク戦争と朝鮮戦争で壊れてしまった元兵士が主人公だ。

人は人を簡単には殺せない。そう生まれついている。冷血で残虐だから悪を為すのではない。誰もが優しく善良だったはずなのだ。南京で多くの市民を殺害した皇軍兵士たちも、絶滅強制収容所で六〇〇万人のユダヤ人を殺害したナチス親衛隊員も、ルワンダで多くのツチ族住民を虐殺したフツ族住民も、ウクライナのブチャで多くの住民を殺害したロシア軍兵士たちも、みな家に帰れば良き夫であり息子であり、父親であったはずだ。

つまり彼ら殺戮者たちは、今の自分たちと地続きなのだ。入れ替え可能。彼らは彼岸にいるわけではない。此岸にいる。僕たちなのだ。だからこそ負の歴史や加害の事実から、僕たちは目を逸らしてはいけない。そのプロセスを学ばなくてはならない。同じことをくりかえさないために。

最初の虐殺シーン撮影が終了した日、現場で機材を撤収しながら、スタッフやキャストたちと日没を見つめた。惨劇が起きた一九二三年九月六日夕刻の福田村も、記録によれば晴天だったようだから、きっと同じような夕焼けに照らされていたはずだ。

（『生活と自治』二〇二二年一一月号）

排除ベンチのない国

二〇二二年一〇月上旬、三年ぶりに成田から渡航した。目的地は韓国の釜山だ。コロナ禍が始まったとき、前作の映画『i』はイタリアやドイツの映画祭に招待されていた。一月末のヘルシンキ・ドキュメンタリー映画祭にはぎりぎり参加することができた。でもその後に予定されていたイタリアとドイツの映画祭は、オンライン参加になった。もちろん観客たちも劇場に足を運べない。上映ではなく配信だ。ならばこれは映画祭と言えるのだろうか。そんな日々が続いていた。

三年ぶりの海外は、やはり三年ぶりにオンラインではなくリアル開催が決まった釜山映画祭に招待されたから。ただし映画『福田村事件』は撮影を終えたばかりだ。まだ完成していない。目

釜山のベンチに仕切りはなかった。

的は上映ではなく、世界中の映画制作者や配給関係者、映画祭ディレクターなどが集まるこの映画祭で、企画のピッチング（売り込み）が行われるマーケットに参加することだ。

釜山市内の会場に設置されたブースで、同行したプロデューサー二人と、多くの海外映画制作者や映画祭関係者たちとミーティングした。これまで多くの映画祭に招待されてきたけれど、マーケットへの参加はこれが初めてだ。そもそもドキュメンタリー映画は需要がさほど大きくないし、これまでは同行したプロデューサーにすべて任せていた。

でも劇映画は、制作費のゼロの数がドキュメンタリー映画とは一つか二つちがうから、海外への展開は重要な要素だ。監督がマーケットのブースにいてくれたらより作品の説得力が増す。ゼネラルプロデューサーである小林三四郎にそう言われて、僕はマーケットに参加することに同意した。内心は三年ぶりに海外に行けることが嬉しかった。

ある程度のスケジュールは参加する前に決まっていたが、空いている時間でもブースを離れることはできない。なぜなら大物プロデューサーや映画祭ディレクターが、ふらりとブースに立ち寄る場合もあるからだ。小林プロデューサーからは、空いた時間に映画を観に行けばいいよ、と言われたけれど、できるかぎりはブースにいた。

ちなみに韓国でも、ほとんどの人たちはマスクをして歩いていた。感染ピークはもう過ぎていることは知っているけれど、周囲の人たちの目が気になってなかなか外せない。このあたりは日本人とメンタリティーが近いのかも。

ブースを訪れた海外の映画関係者の多くは、自分たちの過ちを映画化する試みは重要だと口を揃えた。こうした日本映画を待っていたと激賞してくれる人もいた。九九年前、デマや流言飛語に惑わされて朝鮮人が日本人を殺戮していると信じ込んだ人たちは、自分と家族や同胞を守るために、朝鮮人狩りを始めた。大義は自衛なのだ。だから摩擦が働かない。殺される前に殺せ。正義は自分たちとともにある。こうして関東全域で、少なく見積もっても六〇〇〇人に及ぶ朝鮮人が殺された。言葉のイントネーションが聞き慣れないというだけで、自分たちとは違う人とみなし、朝鮮人だけではなく中国人や日本人も殺された。

マーケットが開催された釜山国際展示場ベクスコの周辺で、ベンチの写真を撮る。これまで多くの国を訪ねたけれど、街で日本のような仕切り入りベンチを見た記憶はほとんどない。もちろん韓国も。

たかがベンチ。されどベンチ。暖かい部屋でベッドに眠れない人を、不審者として排除するベンチ。僕には今の日本のひとつの象徴のように思えて仕方がない。

（『生活と自治』二〇二二年一二月号）

「飛翔体」から「弾道ミサイル」へ

最初の打ち上げは一九九八年三月三一日。この時期の政府とメディアは、飛翔体と呼称していた。やがて飛翔体は実験用ミサイルとなり、いつからか実験用も消えて、最近は弾道がつくようになってきた。

弾道ミサイル発射と言われたら多くの人は、もしも軌道を変えて日本に落ちてきたら大変なことになると思うかもしれないが、あくまでも打ち上げの実験だから弾頭は搭載されていない。

そもそもミサイルの威力は、実のところさほど大きくない。仮に通常弾頭を搭載していたとしても、その破壊力はきわめて限定的だ。実際の破壊力よりも不安や恐怖の扇動が目的の兵器なのだ。つまり目的は物理的なダメージを与えることよりもテロに近い。第二次世界大戦時にナチスドイツが打ち上げたＶ２ロケットミサイルはロンドン市街に五〇〇〇発以上着弾したが、被害はきわめて局所的だった。

もちろん、軽微ではあっても被害は出る。これを見過ごせるはずはない。さらにもしも核兵器や化学兵器、あるいは生物兵器が搭載されたなら、ミサイルの威力はまったく変わる。

とはいえ、騒ぎすぎだと思うのだ。

政府とメディアはＪアラート発令の際に日本上空を飛翔とアナウンスするが、その高度は八〇〇～一〇〇〇キロメートルだ。もっと高い場合もある。国際宇宙ステーションの高度は四〇〇キロメートル。要するに宇宙空間なのだ。破片が落ちてきたらどうするという人が時おりいるが、すでに地球の引力圏外だ。

数年前に北朝鮮に行ったとき、情報鎖国であることを実感した。テレビや新聞はほぼすべて国営か党の機関紙だ。政権にとって都合の悪いことは報道しない。ネットはあるが国外にはつながらない。平壌市内の祖国解放戦争勝利記念館（要するに戦争博物館）では、アメリカがいかに危険で凶暴な国であるかを、これでもかというくらいに強調した展示がなされている。

こうして国民は不安や恐怖を煽られて選択肢が限定され、ミサイルや核兵器など抑止力を強化して、攻撃される前に攻撃するしかないと思い込む。つまり長くスローガンにしてきた先軍政治だ。このときの大義は侵略ではない。一にも二にも自衛なのだ。我々は決して戦争など望んでいない、しかし祖国と同胞を守らねばならない。そのためには仕方がない。戦うだけだ。


すべての戦争は自衛から始まる。


これは一〇年ほど前に上梓した自著のタイトルだけど、時おりネットなどでこのタイトルについて、こいつはバカじゃないかとか勉強しろとか日本から出てゆけなどと罵倒や揶揄されている。何度でも言う。帝国主義や植民地主義が息づいていた二〇世紀前半までならば、確かに侵略戦争はあった。でもそれ以降の戦争はほぼすべて、侵略ではなく自衛を大義にする。だから正義になる。

二〇二二年の一一月二二日に政府が主導する有識者会議は、軍拡路線に前のめりな岸田政権に対して、敵基地攻撃能力（反撃能力）の保有と防衛力増強は不可欠だとしてお墨付きを与えた。専守防衛が基調をなしてきた日本の安全保障は、これから大きく転換する可能性が高まった。

すべての戦争は自衛から始まる。それは日本も北朝鮮も同様だ。かつてのアメリカも今のロシアも、大義として掲げるのは自国民の保護や国家の自衛だ。

国民のあいだで危機意識が高揚したとき、対外的に強硬な政治リーダーが支持される。こうして政治権力は暴走する。

だからこそ権力を監視するメディアの存在が重要だが、この国のメディアはどこまで期待できるのだろう。残念ながらこの状態になったとき、対外的に強硬なメディアのほうが、視聴率や部数を稼ぐことは歴史が証明している。

……出口なし。僕は湿った吐息をつくばかりだ。

（『生活と自治』二〇二三年一月号）

卑怯なコウモリ

一二月一七日、配達された新聞を手に取ったコウモリは、一面の大きな見出しに驚きました。安全保障三文書閣議決定。軍拡する中国の脅威と北朝鮮のミサイルを理由に、今後五年間で防衛関連予算を倍増させて反撃能力を保有する方針が、文書には明記されたとのこと。

つまり、戦後ずっと守り続けてきた専守防衛に徹するこの国の安全保障政策が、大きく転回したのです。しかも国会審議もないままに閣僚だけの密室会議で。

「敵基地攻撃能力」を言い換えた「反撃能力」は、相手国が「攻撃に着手」した段階で基地や司令部中枢を攻撃できるとする能力です。

コウモリは新聞を読みながら首をかしげます。「攻撃に着手」とあっさり表現しているけれど、これは誰がどのように判断するのだろう。

互いに緊張が高まったとき、例えば相手国が軍事演習で部隊を移動させた場合などに「攻撃に着手した」と判断したならば、こちらから攻撃することが可能になるのだろうか。ならばそれは「反撃」ではなく、相手国からすれば「先制攻撃」となる。

2022年12月17日の朝刊。表記は各紙で分かれた。

仮にミサイルを発射したとしても、その弾頭に火薬を搭載しているかどうかは、着弾するまでわからない。ならば発射前に叩くのか。でも弾頭ミサイルと宇宙ロケットの違いは微妙だ。極論すれば、人工衛星を搭載すれば宇宙ロケットだし、火薬などを搭載すれば弾道ミサイルになる。その違いをどのように判別するのだろう。

どう考えても「反撃」と「先制攻撃」の違いは微妙だ。しかもこれを判断できる偵察や情報分析能力がこの国にあるとは思えない。アメリカからの情報に依拠するはずだ。ならばアメリカが「やれ」と言ったら「やる」のか。本当にそんな状態にしてしまっていいのか。メディアは安易に政権の言い換えに従うべきではない。

そんなことを思いながらジャケットを羽織り、コウモリは外出しました。駅前のコンビニに行って、新聞各紙の見出しを読み比べようと考えたのです。

読売と毎日、日経、産経は、政府が言い換えた「反撃」をそのまま見出しに使っています。「敵基地攻撃」にこだわったのは朝日と東京。これは保存しておかなければと思ったコウモリは、六紙をすべて買って家に戻りました。

帰宅してコーヒーを淹れていると、ドアがノックされました。トリ国の代表であるワシです。普段は冗談好きで気さくなおじさんなのだけど、今朝の表情は気色ばんでいます。

「どうやらケモノたちは我々を攻撃してくるようだ。自衛のために戦わなくてはならない。君たちは超音波兵器を持っている。ぜひトリ軍の一員として、我々の作戦に協力してほしい」

「ああ、それは残念です」とコウモリは答えました。「僕たちはトリではなくてネズミなんです」

「だって君たちは空を飛ぶじゃないか」

「僕の翼は指のあいだの皮膜です。あなたたちトリとは根本的に違います。つまりケモノですよ。トリ国の仲間にはなれないです」

そう言ってワシの申し出を断ったコウモリの家に、今度はケモノ国の代表であるライオンがやってきました。肥満気味でいつもは穏やかなおじさんなのだけど、今朝は人が変わったように早口で言葉遣いもぞんざいです。

「トリ国は攻撃準備を進めているらしい。我々は集団的自衛権を持つ仲間だ。一緒に戦うよな?」

「それはちょっと難しいかもしれません」

「どういうことだ。非常時なんだぞ。君たちはケモノなんだよな」

「種としては確かにネズミだけど、僕たちの今の生態はほぼトリです。ケモノ国の皆さんとは同盟できないです」

　ライオンが腹を立てながら帰った数日後に、ケモノ国とトリ国の戦争が始まりました。相手が攻撃してきそうだったので、やむなく敵基地攻撃をしたのだと互いに主張します。

　それぞれ大義は自衛です。だから抑制が働きません。兵器を購入するために国民の生活を犠牲にする。社会福祉カットに弱者切り捨ては当たり前。互いにアメリカの兵器を買わされています。それも四〇年前に開発された巡航ミサイル「トマホーク」。速度は音速以下で、とても使い物にはなりません。

　戦争は長引いて、互いに多くの国民が死にました。国土も焼け野原になりました。どちらの側にもつかなかったコウモリは、昼と夜のあいだしか活動できなくなりました。

　でも戦争で殺したり殺されたりするよりは、ずっとマシだと思っています。


（『生活と自治』二〇二三年二月号）

[著者]　森 達也（もり・たつや）
映画監督・作家。1956年、広島県生まれ。1998年、オウム真理教のドキュメンタリー『A』を発表。2001年、続編『A2』が山形国際ドキュメンタリー映画祭で特別賞・市民賞を受賞。その他の監督作品に、『FAKE』、『i －新聞記者ドキュメント－』（第94回キネマ旬報ベスト10（文化部門）1位）など。『A3』（集英社文庫、第33回講談社ノンフィクション賞）、『U　相模原に現れた世界の憂鬱な断面』（講談社現代新書）、『千代田区一番一号のラビリンス』（現代書館）など、著書多数。関東大震災後に起きた虐殺事件を題材にした劇映画『福田村事件』が2023年晩夏に公開予定。

歯車《はぐるま》にならないためのレッスン

2023年 4 月20日　第1刷印刷
2023年 4 月30日　第1刷発行

著者　森達也

発行人　清水一人
発行所　青土社
東京都千代田区神田神保町1-29　市瀬ビル　〒101-0051
電話　03-3291-9831（編集）　03-3294-7829（営業）
振替　00190-7-192955

本文組版　フレックスアート
印刷・製本　双文社印刷

装幀　コバヤシタケシ

ISBN978-4-7917-7551-4